마른 가랑잎이 층층이 덮인 캄캄한 땅속에서 지상의 날들을 꿈꾸는 동안 저들을 견디게 한 힘은 무엇이었을까? 문득 그런 생각들이 두서없이 섞이면서 꽃 위에 얹어 놓은 시선이 몹시도 흔들렸습니다.

- 노루귀꽃

사랑하는 일이란 자신의 가슴에 수국 한 송이 피우는 일인 것을, 그 꽃이 보랏빛으로 피는 것도, 혹은 하늘빛으로 피는 것도 자신의 마음가짐에 달린 일이란 것을 수국을 볼 때마다 생각합니다.

-수국

그 사람의 이름이 무엇인지, 그 사람의 출신지가 어디인지, 그 사람이 어디에 살고 있는지에 관심을 두는 것도 좋지만, 그 사람이 지니고 있는 향기를 기억하는 일, 그 사람이 지닌 아름다운 빛을 기억하는 일이 더 중요하지 않을까요?

-라일락

그대를 생각하는 동안 세상 어디선가 또 꽃이 피고 꽃이 지고. 꽃이 피고 꽃이 지는 동안 난 또 그대를 생각하고. 사는 일이 그대를 생각하는 일임을 이제사 조금씩 깨닫습니다. 내가 이 세상 어디에 머물든 그대는 내게 가장 큰 하늘입니다.

-물레나무꽃

한 송이 꽃을 보면 그 꽃의 생애가 되짚어지고 그 생애를 되짚어가다 보면 인생이 보이기도 합니다. 꽃을 보는 일은 결국엔 내 자신을 돌아보는 일입니다.

-현호색

세상 사람들 만나는 일들이 그대를 만나는 일처럼 나를 행복하게 했으면 좋겠습니다. 아니 나를 만나는 모든 사람들이 행복해졌으면 좋겠다는 생각을 했습니다.

-미선

실타래처럼 꼬인 꽃 마디마디 분홍색 꽃을 피워 꽃 타래를 이루는 타래난초를 보면 삶이 꼬일 때마다 쉽게 포기하고 주저앉기 쉬운 우리네 인생에 큰 깨달음으로 다가오곤 합니다.

-타래난초

내 가슴에 끊임없이 피어나던 수천수만의 장미를 생각합니다.
당신으로 하여 내 안에 수없이 피고 지던 장미의 향기를 기억합니다.
세상에서 제일 곱게 피어나던 내 안의 장미,
당신을 나는 아직 잊지 않았습니다.

-장미

꽃을 찾는 일은 내 안에 흐려진 꽃빛을 찾는 일이기도 합니다. 꽃들이 제 안의 빛깔을
선명하게 드러내듯이 우리에게도 패랭이꽃처럼 나 아닌 누군가를 황홀하게 할 꽃빛을
지닌 적이 있었지요.

-패랭이꽃

다가설 수 없는 날들이 그리움의 향기를 빚습니다. 손잡을 수 없는 안타까움이 애틋함
을 자아냅니다. 당신이 내게 그러하듯이, 나 또한 당신에게 그런 사람이었으면 좋겠습
니다.

-백합

몸을 낮추고 오래도록 꽃과 눈을 맞추다 보면 예전엔 보이지 않던 아름다움이 하나씩
눈에 들어옵니다. 꽃을 보는 일이 사람 사는 일과 크게 다르지 않습니다. 꽃을 보듯 사
랑하는 사람의 얼굴을 찬찬히 살펴보십시오.

-물매화

오늘 문득 나무들이 사람처럼 걸어 다닐 수 있다면 지금처럼 의젓할 수 있을까 하는 엉
뚱한 생각을 해 보았습니다. 나무들이 착한 건 걸어 다닐 수 없기 때문인지도 모릅니다.

-민들레

당신의 안부를 묻던 날은 행복했었노라고, 완료형으로 말하고 나면 내가 너무 슬퍼질
것 같아 아무 말도 할 수 없었던 시간들. 정작 하고픈 말은 가슴 깊이 묻어둔 채 허튼
웃음 속에 나를 감추던 위선의 나날들.

-쪽동백

꽃들이 저마다 자신의 시간에 충실하여 아름다운 꽃을 피워 내듯이 만나는 순간에 최선
을 다한다면 어쩔 수 없이 헤어진 뒤에도 아프지 않고 생각하면 결 고운 추억이 되리라
는 게 제 짧은 생각입니다.

-상사꽃

꽃에게 말을 걸다

꽃에게 말을 걸다

초판 1쇄 발행 2011년 4월 5일

지은이 백승훈
편 집 하희숙
펴낸이 백승대
펴낸곳 매직하우스
디자인 출판iN 02-6014-7810

출판등록 2007년 9월 27일 제313-2007-000193
주소 서울시 마포구 서교동 393-5 화승리버텔 1005호
전화 02)323-8921
팩스 02)323-8920
이메일 magicsina@naver.com

ISBN 978-89-93342-20-8   03810

꽃에게 말을 걸다

흰벌의 들꽃 탐행기

백승훈 지음

Magic House
Open Your Thinking

첫마음 편지

- 꽃 편지를 시작하며

● ● ●

그대 따뜻함에 다가갔다가
그 따뜻함 무연히 마주할 뿐
차마 끌어안지 못하고 돌아왔습니다.
그대 쓸쓸함에 다가갔다가
그 쓸쓸함 무연히 마주할 뿐
차마 끌어안지 못하고
돌아오는 발걸음이
어떤 것인지는 말하지 않겠습니다.

다만,
내가 돌아오는 발걸음을 멈췄을 때
내 긴 그림자를 아련히 광내며
강 하나가 따라오고 있다는 것을 알았습니다.

내가 거리에서 휘감고 온 바람을 벗었을 때
이 세상에서 가장 이쁜 은방울꽃 하나가 바람결에
은방울을 달랑달랑 흔들며
강물 속으로 들어가는 것을 보았습니다.

그 이후 이 세상 적시는 모든 강물은
그대 따뜻함에 다가갔다가
그 따뜻함 무연히 마주할 뿐
차마 끌어안지 못하고 돌아서는 내 뒷모습으로
뒷모습으로 흘렀습니다.

- 그대 생각 / 고 정 희

· · ·

꽃 편지의 시작을 어찌할까 고민하다가
궁여지책(窮餘之策)으로 고정희 시인의 시를 하나 골랐습니다.
제가 좋아하는 시(詩)기도 하지만
시 속에 들어 있는
이 세상에서 가장 예쁜 은방울꽃 하나가
나를 놓아주지 않아서입니다.
일 년 중 가장 아름다운 달이 떠오를 때
그늘진 골짜기에 숨어 피어
사랑스럽고 달콤한 향기를 피워 올리는 은방울꽃은
성모 마리아와 봄의 여신에게 봉헌된 꽃으로
사람들에겐 사랑과 행복, 그리고 모든 근심의 끝이자
희망의 상징이기도 하지요.
〈최후의 심판(The last judgment)〉 속엔
많은 인물이 등장하는데 이 그림을 찬찬히 들여다 보면
인간 영혼의 선과 악의 투쟁이 벌어지는 한 가운데에
은방울꽃이 피어 있는 것을 볼 수 있습니다.
그림 속의 은방울꽃은 심판의 장소에서 가려져야 할

그리스도 안에 깃든 구원의 상징이라고 합니다.
이 외에도 좋은 뜻을 많이 지니고 있는 은방울꽃이야 말로
벗님에게 띄우는 첫 꽃 편지에 가장 어울리는 꽃이란 생각이 들었습니다.

첫 편지라고 생각하니
공연히 가슴에 울렁증이 일고
빈 속에 블랙커피를 들이킨 듯
좀처럼 마음이 진정되질 않습니다.
이 까닭 모를 설렘이라니….
첫사랑, 첫키스가 그렇듯이

처음이란 언제나 두려움과 설렘이 뒤섞여 있습니다.
그리하여 조심스럽게 내 안의 수문을 열어
처음으로 누군가에게로 마음의 물꼬를 트는 일은
설렘의 순간이기도 합니다.
가만히 돌이켜 보니
제가 들꽃 탐행을 시작한 지도

어느덧 반 십년이 훌쩍 넘었습니다.
꽃에게 말을 걸면서 깨달은 것 중에 하나는
꽃을 제대로 보기 위해선
꽃과 눈높이를 맞추어야 한다는 것이었습니다.
또한 꽃은 손으로 꼽을 수 없을 만큼 많은 미덕을 지녔는데
그 중에서도 나를 사로잡은 미덕은
'꽃들은 결코 미래를 이야기 하지 않는다'는 것입니다.
사람처럼 한 번도 만난 적 없는 내일에 모든 것을 거는 법 없이
오직 현재의 시간에 충실하여 최선을 다해 꽃을 피우고
맑은 향기를 길어 올릴 뿐입니다.
사람을 만나는 일도
그러할 수 있다면 참 좋겠단 생각을 자주 했습니다.
상대가 누구이든 나를 상대방의 눈높이에 맞추고
만나지는 그 순간에 최선을 다해 정성으로 만난다면
우리의 인연도 꽃처럼 향기로울 수 있을 테니까요.
오늘은 아침부터 비가 내려
세상의 풍경이 한층 정갈해졌습니다.

숫눈¹ 을 밟는 아이처럼 조심스럽게 발길을 옮기다 보니
오히려 갈짓자(之) 걸음 마냥 이야기에 두서가 없어지고 말았습니다.
첫 편지가 너무 길면 지루해 하실까봐
이만 은방울꽃으로 마침표를 찍습니다.
단비에 젖은 숲처럼 정갈한 하루 맞이하십시오.

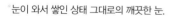

¹ 눈이 와서 쌓인 상태 그대로의 깨끗한 눈.

1. 설레임 편지

3. 뜨거운 편지

5. 그리움 편지

제 1 장

설레임 편지

나비의 신방(新房)
살사리꽃

살사리꽃 철없는 것이
제 몸에다 신방을 차리는 줄도 모르고
나비가 나풀나풀 날갯짓 할 때마다
살랑살랑 체머리를 흔들며 장단까지 맞추어대니
햇님도 그만 낯 뜨거워 구름 속으로 숨고 말았는데요

샐샐* 눈웃음을 쳐대는 살사리꽃**을 보고
에구, 저 철없는 것! 하고
내심 혀를 끌끌 찼는데요.
아, 글쎄 흰 나비 한 쌍이
살사리꽃 위에서 슬슬 수작을 거는 거예요.

살사리꽃 철없는 것이
제 몸에다 신방을 차리는 줄도 모르고
나비들이 나풀나풀 날갯짓 할 때마다
살랑살랑 체머리를 흔들며 장단까지 맞추어대니
햇님도 그만 낯 뜨거워 구름 속으로 숨고 말았는데요.

철없는 살사리꽃이
자꾸 체머리를 흔드는 바람에
나비들은 사랑놀음이 흥겹지만은 않아
조급해진 나비의 날갯짓이 더욱 바빠졌지요.

나비효과일까요?
훅! 하고 바람 한 줄기
살사리꽃 꽃대를 흔드는가 싶더니
천지간을 자욱하게 소나기가 퍼붓지 뭐예요.

눈 먼 사랑도
한 시절, 한 순간이라는데
소나기에 놀라 달아난 나비 한 쌍

---

* 샐샐 소리 없이 실없게 살며시 웃는 모양
** 코스모스의 순수 우리말

살사리꽃이 무척이나 원망스러웠을 텐데요.
그 사정을 알 리 없는 철부지 살사리꽃은
빗방울이 마냥 간지러운지 연신 눈웃음치며
자꾸 허리만 배배 꼬아대니
기가 막힐밖에요.

앵두꽃에
관한 보고서

앵두꽃 흰 꽃잎은 바람에 하롱하롱 날려서 냇물 위로 떠가
고 꽃사태라도 난 듯 온산이 진달래 피어 온통 붉은 빛인데
처녀가슴 어찌 싱숭생숭하지 않았겠는가. 때마침 서울 가는
완행열차 뻑뻑 울어 대면 단봇짐 싸서 야반도주하고 싶지
않았겠는가.

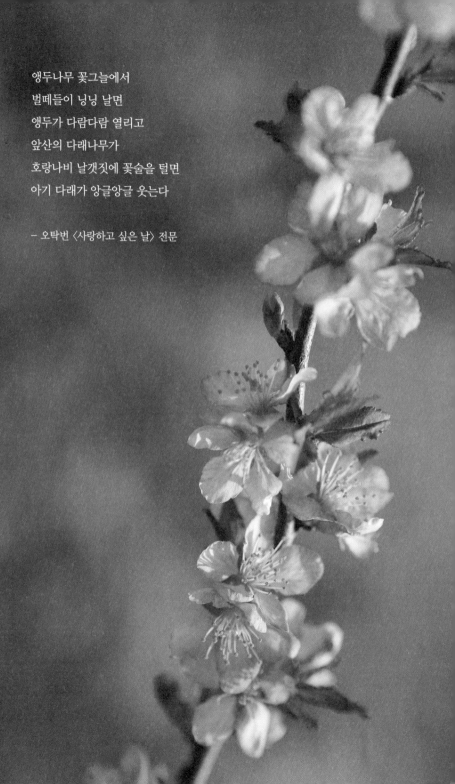

앵두나무 꽃그늘에서
벌떼들이 닝닝 날면
앵두가 다람다람 열리고
앞산의 다래나무가
호랑나비 날갯짓에 꽃술을 털면
아기 다래가 앙글앙글 웃는다

– 오탁번 〈사랑하고 싶은 날〉 전문

앵두꽃이 피었습니다. 미농지*처럼 얇은 앵두꽃 이파리가 벌의 날갯짓에 하롱하롱 흩날리기 시작하면 봄이 세상의 중심에 와 있다고 해도 지나친 말이 아닙니다.

봄날의 풍경이 손에 잡힐 듯한 이 시를 만났을 때 나는 '다람다람'과 '앙글앙글'에 매료되었습니다. 앵두가 다닥다닥이 아닌 다람다람 열리다니! 이 얼마나 멋지고 근사한 표현인가! 앵두만 다람다람 열리는 게 아니라 꽃도 꼭 그렇게 다람다람 핍니다.

연분홍의 꽃을 가득 피워 단 앵두나무를 가만 보고 있으면 앵두나무 우물가에서 동네 처녀들이 바람난 이유를 알 것도 같습니다. 물동이, 호미자루 내던지고 단봇짐을 싼 심정이 헤아려질 법도 합니다. 앵두꽃이 피는 시기는 산과 들이 겨울 빛을 지우고 화사한 봄옷으로 갈아입는 때입니다. 숲은 새순을 틔우느라 마냥 술렁거리고 진달래, 개나리를 비롯한 봄꽃들이 일제히 피어나 온 세상을 형형색색으로 환하게 밝히는 꽃들의 축제가 절정을 이루는 때입니다.

요즘에야 그렇지 않겠지만 예전엔 겨우내 집안에만 갇혀 있던 처녀들에게 우물가 빨래터는 바깥세상의 정보를 얻을 수 있는 장소이자 마음 놓고 수다를 떨 수 있는, 요즘으로 치면 유쾌한 대화방 같은 곳이었습니다. 모처럼 빨래터에 나앉아 접하는 세상 소식에도 귀가 솔깃한데 앵두꽃 흰 꽃잎은 바람에 하롱하롱 날려서 냇물 위로 떠가고 꽃사태라도 난 듯 온산이 진달래 피어 온통 붉은 빛이니 처녀가슴 어찌 싱숭생숭하지 않았을까요? 때마침 서울 가는 완행열차 빽빽 울어 대면 단봇짐 싸서 야반도주하고 싶지 않았을까요?

---

* 닥나무 껍질로 만든 썩 질기고 얇은 종이의 하나

명자, 고 지지배
지금도
예쁠라나?

꽃의 생김새와 색깔. 향기가 매혹적이라
옛날에는 집안에 명자나무를 심으면
아녀자가 바람이 난다하여 집안에 들이지
않았다고 합니다.

어쩌다 내가 엄마한테 회초리라도 맞을라치면
울타리 너머 목을 빼고 몰래 지켜보다가
나랑 눈이라도 마주치면 혀를 낼름 내밀곤 줄행랑을 치던 지지배
눈물 훌쩍이며 대청마루에 엎드려 밀린 숙제 하고 있을라치면
고양이 걸음으로 살금살금 다가와서는
뒤춤에 감추어 온 보리개떡 슬며시 내 앞에 내려놓고
보조개 진 얼굴 가득 꽃물 들어 바람처럼 사라지던 지지배
하굣길에 자전거라도 태워줄라치면 내 허리를 꼬옥 끌어안고는
시오리 길 다 끝나도록 오빠 생각만 한도 끝도 없이 부르던
웃을 때마다 볼우물 져서 손가락으로 콕 찔러보고 싶던 고 지지배
눈웃음 살살 쳐서 열여섯 내 가슴 봇물처럼 찰랑이게 만들어 놓고
어느 봄날 온다간다 말없이 서울로 훌쩍 떠나버린
어느 봄날 아지랑이처럼 서울로 떠나버린
명자, 고 지지배!
지금도 그때처럼 여전히 예쁠라나?
눈웃음 칠 때마다 깊게 패이던 볼우물 아직도 여전할라나?

봄꽃들은 대부분 잎보다 꽃이 먼저 피어 그 고운 자태를 한껏 뽐내며 벌 나비를 유혹하지만 수줍음 많던 소꿉친구처럼 초록 잎 뒤에 몰래 숨어서 피는 꽃도 있습니다. 목련이나 진달래처럼 가지 끝에 꽃봉오리를 달고 있는 것도 아니고, 초록의 이파리 뒤에 숨어서 몰래몰래 꽃망울을 부풀리다가 어느 날 보면 매혹적인 자태로 눈길을 사로잡는 꽃이 바로 '명자꽃'입니다.

장미목 장미과에 속하는 꽃답게 눈길을 한 번 주었다 하면 다시 거둬 들이기가 쉽지 않을 만큼 어여쁜 꽃으로 붉은 색 말고도 분홍색이나 흰색 꽃도 있습니다. 명자나무는 은은하고 청초한 느낌의 꽃으로 인해 '아가씨 나무'로도 불리며 '보춘화', 또는 '산당화'라고 부르기도 합니다.

이른 봄을 수놓는 대표적인 꽃으로 꽃나무의 여왕이라고 해도 손색이 없을 만큼 꽃이 아름답지요.

원산지가 중국인 명자나무는 경기도와 황해도 지방에서는 야생하기도 하지만 요즘은 정원수로 많이 가꾸는 꽃나무입니다. 꽃의 생김새와 색깔, 향기가 매혹적이라 옛날에는 집안에 명자나무를 심으면 아녀자가 바람이 난다하여 집안에 들이지 않았다고 합니다. 굳이 옛말이 아니더라도 명자꽃을 가만히 들여다보고 있으면 정신이 아득해지는 것이 어질어질 꽃멀미가 날 것만 같습니다. 봄날 꽃구경에 명자꽃을 보지 못한다면 그야말로 서울 구경에 숭례문 빼 먹은 격입니다.

돌아오는 봄엔 꽃시장에 들러 명자나무 몇 그루 사다 심으시길, 그리고 어여쁜 꽃 피거든 제 이름도 한 번 기억해 주시길….

너무 작아서
눈에 먼저 띄는 꽃
- 봄까치꽃

다행히 이 '개불알풀'엔 '봄까치꽃'이란 예쁜 우리 이름이 따로 있습니다. 이른 아침에 기쁜 소식을 전하는 까치처럼 봄 들판에 피어나 우리에게 봄이 왔음을 알려 주는 '봄까치꽃'

혹시 저 위에 올려진 꽃이름을 아시는지요?

봄들판의 설렘을 훔쳐보려고 들길에 섰다가 하늘빛 꽃무리를 만났지요. 꽃이 하도 고와서 무작정 카메라를 들이대긴 했는데 이름이 떠오르지 않아 무척 속상했지요. 우연히 길에서 마주친 동창 녀석의 낯은 익은데 이름이 떠오르지 않을 때처럼 말입니다.

집으로 돌아오자마자 꽃도감을 펼쳐보고는 그 이름 때문에 그만 '뜨악'해지고 말았습니다. '개불알풀'이라니….

거참, 입에 담기도 거북살스런 이름이잖아요. 어쩌다가 저 고운 꽃에 그리도 숭한 이름이 붙었는지.

나중에 알아본 바로는 '개불알풀'이란 이름이 붙게 된 것은 꽃이 아니라 열매의 생김새에서 생겨난 것인데 그 또한 일본 서적을 번역한 것이라고 합니다. 우리나라 들꽃 중엔 이 '개불알풀' 외에도 일본 서적을 번역해 옮기면서 생겨난 어이없는 이름들이 많이 있다고 합니다.

우리의 학자들이 직접 발로 뛰지 않고 책상머리에 앉아 남의 지식이나 베끼는 편안함을 택한 결과물인 셈입니다.

하지만 다행히 이 '개불알풀'엔 '봄까치꽃'이란 예쁜 우리 이름이 따로 있습니다. 이른 아침에 기쁜 소식을 전하는 까치처럼 봄 들판에 피어나 우리 모두에게 봄이 왔음을 알려 주는 '봄까치꽃'

벗님들도 앞으로는 이 꽃을 만나시면 꼭 '봄까치꽃!'하고 이름을 불러 주십시오.

끝으로 이해인 수녀님의 시를 동봉하오니 꽃소식처럼 기쁜 소식만 가득하시길 빌겠습니다.

봄까치꽃

이해인

까치가 놀러나온
잔디밭 옆에서
가만히 나를 부르는 봄까치꽃
하도 작아서 눈에 먼저 띄는 꽃
어디 숨어 있었니? 언제 피었니?
반가워서 큰소리로 내가 말을 건네면
어떻게 대답할까 부끄러워
하늘색 얼굴이 더 얇아지는 꽃
잊었던 네 이름을 찾아
내가 기뻤던 봄
노래처럼 다시 불러보는
너, 봄까치꽃
잊혀져도 변함없이
제자리를 지키며
나도 너처럼
그렇게 살면 좋겠네

봄을 훔치다
- 노루귀꽃

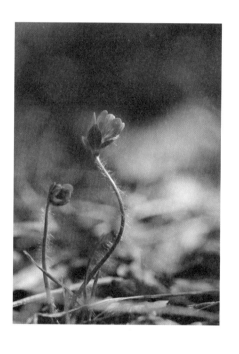

마른 가랑잎이 층층이 덮인 캄캄한 땅속에서 지상의 날들을
꿈꾸는 동안 저들을 견디게 한 힘은 무엇이었을까? 문득 그
런 생각들이 두서없이 섞이면서 꽃 위에 얹어 놓은 시선이
몹시 흔들렸습니다.

이상기온으로 봄날 같은 날씨가 며칠째 이어지고 있습니다. 남녘으로부터 화신(花信)*이 올라와도 꽃놀이를 떠나기엔 아직은 섣부른 정월 대보름 밑입니다. 유난히 봄이 늦은 내 고향의 숲은 여전히 깊은 침묵 속에서 동안거를 풀 기미가 보이지 않습니다. 꽃빛이 그리운 요즘, 하릴없이 야생화 달력을 넘기다가 지난 봄에 써두었던 노루귀꽃 편지를 서둘러 전합니다.

삼월이라지만 아직은 바람의 끝이 송곳처럼 뾰족합니다. 남들보다 봄을 먼저 보겠다는 욕심으로 산길로 접어들면 발 아래선 한나절 밟히는 마른 가랑잎 소리, 갈색의 절규가 뒤를 따라 옵니다. 응달쪽으론 희끗희끗한 잔설이 겨울의 잔해처럼 남아 있어 꽃빛은 어디에서도 찾아지지 않고….

욕심이었나!

마음 속 조급증을 스스로 탓하며 발길을 돌리려는데 아! 거기, 손톱 만한 꽃 몇 송이. 가랑잎 사이로 빠끔히 고개를 쳐들어 나를 빤히 바라보았습니다. 연보랏빛 꽃잎을 펼쳐든 앙증맞은 꽃들이 꽃샘바람에 살래살래 고갯짓을 하는 양이 너무 귀여워 잠시도 눈을 뗄 수가 없었습니다. 나는 그 자잘한 꽃송이 앞에 주저 없이 무릎을 꿇었습니다. 꽃빛에 취해서, 그 앙증스런 꽃송이에 홀려서 허위허위 산을 올라오던 조금 전의 수고쯤은 까맣게 잊어버리고, 하늘을 받쳐 든 꽃송이 옆엔 아직 피지 않은 팥알만 한 꽃망울들이 바람의 손길을 기다리고 있는 모습도 눈에 띄었습니다.

부드러운 것이 굳은 것을 이긴다 했던가요. 그 어떤 힘이 있어 저 여린 줄기로 하여금 탱탱 얼어붙은 땅을 비집고 올라와 저토록 눈부신 꽃빛으로 하늘을 열게 하였을까? 마른 가랑잎이 층층이 덮인 캄캄한 땅속에서 지상의 날들을 꿈꾸는 동안 저들을 견디게 한 힘은 무엇이었을까? 문득 그런 생각들이 두서없이 섞이면서 꽃 위에 얹어 놓은 시선

---

* 꽃이 핌을 알리는 소식.

이 몹시 흔들렸습니다. 꽃의 시간을 헤아리는 일은 어쭙잖은 나만의 감상일 뿐, 손톱만한 노루귀꽃은 낯선 이의 눈길이 부담스러운지 자꾸만 고갯짓을 해댑니다.

화장기 없는 촌 새악시 같은 말간 낯빛의 꽃송이 앞에 다짜고짜 카메라를 들이미는 일은 차마 못할 일. 먼발치에서 바라만 봐도 가슴 두근거리던 첫사랑의 모습처럼 그저 바라 보는 것만으로도 가슴이 먹먹해 오는 것을…. 그 고운 빛을 욕심내어 카메라를 바짝 들이미는 일은 아무래도 무례하기 짝이 없는 일이 아닐 수 없습니다. 하지만 속되고 속된 내 욕심은 끝내 카메라를 노루귀꽃 앞에 들이밀고 말았습니다. 마음이 흔들렸던 것일까? 그 고운 꽃빛에만 홀려서 삼각대도 없이 열심히 셔터를 눌러 대었는데 집에 돌아와 보니 초점이 흔들려 쓸 만한 사진이 한 장도 없었습니다.

이런 낭패라니!

복수초와 함께 우리나라 봄꽃의 앞자리를 다투는 노루귀꽃은 꽃의 모양새가 아닌 잎의 모양새에서 그 이름을 얻었습니다. 가는 털로 뒤덮인 잎이 피어나는 모습이 쫑긋한 노루의 귀를 닮았다 해서 붙여진 이름이지요. 대부분의 봄꽃들이 그러하듯 여린 꽃대를 밀어 올려 꽃을 먼저 피우고 나중에 잎이 돋는 까닭에 노루귀를 닮은 이파리를 만나려면 조금은 더 인내심을 가지고 지켜봐야 합니다. 사진을 망친 것이 못내 안타깝고 속상하긴 하지만 다시 산에 오르면 그땐 이파리를 볼 수도 있으리라.

가끔씩 내게 메일을 보내주시는 남쪽 지방에 사는 분이 마침 노루귀꽃 사진을 보내왔습니다. 사진 속의 노루귀꽃은 실제보다 훨씬 크고 눈부십니다. 지난 날 처음 꽃과 친할 때는 사진 속의 꽃과 실제의 꽃의 크기가 현저한 차이가 있어 헷갈린 적도 많았지요. 초접사 촬영으로 바짝 끌어당긴 사진 속엔 꽃술 하나하나까지도 손에 잡힐 것 같지만 실제로는 자세히 살피지 않으면 볼 수 없는 부분이기도 합니다. 노루귀꽃의 실제 크기는 1cm 내외여서 산에 올라도 자세히 보려 하지 않으면 쉽게 눈에 띄지도 않는 아주 작은 꽃이기 때문입니다.

꽃사진을 보내준 분의 노루귀꽃을 훔쳐 여기에 싣습니다. 이곳에서 꽃을 보신 분은 이미 공범이 되어 버렸으니 행여 누가 꽃도둑을 보았는가 묻거든 부디 침묵하시라!

그 봄날의
데이지 꽃밭

찬바람이 자주 옷깃을 여미게 하는 이른 봄날, 겨우내 비어 있던 화
단을 환하게 밝히는 데이지꽃처럼 마음속에 꽃등을 켠 사람은 아름
답습니다.

살금살금 고양이 걸음으로 다가와 등 뒤에 감춘 한 다발의 꽃을 자랑처럼 건네던 연인처럼 당장이라도 꽃을 보여줄 것인양 다정하게 속삭이던 봄비의 기억이 생생한데 오늘은 한껏 날을 세운 찬바람이 맵찬 것이 아직은 환절의 언저리에 있음을 일깨워줍니다.

봄을 향해 웃자란 생각들이 찬바람에 속수무책으로 주저앉는 이 아침, 그래도 봄에 대한 희망을 잃지 않으려 지난 봄의 데이지 꽃밭을 불러내어 그대에게 보여 드립니다.

감수성을 나타내는 데이지는 모든 이들이 좋아하지만 그 중에도 아이들과 나이 든 분들이 가장 좋아하는 꽃입니다. 밤이 되거나 비가 올 때면 꽃 윗부분을 바구니 모양으로 접어 엽환을 감싸기 때문에 어머니의 상징이기도 한 데이지꽃은 쓸쓸하기만 했던 화단을 화려하게 채워주는 어여쁜 봄꽃입니다.

찬바람이 자주 옷깃을 여미게 하는 이른 봄날, 겨우내 비어 있던 화단을 환하게 밝히는 데이지꽃처럼 마음속에 꽃등을 켠 사람은 아름답습니다. '절제된 사랑이 오래 간다'는 네덜란드의 속담처럼 봄을 향해 성급하게 웃자란 생각들을 다독이며 작은 꽃들이 무리를 이루어 세상을 환하게 밝히는 그 봄날의 데이지 꽃밭을 생각합니다.

보티첼리의 〈비너스의 탄생〉에서 여신에게 데이지로 수놓은 외투를 건네던 님프처럼 바람 찬 이 아침, 그 봄날의 데이지 꽃밭을 그대에게 드립니다.

몹시 추위를 타는 그대에게 이 작고 고운 데이지꽃들이 따뜻한 기운을 불어넣어 주었으면 좋겠습니다.

부르기에 민망한 이름
- 개불알난

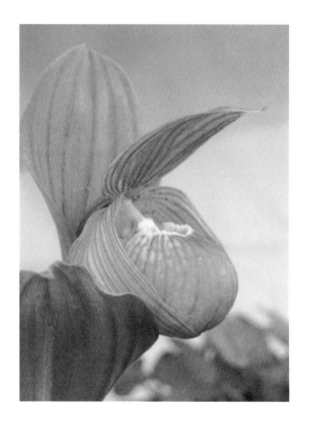

사람들끼리 제 이름 부르며 히히거리는 속사정을
알 리 없는 꽃은 봄마다 어여쁜 꽃을 세상 속으로
내어 놓습니다.

멀쩡하게 생긴 사람도 이름 때문에 놀림을 당하는 경우를 종종 봅니다. 가령 여인숙이나 안경태, 혹은 고리라 같은 이름이 그렇습니다. 꽃들 중에도 부르기에 민망한 이름이 있는데 그 중에도 대표적인 꽃이 바로 '개불알난' 혹은 '개불알꽃'이 아닐까 싶습니다.

사람들끼리 제 이름 부르며 히히거리는 속사정을 알 리 없는 꽃은 봄마다 어여쁜 꽃을 세상 속으로 내어 놓습니다.

이름 때문인지 가만히 꽃을 들여다보면 그 생김새가 비슷한 듯도 한데 요즘은 부르기가 민망해진 사람들이 '복주머니난'으로 바꾸어 부르기도 합니다.

난초과에 속하는 복주머니난은 산의 숲이나 풀밭에서 자라는 여러해살이 풀로 봄이면 자생란 중에서는 가장 큰 달걀만한 크기의 분홍색 꽃을 피웁니다.

꽃이 크고 색이 고와 요즘은 관상용으로도 많이들 키웁니다. 사람들이 마구 채집하는 바람에 멸종 위기에 처해 지금은 산 속에서 만나기보다는 야생화 농원이나 수목원 등에서나 만날 수 있습니다.

분홍색의 꽃 외에도 흰 복주머니난도 있습니다.

산이나 들에서 만나는 야생화가 아무리 곱고 탐난다 해도 집으로 캐오는 일은 삼가야겠습니다. 야생화는 산에서 만나야 제 맛이니까요.

그대,
강화에 가시거든
- 탱자꽃

유배지의 죄인들을 가두거나, 도둑이나 적의 침입을 막아내는 가시울타리로나 쓰였던 탱자나무가 가시뿐인 몸뚱이로 세상에서 제일 얇고 여린 꽃을 피워내는 것을 볼 때마다 나는 우리의 망막에 찍혀지는 풍경이란 것이 얼마나 국소적인 것인지 다시금 생각하게 됩니다.

나는 어제보다 얇아졌다
바람이 와서 자꾸만 살을 저며 간다
누구를 벨 수도 없는 칼날이
하루하루 자라고 있다

칼날을 베고 잠들던 날
탱자꽃 피어 있던 고향 집이 꿈에 보였다
내가 칼날을 키우는 동안
탱자나무는 가시들을 무성하게 키웠다
그러나 꽃도 함께 피워
탱자나무 울타리 아래가 환했다

꽃들을 지키려고 탱자는 가시를 가졌을까
지킬 것도 없이 얇아져 가는 나는
내 속의 칼날에 마음을 자꾸 베이는데
탱자꽃잎에도 제 가시에 찔린 흔적이 있다

침을 발라 탱자 가시를 손에 붙이고
코에도 붙이고 놀던 어린 시절
바람이 와서 탱자 가시를 가져가고 살을 가져가고

나는 어제보다 얇아졌다
나는 탱자 꽃잎보다도 얇아졌다
누구를 벨지도 모르는 칼날이
하루하루 자라고 있다

– 나희덕 〈탱자 꽃잎보다도 얇은〉

혹시, 강화에 가신 적이 있으신지요? 가보셨다면 초지대교 건너 함허둥천 가는 길인 사기리의 탱자나무나, 역사박물관이 있는 갑곶돈대의 탱자나무를 보신 적은 있으신지요?

내 감성의 촉수가 가장 예민해져 있던 스무 살 언저리에 읽었던 '바람 부는 날이면 모든 길은 바다로 간다'는 시의 한 구절이 내 영혼에 푸른 문신이 되어 버린 후로는 내 안에 바람이 들어차면 나는 어딘가로 떠나야만 했습니다.

지난 봄엔 한동안 탱자꽃에

넋을 빼앗기고 살았습니다.

온 몸에 날카로운 가시를 촘촘히 세운 서슬 퍼런 탱자나무에 하얀 꽃이 피어 있는 모습은 아름다움을 넘어 환상적이기까지 했습니다. 그토록 날카로운 가시뿐인 몸에서 어찌 그리 가냘픈 꽃잎을 피워낼 수 있는 것인지….

여리디 여린 흰 꽃 이파리에 넋을 놓고 있는 동안 짧은 봄날이 속절없이 지나가 버렸다고나 할까요.

이 시를 만났을 때만 해도 전 탱자꽃을 본 적이 없었습니다. 다만 시인의 시를 통해 아주 얇은 꽃잎을 지녔을 거란 짐작을 해 봤을 뿐 꽃의 이미지는 쉽게 그려지지 않았습니다.

그러다가 지난 봄, 내 안의 바람을 못 견뎌 떠났던 강화 여행길에서 드디어 탱자꽃을 만났습니다. 화려한 꽃 뒤에 가시를 숨긴 장미와는 전혀 다른, 꽃보다는 가시가 먼저일 것 같은 탱자나무. 그런 탱자나무가 그리도 얇고 여린 꽃잎을 피워낸다는 사실 하나만으로도 저는 그저 가슴이 먹먹해질 뿐이었습니다.

지구가 따뜻해지면서 지금은 강원도 양양에까지 탱자나무가 자라지만 예전엔 탱자나무의 자람터 한계선은 강화였다고 합니다. 천연기념물 78호로 제정된 갑곶돈대의 탱자나무는 높이 4.2m의 자그마한 키에 뿌리목 둘레는 거의 1m에 달합니다. 줄기에 세로로 깊게 파인 주름들이 수백 년의 풍상을 견디며 살아온 지난 세월을 말해주지 않아도 수령이 3,4백년에 이른다는 사실만으로도 탱자나무는 경배의 대상이 되는데 조금의 부족함도 없지 싶었습니다.

유배지의 죄인들을 가두거나, 도둑이나 적의 침입을 막아내는 가시 울타리로나 쓰였던 탱자나무가 온통 가시뿐인 몸뚱이로 세상에서 제일 얇고 여린 꽃을 피워내는 것을 볼 때마다 나는 우리의 망막에 찍혀지는 풍경이란 것이 얼마나 국소적인 것인지 다시금 생각하게 됩니다. 우리네 인생살이라는 것이 삶의 외피도 중요하지만 외적인 것에 집착하다 보면 보이지 않는 진실은 놓치기 십상이니까요.

'블로그'라는 가상의 온라인 공간에서 우리가 할 수 있는 것은 저마다 펼쳐 보이는 만큼 보고 느낄 밖에 도리가 없긴 하지만 그 너머의 마음자리를 한 번씩 헤아려 보는 일, 내가 미처 보지 못했던 벗들의 맑고 고운 영혼과 아픔과 그늘을 짚어보는 일은 꽃을 만나는 일처럼 가슴 따뜻해지는 일일 것입니다.

탱자꽃이 얼마나 이쁜지 말하려 했던 것뿐인데 공연히 이야기가 무거워지고 말았습니다.

혹시 강화에 가시거든 꼭 한 번 탱자나무를 찾아보시기 바랍니다.

시궁창에서 피는
초록의 희망
- 고마리

'잡초란 아직 그 가치가 찾아지지 않은 풀일 뿐'이라는 누군가의 말처럼 우리는 겉모습에만 치중하느라 고마리가 그리 고마운 풀인 줄도 모르고 쓸데없는 잡초로 치부해 왔던 것입니다.

혹시 늦은 여름날 냇가에 나가보신 적이 있으신지요. 처서 무렵, 냇가에 나가보면 여름내 무성해져서 초록의 잎으로 개울물을 덮고 있던 고마리가 희고 붉은 꽃망울을 일제히 폭죽처럼 터뜨리고 있는 모습을 만날 수 있습니다. 제가 어렸을 적엔 돼지들이 잘 먹는다 해서 '돼지풀'이라고도 불렸던 고마리는 개숫물이 흐르는 하수구나 개울가, 보, 도랑을 가리지 않고 습한 땅이나 물이 있는 곳이면 흔하게 만날 수 있는 한해살이풀입니다.

흰색, 담홍색, 분홍색등 다양한 색깔의 꽃을 피우는 고마리는 한 줄기에 열 댓 송이의 꽃이 다닥다닥 붙어 피어서 멀리서 보면 작은 꽃다발 같이도 보입니다. 고마리가 무리지어 피어 있는 모습을 보면 흰 고마리꽃은 메밀꽃을 많이 닮아 있고, 붉은 꽃들이 군락을 이룬 광경은 페르시안 카펫을 깔아 놓은 것처럼 환상적이기까지 합니다. 고마리는 봉오리가 벌어지는 '열린 꽃'과 꽃봉오리가 벌어지지 않은 채 그 안에서 암술과 수술이 근친결혼으로 종자를 생산하는 '닫힌꽃'이 있는데 어떤 환경에서도 씨앗을 퍼뜨리는 고마리만의 강한 생명력을 단적으로 보여주는 예라 하겠습니다.

새마을 사업이 한창이던 1970년대엔 취로사업으로, 5공 시절에는 하천정비 한답시고 굽은 물길을 직선으로 만들면서 고마리가 때 아닌 수난을 겪기도 했었지만, 생명력 강한 고마리는 지금도 여전히 하천의 주인 노릇을 하며 이맘 때 쯤이면 희고 붉은 꽃들을 피워 올려 우리들의 눈길을 사로잡습니다.

고마리는 꽃도 예쁘지만 정말 대단한 것은 고마리의 뿌리가 지닌 정화능력입니다. 왕성하게 발달된 뿌리를 갖고 있어 줄기가 두어 가지밖에 안 되는 작은 고마리라도 뽑아 보면 그 뿌리는 제 몸집의 서너 배는 족히 되는 게 다반사입니다. 고마리는 이 발달된 뿌리로 온갖 더러운 것들을 정화하는데 그 능력이 어느 정도인가 하면 고마리가 덮여 있는 200평 정도 되는 수로를 거친 물은 하천 오염의 주범으로 지목되고 있는 축산 폐수라도 1급수의 깨끗한 물로 간단히 바꾸어 놓을 정도입니다. 그래서 고마리가 군락을 이루고 있는 하천에서는 윗물보다 오히려 아랫물이 더 맑은 경우가 있습니다.

이쯤 되면 윗물이 맑아야 아랫물도 맑다는 옛말도 무색해질 만하지 않습니까?

'잡초란 아직 그 가치가 찾아지지 않은 풀일 뿐'이라는 누군가의 말처럼 우리는 겉모습에만 치중하느라 고마리가 그리 고마운 풀인 줄도 모르고 쓸데없는 잡초로 치부해 왔던 것입니다. 크고 화려한 꽃들도 아름답지만 고마리처럼 작고 볼품없어 보이는 꽃들도 묵묵히 제 역할을 해내고 있기에 세상은 정녕 아름다울 수 있는 것입니다. 화려한 꽃빛을 보는 것만으로도 우리의 영혼은 맑아지지만 저 작은 꽃의 생애와 뿌리를 헤아려 보는 마음까지 지닌다면 분명 세상은 고마리 숲을 지나온 물처럼 맑고 투명해져서 반짝일 것입니다. 고마리는 우리의 초록 희망이자 미래에의 희망의 풀입니다.

아! 저 선명한 못자국
– 서양산딸나무꽃

꽃을 볼 때마다 나를 감탄케 하는 것은 꽃들은 언제나 최
선을 다해 피어난다는 사실입니다. 산딸나무가 벌과 나비
를 불러 모으기 위해 잎을 꽃잎으로 바꾸는 일도 마다하지
않으면서 말이지요.

이제 곧 거리엔 크리스마스 캐롤이 울려 퍼지고 아이들은 설레는 마음으로 크리스마스를 기다리며 크리스마스 트리에 꼬마 전구를 밝히고 커다란 양말을 걸어 놓을 것입니다.

대부분의 사람들이 그러하듯 크리스마스 시즌이 되면 믿음이 없는 저도 공연히 마음 설레어 누군가에게 예쁜 카드라도 한 장 쓰고 싶어집니다. 오늘은 집 앞에다 작은 크리스마스 트리를 하나 만들 생각입니다. 크리스마스를 얘기하다 보니 제일 먼저 생각나는 꽃이 하나 있습니다.

혹시 이 꽃을 아시는지요. 이 꽃은 제가 좋아하는 꽃 중의 하나인 '서양 산딸나무꽃'입니다. 봄이 한창 무르익을 무렵에 처음 저 꽃을 만나던 순간을 생각하면 지금도 가슴이 먹먹해지고 어질어질 머리도는 아찔한 현기증을 느낍니다. 수 백, 수 천의 흰 나비떼가 나무 위에 내려 앉은 듯 나뭇가지마다 환하게 피어 있던 저 꽃무리.

예수님이 우리의 죄를 대신하여 십자가에 못박힘을 당하실 때 바로 그 못을 받아주던 십자가로 쓰였던 나무라 해서 서양에서는 '십자가 나무'로도 불린다고 합니다. 그런 이야기를 뒷받침이라도 하듯 넉 장의 하얀 꽃잎 끝엔 정말로 못에 찔린 자국이 선명하게 나 있습니다. 참 신기하지요?

한데 저 꽃잎으로 보이는 하얀 이파리는 실은 꽃잎이 아니라 총포가 꽃잎의 모습으로 바뀐 것뿐입니다. 그 중심의 푸르고 노란빛을 띄는 것이 실제 꽃입니다.

'산딸나무'란 이름은 그 열매가 딸기를 닮았다 해서 '산 속의 딸기를 닮은 꽃'이란 뜻으로 붙여진 이름입니다.

꽃들을 바라볼 때마다 저를 감탄케 하는 것은 '꽃들은 언제나 최선을 다해 피어난다'는 사실입니다. 산딸나무가 벌과 나비를 불러 모으기 위해 잎을 꽃잎으로 바꾸는 수고로움도 마다하지 않듯이 말이지요.

바람 한 올, 햇빛 한 점, 물 한 방울도 허투루 쓰지 않고 세상에 환한 꽃빛과 맑은 향기를 전하기 위해 애를 쓰는 꽃들을 보면 그들이 얼마나 사랑스러운지요.

서양산딸나무와는 달리 산딸나무엔 못자국이 없어 쉽게 구별됩니다. 이제 머지않아 이 땅에 초록 기운이 번져가고 봄이 무르익으면 저는 오래된 습관처럼 또 산딸나무 꽃그늘을 찾아 갈 것입니다. 그리고 꽃들이 전해주는 눈부신 전언들을 벗님들께 전할 것입니다.

봄 들판이 나를 불러줄 그 날을 손꼽으며 오늘 아침도 꽃처럼 환하게 열어 봅니다.

수국,
그 환한 적막

사랑하는 일이란 자신의 가슴에 수국 한 송이 피우는
일인 것을, 그 꽃이 보랏빛으로 피는 것도, 혹은 하늘빛
으로 피는 것도 자신의 마음가짐에 달린 일이란 것을
수국을 볼 때마다 생각합니다.

수국

이문재

여름날은 혁혁하였다

오래 된 마음자리 마르자
꽃이 벙근다
꽃 속의 꽃들
꽃들 속의 꽃이 피어나자
꽃송이가 열린다
나무 전체 부풀어 오른다

마음자리에서 마음들이
훌훌 자리를 털고 일어난다
열엿새 달빛으로 저마다 길을 밝히며
마음들이 떠난다
떠난 자리에서
뿌리들이 정돈하고 있다

꽃은 빛의 그늘이다

시인은 꽃을 빛의 그늘이라고 하였지만 지루한 장맛비에 갇혀 몸도 마음도 눅눅해져 있을 때, 수국처럼 우리의 눈과 영혼을 환하게 해 주는 꽃이 또 있을까요?

수국, 그 환한 적막이라니!

팍팍해진 일상을 못 견디하는 친구의 마음을 달래주려고 함께 여행을 떠났던 지난 여름의 일입니다. 어느 절집을 찾았다가 갑자기 쏟아지는 소나기를 피해 요사채* 툇마루에 걸터앉아 잠시 쉬고 있을 때였습니다. 친구가 뜬금없이 자신을 꽃으로 치면 무슨 꽃이냐고 묻는 것이었습니다. 그 질문과 거의 동시에 내 입 밖으로 툭 튀어 나온 꽃이 바로 '수국'이었습니다.

마치 질문을 기다리기라도 했다는 듯이 반사적으로 답을 내놓는 내게 친구도 놀라는 눈치였지만 실은 더 많이 놀란 건 바로 내 자신이었습니다.

대답을 했으니 까닭도 설명해야 했지만 무의식적으로 튀어 나온 수국에 대한 나의 설명은 더듬거림의 연속일 밖에 없었습니다. 그 서툰 변명을 어렵게 이어 가는데 절간 마당에 함초롬히 피어 있는 푸른빛의 수국이 눈에 들어오는 것이었습니다.

그제야 모든 것이 일목요연해졌습니다. 그러니까 나는 절집 처마 밑을 찾아 들 때부터 내내 수국에 정신을 놓고 있다가 친구의 갑작스런 질문에 머릿속에 가득 찬 생각을 꺼내 놓은 것이었습니다.

수습을 하기 위해 꿰어 맞춘 이야기이긴 했지만, 곰곰 생각해 보니 그 친구가 수국을 닮았단 나의 대답은 나름대로 일리가 있어 아주 빗나간 것은 아니었습니다.

중국의 시인 백낙천은 수국을 가리켜 '자양화(紫陽花)'라 불렀다지요? 지나치게 화려하지 않으면서도 눅눅한 장마철에 정원 한 귀퉁이에 피어나 보는 사람의 마음을 환하게 밝혀주는 꽃. 그 수국처럼 내 친구 역

---

* 사찰 내에서 전각이나 산문 외에 승려의 생활과 관련된 건물을 아울러 이르는 말.

시 워낙 사람이 맑고 투명해서 아무리 우울한 사람이라도 함께 있으면 금세 환하게 웃게 만들어 버리는 신비한 재주를 지녔으니까요.

수국의 또 다른 이름은 '칠변화(七變花)'입니다. 칠면조처럼 꽃의 색깔이 바뀐다 해서 붙여진 이름이지요. 자주 바뀌는 꽃빛은 철없는 애인의 변덕스러운 마음 같다고나 할까요? 그렇다고 수국을 변덕스럽다고 일방적으로 매도해서 안 되는 것은 그 꽃이 색깔을 달리하는 것이 수국의 자의가 아니라 주변 환경에 대한 반응의 징표이기 때문입니다.

꽃잎의 색깔을 변하게 하는 것은 '토양의 산도' 때문이랍니다. 말하자면 수국의 꽃잎은 천연 리트머스 시험지인 셈이지요.

때 묻지 않은 아이들의 마음이 주변 환경에 영향을 받듯이 영혼이 맑은 사람일수록 타인에 의해 많은 영향을 받게 마련이지요. 그래서인지 그 친구는 유독 상처가 많았습니다. 그 친구가 뿌리 내린 토양이 척박했던 탓이었습니다.

많은 사람들이 변심하여 떠나 버린 사랑을 원망하지만 그 사랑을 떠나가게 한 것은 다름 아닌 바로 자기 자신은 아니었는지.

환하게 피어난 수국을 보며 튼실치 못한 우리네 사랑을 생각합니다. 사랑하는 일이란 자신의 가슴에 수국 한 송이 피우는 일인 것을, 그 꽃이 보랏빛으로 피는 것도, 혹은 하늘빛으로 피는 것도 자신의 마음가짐에 달린 일이란 것을 수국을 볼 때마다 생각합니다.

아, 그 친구에게 설명했던 이유 중의 중요한 한 가지를 깜빡했네요. 그것은 수국이 '무성화(無性花)'란 것입니다. 암술, 수술이 퇴화하여 꽃은 피우지만 열매를 맺지 않는 꽃 말입니다. 절집 마당에 으레 한 그루쯤 서 있는 불두화나 백당화처럼요. 성을 초월해 버린 꽃 중의 하나가 수국입니다. 그래서 우린 친구일 수 있는 거라고 .

그 년은
예뻤다

우리 모두 꽃을 보며 꽃만큼 아름답지 못한 자신을 돌아보며 세상에 향기를 나눠주는 꽃처럼 향기로운 사람이 되길 꿈꾸는 그런 시간이 늘어났으면 좋겠습니다.

옛 조선의 선비 강희안은 자신의 저서 『양화소록』에서 꽃들을 아홉 등급으로 구분하여 등수를 매겨 놓기도 하였지만 꽃의 아름다움에 등수를 매길 수는 없다는 게 요즘의 제 생각입니다. 세상에 피어나는 꽃치고 아름답지 않은 꽃은 없습니다. 저마다 아름다운 자태와 향기로 피어나는 것이 꽃이기에 우열을 가리는 일 자체가 불가능한 일일 수밖에 없으니까요. 그러함에도 군이 강희안이 연꽃을 매화와 국화, 그리고 대나무들과 함께 1등으로 꼽았던 이유는 선비의 눈으로 꽃을 보았기 때문이 아닐까 싶습니다. 뻘밭에 뿌리를 내리고 있음에도 물 위로 꽃대를 밀어 올려 향기로운 꽃을 피우는 연꽃의 모습은 선비에겐 단연 으뜸으로 칠만 했을 테니까 말입니다.

해가 지면 꽃잎을 오므렸다가 해가 뜨면 밤새 닫았던 꽃잎을 여는 연꽃은 아침에 가장 짙은 향기를 내뿜습니다. 그래서 옛 여인은 저녁에 연꽃 속에 차를 재워 두었다가 아침에 꺼내어 사랑하는 남자에게 향기로운 차를 바치기도 하였다 합니다. 그 맑고 깊은 연꽃의 향기를 제대로 흠향하려면 아침 일찍 연꽃방죽을 찾아가야 합니다. 저만 그런 것인지는 몰라도 일단 연꽃 방죽에 닿으면 쉽게 그 곳을 떠날 수가 없습니다. 한 바퀴 돌 때마다 이전에 보지 못했던 아름다운 꽃이 새로 보이고 자꾸만 새로운 느낌이 들어 쉽게 연못을 떠날 수가 없게 됩니다. 언제부터인가 영혼에 허기가 느껴지면 꽃을 찾아 집을 나서곤 했습니다. 꽃빛으로 가슴을 문지르고 깊은 숨으로 꽃향기를 가슴에 들여 놓으면 내 안이 꽃불 켠 듯 환해지는 느낌이 들면서 마음이 더없이 편안해 지곤 했습니다. 연못 가득 피어난 흰 연꽃들, 그 꽃들이 들려주는 신비로운 이야기에 귀 기울이다 보면 나를 흔들던 세속의 바람쯤은 어느덧 꿈속의 일인양 아득하게 멀어집니다.

'수련'하면 당신은 끌로드 모네의 그림을 제일 먼저 떠올리시겠지만 나는 '수련'이란 이름의 여인이 먼저 생각나곤 합니다. 이름 때문이었는지 유난히도 수련을 좋아하던 그 여자, 수련처럼 곱고 맑은 향기를 간직하고 있던 그 여자.

이름이란 우리가 알지 못하는 참으로 신비로운 힘을 지니고 있는 법이라고. 그래서 어떤 이는 장미에게 다른 이름을 붙여주면 지금의 향기를 지닐 수 없을 거라고 말하기도 했지요. 사람의 운명도 이름에 따라 달라지기도 한다는데 지금은 소식을 알 수 없는 '수련'이란 이름의 그 여자는 이름처럼 여전히 향기로운 삶을 살고 있을까요?

흰 연꽃도 아름답긴 하지만 연분홍의 수련은 볼수록 예쁘기 그지없습니다. 그 꽃을 만나던 날, 꽃 앞에서 한참이나 넋 놓고 앉아 있었나 봅니다. 연못가에 앉아서 햇빛의 각도에 따라 모습을 달리하는 수련을 보며 그 꽃의 황홀함에 취해 신들린 듯 붓을 놀리던 모네를 상상하면 까닭 없이 가슴이 벅차오르곤 했으니까요. 꽃을 바라보는 순간은 오직 꽃만을 향해 날아가는 벌처럼 삿된 생각이 끼어들 여지가 전혀 없는 가장 순수한 백치의 순간입니다.

하루 종일 연못을 떠나지 못하고 꽃이 잠들 때까지 수련만 바라보고 살았던 모네만큼은 아닐지라도 사는 동안 꽃에게 눈길 주는 시간이 좀 더 많아졌으면 좋겠습니다.

우리 모두 꽃을 보며 꽃만큼 아름답지 못한 자신을 돌아보며 세상에 향기를 나눠주는 꽃처럼 향기로운 사람이 되길 꿈꾸는 그런 시간이 늘어났으면 좋겠습니다. 누구처럼 그림 그리는 재주도 없으니 형편대로 디카 속에 그 모습을 훔치는 수밖에 다른 도리가 없긴 했지만 오래도록 그 모습 가슴에 담아 두면 연꽃처럼 곱고 그윽한 시 하나 피어나려는지요. 집으로 돌아오면서 암만 생각해도 그 년(蓮)은 참말 예뻤습니다.

라일락꽃
향기를 그대에게

그 사람의 이름이 무엇인지, 그 사람의 출신지가 어디인
지, 그 사람이 어디에 살고 있는지에 관심을 두는 것도 좋
지만, 그 사람이 지니고 있는 향기를 기억하는 일, 그 사
람이 지닌 아름다운 빛을 기억하는 일이 더 중요하지 않
을까요?

라일락 그늘에 앉다

오세영

맑은 날
네 편지를 들면
아프도록 눈이 부시고
흐린 날
네 편지를 들면
서럽도록 눈이 어둡다
아무래도 보이질 않는구나
네가 보낸 편지의 마지막
한 줄
무슨 말을 썼을까

오늘은
햇빛이 푸르른 날
라일락 그늘에 앉아
네 편지를 읽는다
흐린 시야엔 바람이 불고
꽃잎은 분분히 흩날리는데
무슨 말을 썼을까

날리는 꽃잎에 가려
끝내
읽지 못한 마지막 그
한 줄.

언제부터였을까요? '베사메무쵸'란 노래를 들으면 수수꽃다리의 연보랏빛 꽃무리가 머릿속에 선명히 떠오르기 시작한 것이….

'베사메무쵸'가 무슨 뜻인지도 모르고 그저 흥겨운 가락이 좋아서 따라 부르곤 했던 노래였는데 노랫말 속에 들어 있는 '리라꽃'이 어떤 꽃을 지칭하는지 한 번도 생각해 본 적 없었는데 어느 때부터인가 이 노래를 들으면 너무도 자연스레 수수꽃다리의 꽃무리가 떠오르면서 방향을 가늠할 수 없는 곳에서 맑은 향기가 맡아지곤 했습니다. 분명하진 않지만 아마 제가 꽃을 보기 시작하면서가 아닐까 싶네요.

정향나무
                              박정만

눈물은 봄꽃보다 깊어 푸른 강물이 되고
강에는 수천의 풀벌레가
내 울음을 대신 울며 떠나갔지요.
흐느끼는 나의 피도 물결따라 그냥 떠나갔지요.

때는 철없는 봄,
정향나무 푸른 그늘 밑이었지요.

* 나에게 듬뿍 키스해 주세요

박정만 시인의 이 시를 처음 대했을 땐 라일락은 알아도 '정향나무'는 알지 못했을 때였는데 그땐 '정향(丁香)'이란 말에 이끌렸던 것인지 이 시를 읽노라면 어느새 맑은 향기가 흐르는 나무 그늘에 서 있는 듯 마음이 경건해지는 느낌이 들곤 했던 기억이 있습니다.

노래 한 곡, 꽃 한 송이, 시 한 줄도 듣고 보는 이의 기억 속에 어떤 정보가 담겨 있는지에 따라 달라지는 것이 일견 신기하기도 하고 재미 있기도 합니다. '수수꽃다리'는 자잘한 꽃송이를 달고 있는 모습이 수수 이삭을 닮았다 해서 붙여진 라일락의 순 우리말입니다.

'베사메무쵸' 속에 나오는 '리라꽃'은 라일락의 프랑스어이고, '정향나무'는 향기가 좋다하여 수수꽃다리에 붙여진 또 다른 이름이지요.

'수수꽃다리'는 꽃이 좀 더 작은 우리 토종이고, '라일락'은 꽃이 좀 더 커진 개량종이어서 서로 다르다고 하는데, 아직도 저는 '수수꽃다리'와 '라일락'을 잘 구분하지 못합니다. 하지만 그 두 꽃을 구분하지 못한다고 낙심할 필요는 없지요. 꽃을 구분하는 일도 의미 없다 할 순 없지만 보다 중요한 것은 그 꽃빛의 아름다움과 맑은 향기를 사랑하는 마음일 테니까요.

사람을 만나고 사귀는 일도 그와 비슷하지 않을까 싶습니다. 그 사람의 이름이 무엇인지, 그 사람의 출신지가 어디인지, 그 사람이 어디에 살고 있는지에 관심을 두는 것도 좋지만, 그 사람이 지니고 있는 향기를 기억하는 일, 그 사람이 지닌 아름다운 빛을 기억하는 일이 더 중요하지 않을까요?

일 년 중 햇빛이 가장 아름다운 계절에 푸른 허공 속으로 맑은 향기를 싸목싸목 내려놓는 수수꽃다리, 이 꽃처럼 부신 날을 맞이하시길, 그리하여 날마다 행복한 벗님이시길….

분꽃
피는 저녁에

보이는 것보다 보이지 않는 것에 담겨진
진실의 크기를 가늠해 보는 일이란
얼마나 가치 있는 일인지요.

담배 생각이 간절해져서

베란다로 나가 창문을 열었는데

성근 빗방울 흐득흐득 떨어지는 골목 어귀에

여인 하나 서 있는 게 저만치 보였습니다

살이 부러진 검은 박쥐우산 밖으로

이따금 고개를 내밀어 골목 저 편을 살피는 것이

아마도 누군가를 기다리는 것 같았습니다

슬리퍼 끝으로 잔돌을 톡톡 차 보기도 하고

이따금씩 바람개비처럼 우산을 돌려

물방울을 털어내기도 하며

골목 어귀를 지키고 서 있는 것이었습니다

비 오는 저녁은 서둘러 어둠이 찾아와

골목 어귀 외등도 일찌감치 불이 켜졌지만

여인의 박쥐우산은 한 줌의 어둠처럼

그 자리를 떠나지 않았습니다

어느 순간

젖은 발자국 소리 하나 가까워지고

우산 속으로 허름한 잠바 하나 뛰어들더니

그제야 박쥐우산이 움직이기 시작했습니다

우산은 나의 창문 아래를 지나며

여인의 웃음꽃을 한 무더기 피워 놓고는

이내 골목 저 편으로 총총히 사라졌습니다

그 환한 웃음소리가 너무 좋아서

고양이 걸음으로 계단을 내려가 보았는데요

아 글쎄 현관 앞에 분꽃 한 떨기

부시게 피어 있는 것 아니겠습니까

- 나의 졸시 〈분꽃 피는 저녁〉

저녁이면 활짝 피었다가 아침이면 다시 꽃잎을 닫는 분꽃을 보며 이 땅의 많은 아내들을 생각합니다. 위에 적은 저의 졸시도 그렇게 쓰여진 것입니다.

남편이, 아이들이 집에 머무는 동안만 환한 웃음을 머금고 사는 아내들. 직장으로, 학교로 남편과 아이들을 떠나보내고 나면 산처럼 쌓인 설거지와 빨래감들, 어질러진 집안을 치우느라 잠시 허리 펼 시간조차 없이 종종걸음을 치는 아내들의 모습을 분꽃에서 엿보게 됩니다.

언제부터인가 우리들은 눈에 보이는 것만으로 모든 것을 판단해 버리는 좋지 않은 습관에 길들여져 있습니다. 빙산의 일각이란 낡은 비유를 다시 들먹이지 않아도 우리의 시야에 보이는 것이란 얼마나 국소적인지요. 보이는 것보다 보이지 않는 것에 담겨진 진실의 크기를 가늠해 보는 일이란 얼마나 가치 있는 일인지요.

어릴 적 가지고 놀던 장난감 나팔처럼 생긴 앙증맞은 분꽃을 보며 제 시선이 닿지 않는 곳의 진실을 생각해 보았습니다. 저에게 보여 준 적 없는 아내의 그늘과 상처를 생각해 보았습니다.

생각하면 분꽃은 아내를 참 많이도 닮았습니다.

분꽃은 아메리카 원산의 한해살이 화초로 저녁 무렵에 피었다가 아침에 꽃잎을 오므리는 꽃이지요. 요즘은 맞벌이 하는 가정도 많고 삶도 다양해졌지만 저는 분꽃을 볼 때면 아침에 남편 출근하고 나면 하루종일 집안에만 있다가 저녁이 되면 남편을 마중하는 아내 같은 생각이 들곤 합니다. 저의 어머니는 울 밑에 분꽃이 피는 것을 보고 들일 나간 아버지의 저녁을 준비하곤 하셨지요.

끝으로 분꽃에 얽힌 전설을 사족(蛇足)으로 달아 놓습니다.

그 옛날 폴란드에 넓은 영토와 큰 세력을 지닌 성주가 있었는데 그에게는 불행히도 자식이 없었답니다. 그래서 그는 신에게 간절히 기도를 올렸고 신은 그의 기도에 대한 응답으로 귀여운 딸을 하나 내려 주셨답니다. 성주는 아들을 바랐지만 그렇다고 딸을 얻은 것을 탓하지는 않았습니다. 대신 그는 성을 물려받을 아들이 없다고 남들이 손가락질 할 것이 두려워 사람들에겐 아들을 낳았다 하고 그 아기를 아들처럼 키웠습니다. 그 이름도 '미나비리스'라는 남자 이름을 지어주고, 남장을 시켜 활쏘기와 칼싸움에서부터 술 먹는 법에 이르기까지 남자들이 해야 할 여러 가지를 가르쳤습니다.

이러한 성주의 바람과는 상관없이 성숙한 미나비리스도 청춘의 끓는 피는 어찌할 수 없었던지 자기의 부하를 한 남자로 사랑하게 되었습니다. 그녀는 어느 날 아버지 앞에서 사실을 고백하고 도와달라 애원했지만 성주인 아버지는 그 사나이에게는 이미 부인이 있다면서 딸의 간청을 무시해 버렸습니다. 이에 실망한 미나비리스는 잡고 있던 칼을 바닥에 꽂으며, 생전 처음으로 여자처럼 엉엉 소리 내어 울었습니다. 그리고는 성을 떠나 어디론가 영영 사라져 버리고 말았습니다. 그녀가 떠나고 얼마 후, 그녀가 칼을 꽂았던 땅에서 꽃이 한 송이 피어났는데 그 꽃이 바로 '분꽃'이었답니다.

첫사랑의
향기를 닮은 꽃
- 프리지어

우리 모두는 누군가에게 꽃이 되고 싶어 합니다.
단번에 누군가의 눈빛을 사로잡을 화려한 빛깔의
꽃이고 싶어 합니다. 한 번 스치면 영원히 지워지
지 않는 향기로운 꽃이고 싶어 합니다.

까닭도 없이 마음 쓸쓸해지는 요즘 같은 날, 누군가에게 생각지도 않은 노란 프리지어 꽃다발을 선물 받는다면 그 하루가 얼마나 눈부실까요?

내가 이 세상에 태어나서 처음으로 선물 받았던 꽃이 노란 프리지어였습니다. 입대하는 나를 위로해 준다고 찾아 온 여자 친구는 진노랑의 프리지어 꽃다발을 가슴에 안고 있었습니다. 그 꽃빛이 너무 고와서 눈도 제대로 뜰 수 없었는데, 곁에만 서 있어도 달큰한 꽃향기가 무장무장 피어오르는 바람에 하마터면 정신마저 잃어버릴 지경이었는데 그 친구는 제 가슴에 프리지어 꽃다발을 안겨 주었습니다. 화병 속에 꽂아 둔 꽃들이 뿜어 놓은 향기로 온 집안이 가득 찼던 행복한 기억.

지금도 그 날의 꽃향기를 생각하면 어질머리가 돌고 노란 꽃빛만 생각하면 가슴에선 시도 때도 없이 울렁증이 일곤 합니다.

미소년 나르시소스를 짝사랑했던 숲의 요정 프리지어. 나르시소스가 샘에 비친 자신의 모습에 취해 물에 빠져 죽어가는 모습을 숨어 지켜보고는 그 슬픔을 견디지 못하고 자신도 물속으로 몸을 던져 죽고만 비련의 주인공. 그녀의 슬픈 사랑에 감동한 하늘의 신이 꽃으로 환생시켰다는 프리지어는 청초한 아름다움으로, 감미로운 향기로 늘 우리에게 친숙한 꽃입니다.

제가 처음 프리지어 꽃을 선물 받던 그 때와는 달리 요즘은 꽃을 선물하는 일이 일상처럼 잦아졌습니다. 지하철을 타고 가다보면 어렵지 않게 꽃을 든 남자도 만날 수 있는 게 요즘입니다.

꽃을 건네고 선물을 받을 때의 설레는 마음은 예나 지금이나 조금도 다르지 않습니다. 꽃을 들고 가는 사람들의 얼굴 표정은 하나같이 여전히 발그레 상기 되어 있고, 입가엔 흐뭇한 미소가 떠 있으니 말입니다.

누군가를 생각하며 꽃을 사는 일, 그 꽃을 받아 줄 누군가의 환한 얼굴을 상상하며 발걸음을 옮기는 일은 이 세상에서 가장 아름다운 순간 중의 하나일 것입니다.

당신의 꽃

김용택

내 안에
이렇게 눈이 부시게 고운 꽃이
있었다는 것을 나도 몰랐습니다
몰랐어요
정말 몰랐습니다
처음이에요
당신에게 나는
이 세상 처음으로
한 송이 꽃입니다

우리 모두는 누군가에게 꽃이 되고 싶어합니다. 단번에 누군가의 눈빛을 사로잡을 화려한 빛깔의 꽃이고 싶어 합니다. 한 번 스치면 영원히 지워지지 않는 향기로운 꽃이고 싶어 합니다. 위에 적은 김용택 시인의 시에서 이미 눈치 채셨겠지만 누군가를 진심으로 사랑한다면 당신은 이미 꽃처럼 고운 사람입니다. 다만 그 사실을 미처 모르고 있었을 뿐.

이제는 화려한 꽃빛보다는 은은한 향기를 사랑해야 할 나이. 누군가에게 꽃으로 기억될 수 있다면, 달큰한 향기 무장무장 피워내는 한 떨기 프리지어이길 소망한다면 너무 분에 넘치는 허영일까요?

무지개를 간직한 꽃
- 아이리스

저마다 다른 표정을 한 붓꽃과 푸른 잎들은 바람에 흔
들리기 보다는 제 안의 열정을 견딜 수 없어 스스로 흔
들리는 듯 합니다

꽃이나 그림에 그다지 관심이 없는 사람도 한 두 번은 보았음직한 이 그림은 너무나도 유명한 빈센트 반 고흐의 〈붓꽃(Les Iris)〉입니다. 1987년 소더비 경매에서 당시 그림으로서는 최고가에 팔려 더욱 유명해진 그림이기도 하지요. 한데 벗님은 이 그림 속의 붓꽃들을 바라보면 어떤 느낌이 드시는지요?

전 이 그림을 가만히 들여다보고 있노라면 꽃의 내면에서 용솟음치는 뜨거운 열기 같은 것이 느껴집니다. 저마다 다른 표정을 한 붓꽃과 푸른 잎들은 바람에 흔들리기 보다는 제 안의 열정을 견딜 수 없어 스스로 흔들리는 듯합니다. 화가의 영혼을 돌아 나온 그림 속의 붓꽃은 이미 자연 그대로의 붓꽃일 수 없기 때문일까요?

이 그림을 통해 깨달은 게 하나 있다면 같은 꽃이라도 보는 이에 따라 얼마든지 그 모습을 달리할 수 있다는 사실입니다.

위 사진은 지난봄에 강진에 있는 영랑 생가에서 만난 붓꽃입니다. 김영랑 시인의 생가 앞 마당가에 서서 찾아오는 방문객들을 반갑게 맞아주던 보랏빛 붓꽃의 청초한 모습은 해가 바뀐 지금도 그 곳을 생각하면 부록처럼 떠오르는 선명한 기억으로 남았습니다. 제 기억 속의 붓꽃은 고흐의 독일붓꽃보다는 영랑 생가에서 만난 붓꽃의 이미지를 많이 닮아 있습니다. 벗님의 기억 속엔 어떤 표정의 붓꽃이 들어 있는지요?

진달래, 개나리 같은 이른 봄꽃들이 지고 꽃을 피웠던 가지마다 연두빛 옷을 갈아입기 시작할 무렵, 숲 속을 거닐다 마른 가랑잎 사이로 빼꼼히 얼굴을 내민 보랏빛 애기붓꽃을 만나는 일이란 얼마나 가슴 뛰는 일인지요.

과수원에선 하얀 배꽃이 제 시름에 겨워 지고 사과꽃 향기는 바람에 실려 봄 들판을 채워가던 늦은 봄날, 꽃을 찾아 여기저기 눈길을 던지던 나의 눈에 연보랏빛이 어른 거렸습니다. 어깨를 짚어오는 햇살은 따사로웠지만 바람결엔 지난 겨울의 한기가 남아 있어 옷섶을 풀어 헤치기엔 망설여지던 무렵이었으니 아마 이맘 때 쯤이었던 것 같습니다.

예전엔 뿌리를 캐어 솥단지를 닦는 솔로 사용하여 '솔붓꽃'이라고도 불리는 이 꽃은 '가는붓꽃', 혹은 '부채붓꽃'이라고도 불리웁니다. 품격과 초지상적인 아름다움을 지닌 붓꽃은 무지개의 여신 이리스로부터 아이리스라는 라틴어 이름을 물려받았습니다. 그래서인지 꽃을 자세히 들여다보면 꽃의 중심으로 향한 무늬 속엔 엷은 무지개색이 나타납니다. 꽃만 아름다운 것이 아니라 잎 또한 난초 잎과 흡사하여 예로부터 연못가 등에 관상초로 많이 심었던 꽃이 붓꽃이기도 합니다.

붓꽃의 종류는 생각 외로 많습니다. 각시붓꽃을 비롯하여 들꽃창포. 노랑붓꽃, 노랑무늬붓꽃, 제비붓꽃, 만주붓꽃, 애기붓꽃, 붓꽃, 타래붓꽃, 서양창포, 흰각시붓꽃, 금붓꽃, 부채붓꽃, 난쟁이붓꽃, 사간붓꽃… 하지만 제가 만난 붓꽃은 그리 많지 않습니다. 그런 만큼 각 꽃들을 정확히 구분해 낼 재간 또한 없습니다. 하지만 그게 무슨 대수겠습니까?

그보단 꽃을 만났을 때 그 모습을 어떻게 마음속에 담는가가 더 중요할 테니까요.

'사월이면 바람나고 싶다'고 한 이가 정현종 시인이었던가요? 돌아오는 새 봄엔 우리 모두 함께 꽃바람 한 번 나 보는 건 어떨까요?

바람꽃에
대한 명상

시집을 들고 전쟁터로 나가는 병사가 제일 먼
저 총 맞아 죽고, 시집을 끼고 후방을 거니는
여자애가 제일 먼저 변심해 돌아선다.

바람꽃!

하고 자그맣게 한 번 소리 내어 불러 보시기 바랍니다. 어떤 이미지가 떠오르시는지요. 바람꽃을 한 번도 본 적이 없던 때에도 바람꽃 이야기를 들을 때마다 이른 봄, 산기슭을 타고 오른 북풍에 떨고 있는 손톱만한 꽃송이가 떠올랐습니다.

들꽃 탐행을 시작한 건 이제 겨우 석 삼 년쯤 지났지만 바람꽃을 알게 된 건 그보다 오랜 십여 년 전 이순원의 소설 속에서였습니다.

〈이제 다시 갈 수 없는 날들을 위하여〉란 단편 속에 바람꽃에 대한 이야기가 나옵니다. 작가의 고향이기도 한 강릉에 관한 소설이었는데 그 소설 속에 들꽃에 관하여 회상하는 대목이 나옵니다.

눈 감으면 대관령의 비포장도로가 떠오르고, 그 길섶 위에 날리던 송홧가루와 이름 모를 들꽃들…. 아니, 처음부터 '이름 모를 들꽃'이란 이름을 가진 들꽃은 없지. 그 꽃들 하나하나 누군가 불러주던 이름을 가지고 있어도 우리가 미처 그것을 알지 못해 그냥 이름 없는 들꽃이라 부르던 구슬봉이, 미나리아재비, 개불란, 안질뱅이, 붉은자주나리, 애기똥풀, 자운영, 노랑오랑캐, 수절국, 며느리밥풀, 댕댕이, 모갱이, 열구, 명아주, 얼레지, 금낭화, 각시붓꽃, 쓴꼬불개, 황금초롱, 별초롱, 가제무릇, 들패랭이, 용린, 톱잔대, 깽깽이, 쑥부쟁이, 황새밥, 뱀짱우 그리고 그렇게 찾아 불렀는데도 그보다 더 많은 정말 이름 모를 들꽃과 들풀들….

그 수많은 이름 모를 들꽃 속에 들어 있던 바람꽃을 소설 속 주인공이 만난 것은 향로봉 아래에서 총 들고 제대 날짜를 세던 때입니다. 남녘에선 개나리꽃이 피었다는 화신이 날아 들어도 이따금씩 눈발이 날리던 전방 고지에서 경계근무를 마치고 돌아오던 길에 눈얼음을 보랏빛 꽃대로 뚫고 올라와 흰 꽃잎에 노란 꽃밥을 피워 낸 바람꽃. 함께 근무를 서던 일병이 먼저 그 꽃을 발견하곤 소리치지요. "아, 바람꽃이다. 바람꽃. 여기 와서 바람꽃을 보다니."

  군복을 입고서 꽃 한 송이를 발견하고 말을 잊지 못하는 일병의 감동하는 모습을 멋쩍게 지켜보던 주인공은 꽃이름을 되묻습니다. "바람꽃?" 하고 말이지요.

  제가 바람꽃을 알게 된 것도 바로 그때였습니다. 그리고 도감을 만들면서 학자들이 일일이 발품을 팔며 알아보지도 않고 자기들 배운 대로 서양이름을 그대로 풀어쓰다 보니 꽃 이름이라는 것이 서식지에서 불리는 이름과 도감에 적힌 이름이 다르기도 하다는 것도요. 아네모네 수선화의 아네모네가 '바람'이란 뜻이니까 어쩌면 바람꽃도 그것을 풀어 쓴 것인지도 모르겠습니다. 솜다리꽃이 에델바이스로만 알려진 것처럼요.

  소설 속의 주인공은 바람꽃 이야기를 하면서 시집을 들고 전쟁터로 나가는 병사가 제일 먼저 총 맞아 죽고, 시집을 끼고 후방을 거니는 여자애가 제일 먼저 변심해 돌아선다는, 꽃과는 전혀 어울리지도 않는 슬픈 우스갯소리를 떠올리고. 그 불길한 생각 때문이었는지 "바람꽃!" 하고 감격하던 일병은 한 계절도 못 넘기고 사계청소*를 나갔다가 지뢰를 밟고 꽃잎처럼 흩어져 버리고 맙니다.

  그땐 그냥 슬픈 이야기에만 젖어 있었는데 꽃에 관심을 갖게 되면서

  그 때의 흐린 기억을 되짚어 그 소설을 다시 펼쳐 찬찬히 읽었습니다. 그리고 바람꽃에 감격하던 소설 속 일병의 심정을 십분 헤아리게도

  ---

  * 사격에 방해되지 아니하도록 사격 진지 앞의 장애물을 없애는 일.

되었습니다. 다시 올 봄에는 변산 바람꽃을 만나러 갈 생각입니다. 그리고 꽃들이 들려주는 슬프도록 아름다운 이야기에 흠뻑 취해 볼 요량입니다. 꽃이 핀다는 사실 하나만으로도 봄은 제게 꿈같은 계절입니다.

선비화를
아시나요

콩과 식물인 골담초는 척박한 땅에서도 잘 자라고 봄마다 나비
모양의 꽃을 가득 피워대는 까닭에 관상용으로도 인기가 많습
니다. 꽃이 만개하면 노랑나비 떼가 내려앉은 듯 뜨락이 온통
봄빛으로 출렁이니까요.

늦은 봄날. 그대 부석사에 가본 적이 있으신지요? 혹시 가보셨다면 '선비화'란 꽃을 보고 오셨는지요? 부석사 여행은 사과꽃 필 때를 으뜸으로 치는 이도 있지만 봄과 여름이 자리바꿈을 할 때 쯤 찾아가야만 만날 수 있는 꽃이 바로 이 '선비화(禪扉花)'란 꽃입니다.

일주문 지나 안양루 돌계단을 올라 무량수전 배흘림기둥에 기대어 숨을 한 번 고른 뒤 무량수전에서 북쪽으로 비탈진 산길을 따라 오르면 산중턱에 소박하고 간결한 느낌의 조사당이 있습니다.

국보 제19호인 부석사 조사당 추녀 아래 축대 위에 1300여 년 동안이나 비와 이슬을 맞지 않고도 생명을 유지하고 있는 신비한 전설의 나무가 바로 선비화입니다.

부석사를 창건한 의상조사가 지팡이를 꽂아 놓은 것이 그대로 살아서 오늘날까지 내려오며 푸른 생명력을 이어가고 있는 전설의 나무이지요.

선방의 문앞에 피는 꽃, '선비화'는 애기를 못 낳은 여인들이 이 나무의 잎을 따서 삶아 그 물을 마시면 아들을 낳는다는 속설이 전해지는 바람에 아들 낳기를 소망하는 여인네들이 잎을 마구 따 가버린 탓에 나무가 훼손되어 지금은 철책을 만들어 사람들의 접근을 금하고 있습니다.

선비화는 콩과에 속하는 식물로 속명은 '골담초(骨痰草)'로 불리웁니다. 익모초(益母草)가 여인에게 이롭게 하는 풀인 것처럼 골담초(骨痰草)는 문자 그대로 뼈를 책임지는 식물답게 예로부터 신경통 관절염에 좋은 약재로 쓰였다고 합니다. 옛사람들은 풀이름 하나, 나무 이름 하나에도 그 쓰임새를 헤아려 지었으니 그 지혜가 놀라울 따름입니다.

콩과 식물인 골담초는 척박한 땅에서도 잘 자라고 봄마다 나비 모양의 꽃을 가득 피워 다는 까닭에 관상용으로도 인기가 많습니다. 꽃이 만개하면 노랑나비 떼가 내려앉은 듯 뜨락이 온통 봄빛으로 출렁이니까요.

꽃을 따서 쌀가루를 살짝 묻혀 꽃떡을 쪄 먹으면 달짝지근한 맛이

일품입니다. 봄이 오면 골담초는 어김없이 피어 나의 눈길을 사로잡을
것입니다.

    이 꽃 앞에 앉으면 한나절 봄볕은 너무도 짧을 것입니다.

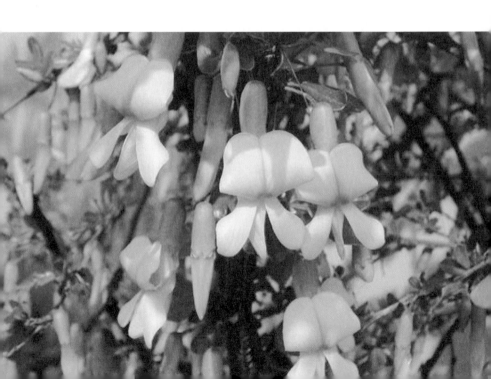

부용꽃
스물일곱 송이
지고…

아침에 피어날 때는 흰빛이었다가 조금
씩 붉어져서 저녁때가 되면 수줍음에 붉
어진 처녀의 볼 색깔처럼 붉어진답니다.

요즘 차를 타고 거리를 지나다 보면 가로변에서 언뜻 보기에 무궁화를 닮은 듯도 하고 접시꽃을 닮은 것도 같은 고운 빛의 꽃과 자주 눈을 마주치게 됩니다. 꽃빛이 워낙 곱고 워낙 커서 왕꽃이라 불러도 손색이 없는 이 꽃은 부용꽃입니다.

그러고 보니 언젠가 인기를 끌었던 TV드라마 '왕꽃선녀님'의 극중 이름도 부용화였네요. 중국이 원산지인 부용꽃은 무궁화와 같은 아욱과의 낙엽관목으로 무궁화보다는 꽃잎이 몇 배나 크고 접시꽃보다는 꽃빛이 훨씬 곱고 아름다워 옛날부터 양귀비와 더불어 미인을 가리키는 말로도 쓰였으니 아름다운 여자의 맵시를 말할 때 '부용자(芙蓉姿)'라 하였습니다.

또한 흰색의 꽃이 점점 분홍으로 물들어 술에 취한 것 같다 하여 취부용이라 부르기도 합니다. 부용화는 자태가 곱고 화려할 뿐만 아니라 사람의 손길이 많이 가지 않아도 여름철마다 탐스럽고 싱싱한 꽃을 무더기로 피우기 때문에 가로화로는 아주 제격인 꽃입니다. 지금은 색깔이 다양해져있지만 원래 이 부용화는 아침에 피어날 때는 흰빛이었다가 조금씩 붉어져서 저녁때가 되면 수줍음에 붉어진 처녀의 볼 색깔처럼 붉어진답니다.

부용은 태양이 뜨거운 여름날 피기 시작하여 이 꽃이 자취를 감출 무렵이면 들녘엔 가을빛이 깃들기 시작합니다.

허난설헌이 22살 때 꿈속에서 신선이 산다는 광상산에 놀러가 지은 시 속에도 부용꽃이 등장합니다. 허난설헌은 자신의 죽음을 이미 예견했던 것일까요? 시 속에 나오는 부용꽃 스물일곱 송이는 묘하게도 그녀가 세상을 떠나던 때의 나이와 일치하니 말입니다.

허난설헌이 꿈속에서 지었다는 시 함께 감상해 보실까요?

몽유광상산시(夢遊廣桑山詩)

허난설헌

碧海浸瑤海(벽해침요해)
青鸞倚彩鸞(청란의채란)
芙蓉三九朵(부용삼구타)
紅墮月霜寒(홍타월상한)

푸른 바닷물이 구슬 바다에 넘나들고
파란 난새가 채색 난새와 어울렸구나
부용꽃 스물일곱 송이 붉게 떨어지니
달빛은 서리 위에서 차갑기만 하구나

바람개비 되어
그대에게로…
물레나물꽃

그대를 생각하는 동안 세상 어디선가 또 꽃이 피고 꽃이 지고.
꽃이 피고 꽃이 지는 동안 난 또 그대를 생각하고. 사는 일이 그
대를 생각하는 일임을 이제사 조금씩 깨닫습니다. 내가 이 세
상 어디에 머물든 그대는 내게 가장 큰 하늘입니다.

솔잎 한 점의 바람이 아쉬운 요즘입니다.

한때 은적(隱跡)을 꿈꾸었으나 이제사 생각해보니 그 모든 것이 '더 이상 갈 곳 없는 땅끝에 서서 / 새 되어 날거나, 고기 되어 숨거나.' 하고 읊었던 김지하 시인처럼 더 이상 물러설 곳도, 더 이상 나아갈 곳도 없는 생의 막바지에서 나를 변명하기 위한 핑계였단 생각을 떨쳐낼 수가 없습니다.

따가운 햇살을 피해 들길을 따라 걷다가 물레나물꽃을 만났습니다. 동무들과 어울려 동구 밖을 마구 내닫던 유년시절의 바람개비를 쏙 빼어 닮은 꽃. 처음엔 그 노란 꽃이 바람개비꽃인 줄만 알았지요. 꽃 이름 하나 알고 나면 그 꽃의 존재가 새롭게 내 안에서 피어난다는 것을 물레나물꽃을 보고 알았습니다. 흔한 듯 흔하지 않은 물레나무꽃을 보면서 버릇처럼 그대를 떠올립니다. 내 안에 바람을 모아 바람개비 되어 그대에게로 가고 싶어졌습니다.

은적(隱跡)을 꿈꾸던 시절을 가만히 생각해보니 내 안의 바람을 잠재우기 위해서라기보다는 나를 흔드는 바람을 견딜 수 없어 세상 어디쯤으로 사라지고 싶었던 게 아닌가 싶습니다. 바람의 진원지를 찾아 바람개비 되어 달려가려 했던 것은 아닌지.

그대라는 바람 앞에 내 전 생애를 걸고 바람개비처럼 쉼 없이 돌고 싶었던 것은 아닌지.

물레나물꽃 앞에서 버릇처럼 그대를 떠올립니다.

그대를 생각하는 동안 세상 어디선가 또 꽃이 피고, 꽃이 지고.

꽃이 피고 꽃이 지는 동안 난 또 그대를 생각하고.

사는 일이 그대를 생각하는 일임을 이제사 조금씩 깨닫습니다.

내가 이 세상 어디에 머물든 그대는 내게 가장 큰 하늘입니다.

오월의 숲속에서
만난 여인
- 큰꽃으아리

나는 이 순백의 귀부인 곁을 쉽게 떠날 수 없었습니다. 큰꽃으아리도
나의 뜨거운 눈길을 의식했는지 잠시 바람에 몸을 맡기고 가늘게 흔
들렸습니다.

그래요, 통통하게 살이 오른 오월의 숲속이 진즉부터 궁금했던 게 사실이에요. 숲을 지나온 푸른 바람이 집 앞의 느티나무 가지를 흔들고 지나갈 때면 숲 속 어딘가에서 수천 수만의 작은 은종을 매달고 바람을 즐기는 때죽나무와 쪽동백의 안부가 부쩍 궁금해져서 견딜 수가 없었지요. 어디 그 뿐이던가요? 윤기 나는 초록의 이파리 사이로 보랏빛 꽃을 피우는 으름덩굴과 그 사이를 날며 사랑을 부르는 새들의 노랫소리도 많이 듣고 싶었어요.

　오월의 숲이 얼마나 부산스럽고 생기 충만한 지는 당신도 아시지요? 초록의 숲 그늘에 가부좌 틀고 앉아 세속의 번뇌쯤 맑은 바람 한 줄기로 씻어 내고나면 마음이 거울처럼 맑아질 거라 생각한다면 큰 오산이지요. 오월의 숲은 여기저기 터져 오르는 꽃들의 비명과 짝을 찾는 날짐승들의 부산한 날갯짓과 울음소리로 잠시도 조용할 틈이 없으니까요. 그 생기 넘치는 오월의 숲 속으로 발걸음을 재촉하면서 내 안에 엔돌핀이 팍팍 솟는 건 너무도 당연한 일이었지요. 숨겨둔 정인을 만나러 가듯 설레는 가슴으로 찾아간 그 숲에서 그녀를 만나다니! 이 뜻하지 않은 행운 앞에 일순, 그 소란스럽던 숲이 적막해져 버리고 말았습니다.

　오월의 숲에서 만난 귀부인, 큰꽃으아리.

　초록의 숲 위로 미색의 여덟 장 꽃잎을 활짝 펼쳐 하늘을 받쳐든 눈부신 자태라니! 그 황홀한 자태 앞에 나는 한동안 말문이 막히고 말았습니다. 대부분의 꽃들이 그렇긴 하지만 그 중에도 숲에서 큰꽃으아리를 만날 수 있는 확률은 지극히 희박합니다. 날마다 숲에 사는 사람이 아니고선 그 꽃 피는 때를 맞추기도 어렵거니와 설령 때를 맞추어 찾아갔다 해도 상처 없는 여덟 장의 꽃잎을 만나기는 쉽지 않습니다. 큰꽃으아리 꽃은 쉬이 시들고 상처가 나서 그 고운 자태를 완상(玩賞)*하는 일은 대단한 행운일밖에 없거든요.

　처음에 필 때는 연녹색을 띠다가 만개하면서 점차 희어지는 큰꽃으아리는 오월의 숲에서 만나는 귀부인입니다. 오월의 숲에서 피는 대부분의 꽃들이 왜소한데 비해 큰꽃으아리는 이름처럼 꽃도 아이들 손바닥만 하고 그 흰 빛이 눈이 부시어 때만 잘 맞추면 멀리서도 눈에 띄는 꽃이기도 합니다. 특별히 덕을 쌓은 기억도 없는데 이렇게 고운 꽃을 만나게 되다니. 나는 이 순백의 귀부인 곁을 쉽게 떠날 수 없었습니다. 큰꽃으아리도 나의 뜨거운 눈길을 의식했는지 잠시 바람에 몸을 맡기고 가늘게 흔들렸습니다. 서로가 상대를 그윽하게 바라보는 동안 숲은 우리의 밀회를 눈감아주려는 듯 다시 소란해지고 나뭇잎 사이로 은빛 햇살이 쏟아지기 시작했습니다.

큰꽃으아리는 '마음가리나물'이라고도 하는데 이는 으아리의 뿌리를 달여 먹으면 몸속의 통증들이 사라져 마음이 새로워지기 때문이라고도 합니다. 한방에서는 으아리의 뿌리를 '위령선(威靈仙)'이라 하여 요통, 관절염 같은 통증을 다스리는 약재로 쓰는데 걸음을 걷지 못하는 사람이 아침에 먹으면 저녁엔 걸을 수 있을 만큼 약효가 빠르다고 합니다. 이 아름다운 꽃을 보고 웬 약장수 같은 소리냐구요? 그냥 그런 이야기가 있다는 것일 뿐 제가 어찌 꽃을 보며 그런 속된 생각을 했겠습니까? 이 오월의 숲에 방점을 찍는 흰빛의 꽃 앞에서 나도 내안의 속된 생각들이 깨끗이 씻겨서 새롭게 마음의 옷을 갈아입게 되길 빌었을 뿐입니다.

몇 번이나 뒤돌아보며 귀부인 곁을 떠나왔으나 사위(四圍)**에 어둠이 깔린 지금까지도 머릿속엔 여전히 큰꽃으아리 생각으로 가득 차 있습니다. 그 숲의 귀부인도 잠시 잠깐 눈 마주친 나를 생각하며 꽃잎을 오므리고 이 밤을 견딜까요? 꽃의 안부가 자꾸 궁금해지는 봄밤입니다.

그대도 궁금하시지요?

---

* 즐겨 구경함
** 사방의 둘레.

모란이
피기까지는

모란꽃은 종종 향기 없는 꽃으로 오해받기도 하지만 한 번이라
도 모란꽃의 향기를 흠향한 적이 있는 사람이라면 꽃의 아름다
움만큼이나 그윽한 그 향기의 매혹을 잊지 못할 것입니다.

모란이 피기까지는

김영랑

모란이 피기까지는,
나는 아직 나의 봄을 기다리고 있을 테요
모란이 뚝뚝 떨어져 버린 날,
나는 비로소 봄을 여읜 설움에 잠길 테요.
오월 어느 날, 그 하루 무덥던 날,
떨어져 누운 꽃잎마저 시들어 버리고는
천지에 모란은 자취도 없어지고,
뻗쳐 오르던 내 보람 서운케 무너졌느니,
모란이 지고 말면 그뿐, 내 한 해는 다 가고 말아,
삼백 예순 날 하냥 섭섭해 우옵내다.
모란이 피기까지는
나는 아직 기다리고 있을 테요, 찬란한 슬픔의 봄을

누구라도 모란꽃 앞에 서면 절로 읊조리게 되는 것이 김영랑의 〈모란이 피기까지는〉이란 시일 것입니다. 햇살이 가장 투명한 오월의 뜨락에 겹겹의 붉은 꽃잎을 열어 보이는 모란꽃은 봄의 뜨락을 절정에서 완성하는 꽃 중의 꽃이자 영랑의 꽃이기도 합니다.

뒤란의 모란꽃이 피었습니다. 창을 열면 모란의 은은한 향기가 창을 넘어옵니다. 그 향이 너무 좋아 자주 창을 열어 둡니다. 화왕(花王)이란 별칭을 지닐 만큼 아름다운 꽃이어서 모란꽃은 많은 이야기를 담고 있습니다. 그 중에도 삼국유사에 전하는 모란꽃을 선물한 당태종을 비웃은 선덕여왕의 이야기는 가장 널리 알려진 이야기가 되었습니다. 그 고사로 인해 모란꽃은 종종 향기 없는 꽃으로 오해받기도 하지만 한 번이라도 모란꽃의 향기를 흠향(歆饗)한 적이 있는 사람이라면 꽃의 아름다움만큼이나 그윽한 그 향기의 매혹을 잊지 못할 것입니다.

사람들이 많이 헷갈려 하는 것 중의 하나가 '모란'과 '작약'의 혼동입니다. 꽃의 생김새도 비슷하고 꽃 피는 때도 비슷하여 꽃에 관심이 많지 않은 사람이라면 헷갈리는 것도 무리는 아닙니다. 하지만 조금만 눈여겨보면 두 꽃은 닮았으나 확연한 차이가 있다는 것을 쉽게 알 수 있습니다. 모란은 낙엽성관목인 목본성인데 비해 작약은 다년생 초본입니다. 쉽게 말해 모란은 나무이고 작약은 풀인 것입니다. 모란은 묵은 가지의 겨울눈에서 싹을 틔워 봄에 꽃을 피우지만 작약은 봄에 뿌리에서 새싹이 돋아납니다. 꽃이 피는 시기도 모란이 피었다 지면 그 뒤를 따라 작약이 피어납니다.

선덕여왕의 일화에서 엿볼 수 있듯이 모란은 중국에서 우리나라에 전해진 꽃입니다. 삼국시대에 우리나라에 전해졌으니 이젠 우리의 꽃으로 생각해도 좋을 만큼 아주 친숙한 꽃이기도 합니다. 키가 2미터까지 자라는 낙엽관목인 모란은 붉은 자줏빛의 꽃이 피는데 5장에서 8장에 이르는 꽃잎을 펼치면 지름이 15센티 이상이나 되는 아주 큰 꽃입니다. 한 번 피면 5~6일 정도 피어 있는데 그 붉은 꽃잎이 하나 둘 바람에 떨어지는 것을 지켜보면 영랑이 말한 '찬란한 슬픔의 봄'이 고스란히 느껴집니다.

저 모란이 지기 전까지는 모란꽃 시 하나 지어 그대에게 보여드리고 싶습니다. 틈날 때마다 모란의 자태를 훔쳐보며 시심(詩心)을 키우는 이 봄날이 눈물겹습니다.

나의 뜨락에 모란이 뚝뚝 떨어져 내리기 전에 향나무 연필을 정성 들여 깎아야겠습니다. 순백의 종이 위에 모란의 화인(花印)을 꾹 눌러 찍고 싶습니다.

산수유
꽃망울은
터지는데…

산수유 꽃이 피었다고, 산수유 노란 꽃망울이 터지고 있다고 전화를 주시던 그대처럼, 나도 꽃나무 아래서 그대에게 전화 드리고 싶었는데 빈 들판에 자욱하게 피어오르는 안개처럼 그리움은 바람에 이리저리 쓸릴 뿐 참으로 무정한 세월입니다.

참 무정한 세월입니다. 안부 없이 지내는 사이 몇 번인가 계절이 바뀌고 환절(換節)*의 마디를 건너는 동안 우리의 얼굴엔 몇 개의 주름이 늘었습니다. 그리움이란 놈은 유리병에 담긴 흙탕물처럼 평상시엔 고요하고 맑다가도 어쩌다 한 번씩 출렁일 때면 나를 눈멀게 하고 귀먹게 하여 가슴 깊이 보습** 날을 들이대며 나를 갈아엎고 갔지만 끝내 나는 그대에게 전화하지 못했습니다.

산수유 꽃이 피었다고, 산수유 노란 꽃망울이 터지고 있다고 전화를 주시던 그대처럼, 나도 꽃나무 아래서 그대에게 전화 드리고 싶었는데 빈 들판에 자옥하게 피어오르는 안개처럼 그리움은 바람에 이리저리 쓸릴 뿐 참으로 무정한 세월입니다.

어제는 진종일 물가에 앉아서 보냈습니다. 바람에 쓸리는 수면의 잔주름을 보며 그대로 인해 수천 수만 번 접히고 다시 펴졌을 내 안의 주름들을 생각했습니다. 주름이란 것이 곧 '울음의 기록'이란 생각을 했습니다.

더디 오는 봄일지라도 여기저기 터져 오르는 산수유 꽃망울을 보며 곧 천지간에 가득할 봄기운을 느낍니다. 살아 있는 목숨들의 들숨날숨이 모두 꽃빛으로 들어찰 눈부신 봄날을 예감합니다. 그 안에 그대와 나도 있어 때로는 꽃이 되고 때로는 잎이 되어 환하고 무성해져서 짧은 봄날은 또 그렇게 기울어 갈 테지요.

그리운 그대,

산수유 꽃이 피고 있습니다.

---

* 철[계절]이 바뀜.
** 보습기. 가래 따위 농기구의 술바닥에 끼우는, 넓적한 삽 모양의 쇳조각

꽃들에게
봄의 안부를
묻다

피는 일도, 지는 일도 꽃에겐 똑같이
온몸으로 살아내야 하는 소중한 삶의
순간입니다.

우리들의 봄은 어디로 갔는가.

황사 먼지에 잠시 눈을 감았다 떴을 뿐인데 호명할 틈도 없이 폭죽처럼 화르륵 타올랐다 사라져 버린 꽃들.

이별을 아는 꽃일수록 떠나는 모습을 쉽게 보이지 않습니다.

노란 꽃잎을 열어 한 하늘 거뜬히 펼쳐 보이고 당간지주처럼 우뚝 서서 그 하늘 위로 꽃씨를 날리고 서 있는 민들레 꽃대는 말하고 있지 않은가. 헤어짐이 얼마나 아름다운 약속인지를.

허공에 꽃씨를 날리는 민들레 꽃대 곁에선 또 다른 민들레가 노란 꽃잎을 펼쳐 하늘을 우러르고 있습니다. 피는 일도, 지는 일도 민들레에겐 똑같이 온몸으로 살아내야 하는 소중한 삶의 순간입니다.

세상에 피어나는 꽃치고 아름답지 않은 꽃이 어디 있겠는가.

초록의 들판 가득 노란 물감을 흩뿌린 듯 점묘화를 그리고 있는 애기똥풀, 고향의 들녘은 오수(午睡)*에 잠긴 듯 아련한데 애기똥풀 노란 꽃만이 사월의 바람과 소꿉놀이에 여념이 없습니다.

---

* 낮잠

애기똥풀

안도현

나 서른다섯 될 때까지
애기똥풀 모르고 살았지요
해마다 어김없이 봄날 돌아올 때마다
그들은 내 얼굴 쳐다보았을 텐데요

코딱지 같은 어여쁜 꽃
다닥다닥 달고 있는 애기똥풀
얼마나 서운했을까요

애기똥풀도 모르는 것이 저기 걸어간다고
저런 것들이 인간의 마을에서 시를 쓴다고

꽃을 만나는 일도 즐겁지만 꽃을 보러 갔다가 나비를 만나는 일은 마치 좋은 영화를 보러 갔다가 경품 당첨의 주인공이 된 것처럼 행복합니다. 개울가에서 미나리냉이의 흰 꽃무리를 발견하고 다가서는데 데이트 중인 흰줄나비 한 쌍을 만났습니다. 불쑥 끼어든 내가 불편했을 법도 한데 다행히 나비들은 잠시 날아올랐다 자리를 옮겨 앉았을 뿐 내겐 별관심이 없습니다. 누구 앞에서도 당당할 수 있는 저들의 사랑이 아름답습니다.

꽃을 만나다 보면 자연스레 알게 되는 것이 저마다 피는 시기와 어울리는 자리가 있다는 것입니다. 습한 곳을 좋아해서 개울가에 많이 자라는 미나리냉이와는 달리 꿀풀과의 조개나물은 햇빛을 좋아해서 무덤가 잔디밭에 많이 자랍니다. 층층이 보랏빛꽃을 피워단 조개나물 꽃을 보면 자연스레 작은 탑이 떠오르곤 합니다.

숲으로 들어갔다가 으름덩굴 속에서 연보랏빛 꽃송이를 만났습니다.
"어떻기는, 묵으면 나무 같아서 그렇지 그건 나무가 아니구 풀두 아니구 나무랑 풀 사이에서 어중간하게 걸치고 양쪽 눈치나 보고 사는 덩굴이라고. 다른 나무를 타구 올라가서 그 타구 올라간 나무 덕에 키가 자라는 덩굴말여."

얼마 전에 세상을 뜬 소설가 이문구의 『내 몸은 너무 오래 서 있거나 걸어왔다』란 소설집 속에 들어 있는 〈장척리 으름나무〉에 나오는 이야기입니다.

어렸을 적 토종 바나나로 불리던 으름은 암꽃과 수꽃이 따로이 꽃을 피웁니다. 사진 속의 꽃잎을 약간 오므린 큰 꽃이 암꽃이고 꽃잎을 뒤로 젖힌 작은 꽃이 수꽃입니다. 시골에서 자랐으면서도 으름덩굴이 암꽃, 수꽃이 따로 핀다는 사실을 안 것은 그리 오래된 일이 아닙니다.

고향의 들녘은 아직 봄을 떠나보내지 않았습니다. 라일락은 여전히 맑은 향기를 허공에 풀어 놓는 중이고 철쭉은 여전히 붉은 꽃빛으로 지나는 이들의 눈길을 잡아끕니다.

지난 봄 산에서 캐다 심은 둥글레도 울 밑에서 가지런히 작은 초롱꽃을 피워 달았고 봄맞이꽃도 눈부십니다.

파꽃이 한창인 텃밭에 앉아 나비를 보며 봄날의 안부를 묻습니다. 꽃 피는 날이 어찌 봄날 뿐이겠는가 마는 일찍 찾아든 더위에 일찍 꽃잎을 떨군 봄꽃들이 마냥 아쉬워 고향의 들녘에서 만난 꽃들에게 봄의 안부를 묻고 왔습니다.

제 2장

즐거운 편지

어린 누이를
닮은 꽃
- 채송화

아직 이 세상의 말을 배우지 않은 아가의 눈빛처럼 눈부신
채송화 작은 꽃을 바라보고 있으면 이 세상의 어떤 보석도
이보다 곱고 눈부실 수는 없을 것 같단 생각이 들곤 합니다.

채송화

누이야
지금도 기억하는가
시오리 길을 걸어 학교에서 돌아오면
눈물자국 얼룩진 얼굴로 배시시 웃으며
나를 반기던 그때를 기억하는가

콩밭 매러 가신 어머니
돌아오려면 멀기만 한 여름 한낮
햇살에 발갛게 익은 얼굴로
아장아장 내게로 와 품에 안기던
나의 어린 누이야

꽃들이 문을 닫는 저녁이 오면
너는 등에 업힌 채로 울다 지쳐 잠이 들고
머리 위론 너의 눈물처럼 반짝이는
개밥바라기별이 떠 있었지
누이야
그때를 아직도 기억하는가

슬픔 같은 건 몰라
울다가도 식구들과 눈만 마주치면
까르르 자지러지던 너의 웃음소리 그리운 날
누이야,
너도 보고 있는가
속없이 웃고 있는 저 채송화를

거리에 서면 옷깃을 파고드는 북풍이 성가시게 느껴지는 겨울 한복 판에서 꽃을 떠올리는 일이 조금은 생뚱맞은 생각이 아니 드는 것은 아니지만 이렇게라도 날마다 꽃 한 송이씩 불러내어 겨울을 건너가는 일이 제겐 더없이 근사하단 생각도 듭니다. 헤일 수 없이 수많은 꽃들 중에서 한 송이 꽃을 고르는 일도 설레는 일이지만 내가 건네는 꽃 한 송이에 달콤한 추억에 잠길 누군가를 상상하는 일은 생각만으로도 가슴이 따뜻해지는 일입니다.

내게 꽃이 추억이란 것을 새삼 일깨워준 꽃이 바로 채송화입니다. 햇살 따가운 여름날, 봉선화, 맨드라미, 과꽃과 함께 유년의 꽃밭을 지키던 꽃이 바로 '채송화'이지요. 시오리 길을 걸어 초등학교를 오가던 시절, 한 여름 학교에서 돌아오면 텅 빈 집안엔 어린 누이 혼자 채송화 핀 꽃밭에 앉아 놀다가 나를 반기곤 했습니다. 눈물자국 얼룩진 얼굴로 배시시 웃으며 내 품으로 안기던 누이의 발갛게 익은 볼이 어찌나 예쁘던지. 위의 졸시는 채송화를 보며 그 유년의 기억을 떠올려 끄적거려 본 것입니다.

쇠비름과에 속하는 채송화는 원산지가 남아메리카인 한해살이 꽃이지만 오래 전에 우리나라에 들어와 이제는 우리 꽃이 된 사랑스럽기 그지없는 꽃입니다. 아무 땅이나 가리지 않고 공해가 심한 도시지역에서도 잘 자라는데 '모스로즈(Moss Rose)'라 하여 이끼처럼 땅에 붙어 옆으로 기어 퍼지며 피는 꽃이므로 화단의 가장자리에서 흔히 볼 수 있던 꽃이었는데 근래엔 도심에선 쉽게 만나지지 않는 귀한 꽃이 되어 버렸습니다.

아직 이 세상의 말을 배우지 않은 아가의 눈빛처럼 눈부신 채송화 작은 꽃을 바라보고 있으면 이 세상의 어떤 보석도 이보다 곱고 눈부실 수는 없을 것 같단 생각이 들곤 합니다.

옛날 어느 여왕이 너무나도 보석을 좋아한 나머지, 자신의 백성들과 보석 한 개씩을 맞바꾸었습니다. 나중에 보석은 마지막 한 개가 남았는데 맞바꿀 백성은 더 이상 남아있지 않았습니다. 그러자 여왕은 자기 자신을 그 보석과 맞바꾸겠다고 하였습니다. 여왕이 마지막 보석을 손에 받아 쥔 순간 큰 소리와 함께 여왕의 보석들이 폭발해버렸습니다. 그 때 사방으로 흩어졌던 보석 조각들이 각기 제 빛깔대로 꽃을 피웠는데 그 꽃이 다름 아닌 채송화였다는 전설이 들어 있습니다.

한데도 꽃이 너무 이쁘고 고와서일까요? 꽃말은 전설과는 달리 '가련함·순진'입니다.

채송화의 줄기는 높이 20cm 내외인데 쇠비름처럼 붉은 빛을 띠고 가지가 많이 갈라져서 퍼지며, 꽃은 가지 끝에 1~2송이씩 달리고 꽃잎은 붉은색, 노란색, 흰색과 더불어 겹꽃도 있습니다.

채송화는 맑은 날 낮에 피었다가 오후면 시드는 하루살이 꽃입니다. 수명이 짧으니 하루가 무척 바쁠 수밖에 없는, 아주 부지런한 꽃입니다. 아침에는 꽃봉오리였던 것이 정오쯤 되면 활짝 피고 오후쯤에는 바람 없이도 꽃술이 조금씩 움직여 한 꽃 안의 수술과 암술이 서로 만나 수분을 하고 저녁이 되면 꽃이 오므라들며 집니다.

그대는 채송화를 보면 어떤 추억이 떠오르시나요?

당신을
따르겠어요
- 금낭화

길다란 꽃대를 허공에
활처럼 휘어 놓고 줄르래미
어여쁜 꽃송이들을 매달고
있는 금낭화를 보고 있으면
그 분홍의 꽃빛이
아니더라도 분홍에 싸인
눈부신 흰빛이 아니더라도
순박한 산골처녀 같아
가슴이 콩닥거립니다.

이른 새벽, 잠을 깨어 한동안 방안을 서성이다가 카메라를 들고 마당으로 나갔습니다. 그대에게 금낭화를 보여주고 싶었거든요. 꽃을 예쁘게 찍으려면 해 뜨고 30분을 넘기지 말아야 한다는 말도 있는데 그대에게 보여주려는 마음이 너무 앞선 탓인지 그리 예쁘게 찍히진 않았네요. 하여도 그대는 예쁘게 보아주시리라 믿습니다. 어여쁜 꽃을 보여주려는 제 마음을 누구보다 잘 아시는 그대이니까요.

며칠 전부터 꽃대를 늘어뜨리며 올망졸망 붉은 주머니를 내어 걸기 시작한 금낭화를 보면서 그대에게 이 사랑스런 꽃을 보여드려야겠단 생각을 했습니다. 옛날 여인들이 지녔던 주머니를 닮았다 하여 '며느리 주머니'로도 불리고 모란처럼 꽃이 고와 '등모란', '덩굴모란'으로도 불리는데 어떤 이름으로 불려도 금낭화의 아름다움은 변하지 않습니다. 우리집의 뜨락을 봄마다 환하게 밝히는 금낭화는 현호색과에 속하는 여러해살이 풀입니다. 우리나라에선 설악산 봉정암 근처에서 처음 발견되었으나 원산지가 중국으로 알려져 있는 것을 보면 아마도 옛날 스님들이 중국을 왕래하면서 자연스레 전해진 것으로 추측됩니다.

길다란 꽃대를 허공에 활처럼 휘어 놓고 줄르래미 어여쁜 꽃송이들을 매달고 있는 금낭화를 보고 있으면 그 분홍의 꽃빛이 아니더라도 분홍에 싸인 눈부신 흰빛이 아니더라도 순박한 산골처녀 같아 가슴이 콩닥거립니다. 다소곳한 산골 새악시의 모습을 닮은 꽃답게 꽃말도 '당신을 따르겠습니다'입니다. 그래서인지 금낭화를 볼 때마다 한용운의 〈복종〉이란 시를 떠올리곤 합니다.

금낭화는 주로 관상용으로 화단에서 많이들 키우지만 야생에서 군락을 이루어 자라기도 합니다. 여러해살이 풀이어서 한 번 심어두면 봄마다 꽃을 피워 집안에서 가꾸기엔 더없이 좋은 화초입니다. 꽃모양이 특이하고 예뻐서 꽃도감의 표지에 많이 등장하는 금낭화. 오늘 아침엔 우리집 마당가의 금낭화로 당신의 아침을 밝혀 드립니다. 복주머니를 줄줄이 매단 금낭화처럼 그대의 봄날도 복된 날이시길 빕니다.

복종

한용운

남들은 자유를 사랑한다지만, 나는 복종을 좋아해요
자유를 모르는 것은 아니지만, 당신에게는 복종만 하고 싶어요
복종하고 싶은데 복종하는 것은 아름다운 자유보다도 달콤합니다.
그것이 나의 행복입니다

그러나 당신이 나더러 다른 사람을 복종하라면
그것만은 복종할 수가 없습니다
다른 사람을 복종하려면 당신에게 복종할 수 없는 까닭입니다

그녀는 반드시
돌아옵니다
- 당귀꽃

비록 당귀의 전설이 해피엔딩이라 해도 전설 속여인의 운명은
기구하다 할 수 밖에 없습니다. 기다림이 사랑보다 더 어려운
일이란 말이 생각납니다. 설사 돌아온다고 한 약속의 시간이
지났다 해도 사랑한다면 기다릴 일입니다.

가만히 오는 비가 낙수(落水)저서 소리하니
오마지 않은 이가 일도 없이 기다려저
열릴 듯 닫힌 문으로 자주 눈이 가더라

오늘은 종일토록 비가 내렸습니다. 생전의 내 아버지께서는 '가을비가 한 번 지날 적마다 벼가 한 섬씩 줄어든다'고 걱정을 하시곤 했었는데 얼치기 농사꾼인 나는 한가로이 창밖에 듣는 빗소리에 취해 학창시절 외웠던 시조나 읊조리며 약속 없는 기다림에 귀를 종긋 세우고 시간을 죽이고 있습니다.

기다림의 끝이 만남이라면 여행의 끝은 돌아옴입니다. 한동안 내 사랑하는 꽃들에게 무심했습니다. 내가 무심했던 시간 속에서도 꽃들은 저마다 꽃등을 켜들고 나를 기다리고 있었겠지요. 기다려도 오지 않는 나를 원망하며 비바람에 하나 둘 꽃잎을 떨구었을 테지요. 그런 생각들이 빗소리를 따라와서 나를 휘감아 돌았기 때문일까요? 며칠 전에 담아온 당귀(當歸)꽃을 당신에게 보여드리고 싶어졌습니다.

당귀(當歸). 글자풀이를 하자면 '마땅히 돌아온다'는 뜻의 이 말이 어찌하여 꽃 이름이 되었는지 처음엔 도무지 이해가 되지 않았습니다.

내가 이 꽃을 처음 만난 것은 오대산 월정사 부근의 민박집 텃밭에서였습니다. 도무지 꽃이라고 보기엔 너무 무지막지하고 꽃빛 또한 그리 고운 편이 아니라서 그저 신기한 마음에 민박집 아주머니한테 이름을 물었더니 '당귀'라고 귀띔해 주었습니다.

이름의 연유를 물었지만 민박집 주인은 거기까진 알지 못하는 듯 당귀는 꽃 피면 약효가 없어서 쓸모가 없다는 말만 하곤 자리를 떠버렸습니다. 나중에 책을 통해 알아본 당귀의 내력은 이러하였습니다. 부인들에겐 성약(聖藥)으로도 불리는 당귀는 우리 몸에서 기와 혈이 어지러워 병이 생길 때 이 것을 복용하면 '혈이 제자리로 돌아간다' 해서 붙여진 이름이란 것이었습니다. 당귀는 보혈작용이 뛰어나서 부인병에 효험이 있고 특히 생리불순이나 생리통에 특효가 있는 것으로 알려져 있습니다.

깊은 산 속 암자에 기거하는 스님들이 먹었다 해서 '승검초'로도 불리우는 당귀는 예로부터 귀한 약재로 쓰였던 까닭인지 다음 같은 전설도 깃들어 있습니다.

옛날에 어머니를 모시고 살던 한 부부가 있었는데 어머니가 병들자 남편은 약초를 구하러 깊은 산으로 들어갑니다. 남편은 약초를 캐러 산으로 들어가면서 아내에게 몇 년 안에 돌아오지 않으면 죽은 줄 알고 재혼하라고 이릅니다. 어머니는 약속한 시일에도 아들이 돌아오지 않자 며느리를 홀아비에게로 재혼시킵니다. 그 후 아들은 약초를 구해 돌아와 어머니를 고쳤으나 재혼한 아내는 옛 남편이 보고 싶은 마음에 병이 들고 말았습니다. 홀아비는 이를 불쌍히 여겨 여인을 다시 옛 남편에게 돌려보냅니다. 돌아온 아내를 보고 남편은 "사랑하는 사람은 당연히 남편에게로 돌아온다"고 하며 그 매개 역할을 한 약초를 당귀(當歸)라고 불렀다고 합니다.

비록 당귀의 전설이 해피엔딩이라 해도 전설 속 여인의 운명은 기구하다 할 수밖에 없습니다. '기다림이 사랑보다 더 어려운 일'이란 말이 생각납니다. 설사 돌아온다고 한 약속의 시간이 지났다 해도 사랑한다면 기다릴 일입니다.

당신도 아직 마음속에 기다리는 이가 있다면 당귀차를 마시며 기다려 보십시오. 그(혹은 그녀)는 반드시 돌아올 것입니다.

어린 누이의
입술 같은
메꽃

잡초란 사람들의 기준일 뿐, 목숨 지닌 것치고 귀
하지 않은 것은 하나도 없습니다.

한겨울답지 않게 안개 자욱한 아침입니다. 새벽 물꼬 보러 가신 아버지를 찾아 안개 낀 논두렁길을 가다가 연분홍 메꽃을 만나던 유년의 어느 아침을 참 많이도 닮았습니다.

넝쿨 사이로 아침 이슬을 머금고 해맑게 웃던 메꽃은 어린 누이의 입술처럼 살포시 입 맞추고 싶은 귀엽고 사랑스런 꽃입니다.

그래서 어느 시인은 메꽃을 일러 '세월이 흘러도 본적지에 가면 만날 수 있는 꽃'이라고도 했지요.

꽃만 두고 보면 어여쁘고 사랑스럽기 그지없는 꽃이지만 너무 쉽게 만날 수 있는 꽃이어서 메꽃은 많은 사람들에게 외면당했습니다. 얼핏 보면 나팔꽃과 흡사하여 짝퉁 나팔꽃으로 오해받기도 하는 메꽃은 재배식물인 나팔꽃과는 달리 잡초로 분류되어 천시를 받은 것도 사실입니다.

하지만 잡초란 사람들의 기준일 뿐, 목숨 지닌 것치고 귀하지 않은 것은 하나도 없습니다. 우리가 잡초라 이름 붙인 식물들일수록 그 삶을 조금이라도 관심 있게 들여다보면 그들이 한 송이 꽃을 피우기까지 얼마나 치열하게 살아가는지 금세 알 수 있습니다.

오랜 옛날부터 동아시아 지역에 자생해온 메꽃은 떡잎이 나온 뒤 본잎을 내고 덩굴을 뻗어가는 나팔꽃과는 달리 본 잎을 내기 전에 먼저 덩굴을 뻗어 생존을 위한 최소한의 자기 영역을 확보합니다. 조금이라도 더 햇빛을 차지하기 위한 일종의 생존 전략입니다.

나팔꽃은 여름이 지나면 시들어 죽어버리지만 메꽃은 땅 속에 덩이줄기를 뻗고 겨울에도 살아 있습니다.

『풀들의 생존전략』이란 책에 보면 메꽃 줄기의 싹 하나가 2년 뒤엔 5미터 사방을 덮을 만큼 뿌리줄기를 뻗고 5만 5천개의 싹을 틔운다고 합니다. 그렇게 질긴 생명력을 지닌 까닭으로 열매를 맺는 나팔꽃과는 달리 벌 나비가 찾아와도 열매를 맺는 일은 거의 없습니다.

가끔 꽃에 대한 올바른 완상법에 대해 고민도 해보지만 어디에도 정답은 없는 것 같습니다. 똑같은 메꽃을 보고도 어떤 이는 유년의 고향

들녘을 떠올리고, 어떤 이는 꽃의 전설을 생각하고, 어떤 이는 꽃빛의 소박함에 탄성을 지르기도 하니까요.

모든 사람이 꽃을 대하는 마음이 같을 수는 없겠지만, 단순히 꽃의 아름다움을 탐하기보단 그 꽃의 삶의 이력을 들춰보며 생명에 대한 외경심을 깨달아 가는 일은 제겐 소중하고 의미 있는 일입니다.

큰메꽃, 애기메꽃, 갯메꽃으로 메꽃의 종류를 구분하는 일도 소중하지만 꽃 한 송이를 보더라도 거기 우리가 놓치고 산 삶의 비의(悲意)가 숨겨져 있는 것을 발견해내는 일이 더 가치 있을 수도 있으니까요.

세모(歲暮)가 가까워 옵니다. 어두운 땅 속으로 치열하게 뿌리를 뻗어 가면서도 세상 속으로 연분홍 꽃을 피우는 메꽃처럼 환하게 웃으며 한 해를 곱게 마무리하시길 빕니다.

봄 숲에서 지저귀는
종달새 같은
- 현호색

한 송이 꽃을 보면 그 꽃의 생애가 짚어지고 그 생애를
되짚어가다 보면 인생이 보이기도 합니다. 꽃을 보는
일은 결국엔 내 자신을 돌아보는 일입니다.

그렇게 하겠습니다

이기철

내 걸어온 길 되돌아보며
나로 하여 슬퍼진 사람에게 사죄합니다
내 밟고 온 길
내 발에 밟힌 풀벌레에게 사죄합니다
내 무심히 던진 말 한마디에 상처받은 이
내 길 건너며 무표정했던 이웃들에 사죄합니다
내 작은 앎 크게 전하지 못한 교실에,
내 짧은 지식, 신념 없는 말로 강요한 학생들에
사죄합니다
또 내일을 맞기 위해선
초원의 소와 순한 닭을 먹어야 하고
들판의 배추와 상추를 먹어야 합니다
내 한 포기 꽃나무를 심지 않고
풀꽃의 아름다움만 탐한 일 사죄합니다
저 많은 햇빛 공으로 쏘이면서도
그 햇빛에 고마워하지 않았던 일 사죄합니다
살면서, 사죄하면서, 사랑하겠습니다
꼭 그렇게 하겠습니다

지난 밤, 속이 불편하여 약을 먹고 일찍 잠자리에 들었던 때문이었는지 일찍 잠에서 깨어났습니다. 편지를 쓰기 위해 책장을 기웃거리다가 우연히 펼쳐든 시집에서 위의 시를 만났습니다.

이승살이라는 것이 어느 드라마의 제목처럼 '미안하다 사랑한다'를 수없이 되뇌어야 하는 일임을 시가 다시 한 번 일깨워 줍니다. 그 중에도 '내 한 포기 꽃나무를 심지 않고 / 풀꽃의 아름다움만 탐한 일 사죄합니다'란 싯귀가 날카로운 가시가 되어 고스란히 내 마음에 와 박혔습니다.

들꽃에게 말을 걸기 시작하면서 난 아무 것도 하지 않고 아름다운 꽃빛과 맑은 향기만 탐하였으니 저 말에 오금이 저릴 밖에요.

현호색!

나만큼이나 꽃을 좋아하는 남쪽 바닷가에 사는 벗이 부쳐온 어느 봄날의 편지 속엔 '현호색'이란 낯선 단어가 들어 있었습니다.

현호색이라니!

빨주노초파남보. 무지개 색을 다 외워 봐도 찾아지지 않는 현호색은 도대체 어떤 빛깔을 가리키는 것일까? 부쩍 궁금증이 일었지만 묻는 일도 쑥스러워 나의 무지를 탓하며 묻어 두었었는데 훗날 고향에 가서야 그 의문이 풀렸습니다.

어머니와 들길을 걸어오다가 밭둑에 피어 있던 파스텔톤으로 피어난 꽃무리를 발견하고 어머니께 그 이름을 물었더니 '현호색'이라고 가르쳐 주시는 것이었습니다. 그 이름을 알기 전에도 고향 들판에서 봄이 돌아올 적마다 무수히 보아왔던 꽃이었는데 그 꽃이 '현호색'이었다니….

생김새도 특이해서 길쭉한 원통형에 마치 입술이 벌어지듯 끝의 꽃잎이 벌어진 모양새가 파스텔 톤의 꽃빛과 더불어 한 번만 보면 쉽게 잊혀지지 않는 꽃입니다.

이름을 기억한다는 것. 그것은 단순히 이름을 안다는 것이 아니라 그 존재를 내 안에 들이는 일인지도 모르겠습니다.

현호색의 학명은 'Corydalis(종달새)'인데 꽃을 가만히 지켜보면 정말 봄날의 종달새를 닮은 듯도 해 보입니다. 한데 사람살이에서와 마찬가지로 꽃을 처음 만났을 때의 느낌은 좀처럼 바뀌어 지지 않는가 봅니다.

제가 학명은 커녕 '현호색'이란 이름조차도 모른 채 이 꽃을 처음 만났을 때의 느낌은 작은 물고기 떼처럼 보였습니다. 어린 시절, 고향의 냇가에서 보았던 송사리나 피라미 같은….

봄날의 산들바람이 꽃대를 흔들면 파르르 진저리를 치는 모습이 한 무리의 물고기 떼가 꼬리를 치는 듯 느껴지곤 했거든요.

앞서 말씀 드린 것처럼 현호색은 빛깔과는 무관한 약재의 이름이라고 합니다. 누구나 소화 안 되고 속 아플 때 한 두 번은 먹어 봤을 활명수나 까스명수의 주성분이 바로 '현호색'입니다.

현호색은 종류도 많고 개체변이가 심해서 같은 종이라도 일일이 구별하기가 쉽지 않습니다. 좀현호색, 왜현호색, 댓잎현호색, 빗살현호색, 갈퀴현호색…. 그 외에도 비슷한 산괴불주머니까지 보는 이를 자주 헷갈리게 합니다. 하지만 굳이 그것들을 구분하지 못한다고 속상해 할 것까지는 없습니다.

전문적인 것은 식물학자들이 할 일이고 우리가 꽃에게 눈 맞추고 그 이름을 불러주는 것만으로도 꽃들은 제 향기를 듬뿍듬뿍 나눠줄 테니까요.

이제 비가 그치고 나면 산빛은 한결 짙어지고 지난 가을 지상에 떨어져 내린 한해살이풀들의 씨앗은 싹을 틔워 어느 날 불쑥 우리 눈앞에 고운 꽃을 피워 보일 것입니다.

세상에 꽃나무 한 그루 심지 않고 꽃빛만 탐해왔으나 꽃을 보는 동안 조금씩 깨달음을 얻는 것이 작은 위안이 됩니다.

예전엔 주로 화려한 꽃빛만을 쫓아다녔으나, 보다 짙은 향기만 취하려 애썼으나 들꽃에게 말을 걸기 시작하면서 지상에 피어나는 모든 꽃들이 사랑스러워졌습니다.

한 송이 꽃을 보면 그 꽃의 생애가 짚어지고 그 생애를 짚어가다 보면 인생이 보이기도 합니다. 꽃을 보는 일은 결국엔 내 자신을 돌아보는 일입니다. 거울을 통해 나를 보듯이 꽃을 통해 내 안을 살피는 일입니다.

소중한
추억
- 에델바이스

에델바이스의 꽃말은 '소중한 추억'입니다. 사치로 벗님들께 꽃편지를 띄우는 이 행복한 순간들은 이제 '소중한 추억'이 되어 오랜 날을 두고 내 삶에 은은하고도 맑은 꽃향기를 전할 것입니다.

까까머리 중학생 시절. 음악 선생님은 우리에게 알프스의 고산지대에 핀다는 〈에델바이스〉란 꽃 이야기와 함께 노래를 가르쳐 주셨습니다. 그 노래를 따라 부르면서 얼마나 아름다운 꽃일까 혼자 상상도 해보았지만 눈 덮인 알프스의 풍경만 떠오를 뿐 그 꽃은 쉽게 그려지지 않았습니다.

〈에델바이스〉란 노래가 〈사운드 오브 뮤직〉이란 영화에 나온다는 것을 안 것도 훨씬 뒤에 일이었으니까요. 그리고 고등학교 수학여행 때 설악산 기념품 가게에서 처음 만났습니다. 플라스틱 펜던트 속에 들어 있던 에델바이스는 상상했던 만큼 아름답지는 않았지만 하얀 솜털에 싸인 모습이 신비로워 보였습니다. 그리고 에델바이스가 우리나라에도 핀다는 사실과 그 꽃의 우리 이름이 '솜다리꽃'이란 걸 알게 된 것은 들꽃탐행을 시작한 불과 몇 년 전의 일입니다.

온몸이 하얀 솜털로 덮혀 있어 '솜다리꽃'이란 이름을 지닌 에델바이스엔는 다음과 같은 전설이 전해집니다.

스위스의 알프스 산 위에 아름다운 소녀가 살고 있었습니다. 원래는 천사였지만 변덕스러운 신에 의해 한 소녀로 만들어져 산꼭대기로 내려온 에델바이스는 지루하거나 쓸쓸해하지 않았습니다.

어느 날, 혼자 놀던 에델바이스의 얼음집으로 한 남자가 찾아왔습니다. 그 남자는 에델바이스에게 여러 가지를 물어보았지만 에델바이스는 그저 웃기만 할 뿐 아무 말도 하지 않았습니다.

남자가 그녀의 이름을 물었을 때, 겨우 '에델바이스'라고 답하고는 문을 닫았습니다. 남자는 마을로 내려가 알프스 산 꼭대기에 참으로 예쁘고 사랑스런 소녀가 얼음집에서 혼자 산다고 전했습니다. 그 말을 전해들은 사내들이 그녀를 만나기 위해 산을 올랐지만 대부분의 사람들은 도중에 길을 잃거나 눈 속에서 죽었습니다.

그 사실을 알게 된 에델바이스는 사람들의 눈에 띄지 않는 곳으로 자신을 데려가 달라고 기도했습니다. 그제야 신은 한 천사를 소녀로 만든 것이 생각나 에델바이스를 다시 천사로 만들어 주었습니다.

그 후, 얼음집은 사라지고 그 위에는 하얀 꽃이 피어나 사람들은 그 꽃을 에델바이스라고 불렀다는 전설이 전해내려 오고 있습니다.

눈 덮인 알프스가 먼저 떠오르는 에델바이스는 흔히 겨울꽃으로 생각하기 쉽지만 여름날 설악산이나 점봉산 향로봉 같은 높은 산을 오르다 보면 만날 수 있는 여름꽃에 속합니다. 요즘은 화원이나 야생화 농원 같은 곳에서도 키워 굳이 높은 산에 오르지 않아도 만날 수 있는 꽃이 되었습니다.

에델바이스의 꽃말은 '소중한 추억'입니다. 꽃 편지를 띄우는 이 행복한 순간들도 이제 '소중한 추억'이 되어 오랜 날을 두고 내 삶에 은은하고도 맑은 꽃향기를 전할 것입니다.

봄이 오면
꼭
만나고 싶은
- 미선

세상 사람들 만나는 일들이 그대를 만나는 일처럼 나를 행
복하게 했으면 좋겠습니다. 아니 나를 만나는 모든 사람들이
행복해졌으면 좋겠다는 생각을 했습니다.

미선!

그러니까 지난 봄이었지요. 백목련 환하게 피우던 햇살은 어디 갔는지 아침부터 잿빛 하늘이 처마 끝에 걸려 있었습니다. 금세라도 빗방울을 뿌릴 것 같은 흐린 하늘 탓인지 까닭 모를 우울 모드로 바뀐 마음의 채널이 쉽게 바뀌질 않았습니다. 가만히 앉아 있으면 쉽게 떨쳐 버릴 수 없을 것 같은 우울의 무게를 감지하며 들길을 따라 습기 머금은 바람 속을 정처 없이 걷다가 그 길 어디쯤에선가 뜬금없이 '미선'이란 그대의 이름이 떠올랐지요.

먼 산엔 진달래 붉은빛이 언뜻언뜻 비치고 산목련 한 그루 눈부시게 피어 온 산을 밝히는데 내 안의 우울을 단숨에 밀어낼 환한 그대의 모습은 어디에도 보이질 않았습니다.

아주 오래 전에 헤어져 얼굴 윤곽마저 흐려져 버린, 겨우 이름만 남은 가난한 내 기억의 곳간에서 찾아낸 귀하디 귀한 이름, 미선!

갑자기 그대가 보고 싶어졌습니다. 그러니까 몇 해 전이었던가요? 당신을 찾아가던 어느 봄날의 기억이 스크래치가 심한 낡은 필름 속의 한 장면처럼 뇌리 속을 스쳐갔습니다. 그 날은 하늘이 등을 칠 것처럼 낮게 내려오지도 않았고 스산한 바람이 나를 우울 속으로 몰고 가지도 않았었지요. 햇살은 화창했고 유난히 촌스러워 보이는 진노랑의 개나리도, 연분홍의 진달래까지도 부신 햇살 아래 곱디곱게 느껴지던 화창한 봄날이었지요.

그대가 계신다는 이야기만 듣고 무작정 충북 괴산으로 차를 몰아가던 그 날의 흥분만은 해가 바뀌어도 사라지질 않습니다. 이 커다란 초록의 별에 오직 그 곳에만 계신다는 그대가 얼마나 보고 싶었었는지요. 그리고 우윳빛 살결의 그대를 만났지요. 너무 눈이 부시어 한동안 아무 말도 할 수 없었던 나를 향해 당신은 교태를 부리듯 연신 가는 허리를 살랑살랑 흔들었더랬지요.

미선!

그대를 만난 것만으로도 그해 봄은 충분히 황홀했습니다. 눈길 닿는 곳마다 꽃사태를 이루는 봄의 중심을 지나가면서도 나는 그대의 순결한 흰빛만을 생각했습니다.

미선!

자꾸 옷섶을 헤집는 바람이 성가시어 집을 향해 발길을 돌리다가 나는 하마터면 그 자리에 주저앉을 뻔했습니다. 거기, 그 곳에서 다시 그대를 만나다니요. 꿈에도 생각지 못한 그 뜻밖의 만남이 어느 두통약 CF처럼 내 안에 가득한 우울의 기운들을 감쪽같이 사라지게 했습니다. 끊임없이 불어오는 바람 때문에 그대의 모습을 카메라에 곱게 담을 수는 없었지만 그냥 바라보는 것만으로도 행복했습니다. 세상 사람들 만나는 일들이 그대를 만나는 일처럼 나를 행복하게 했으면 좋겠습니다. 아니 나를 만나는 모든 사람들이 행복해졌으면 좋겠다는 생각을 했습니다. 이런 생각을 하는 나를 그대는 참 좋은 생각을 했다고 어깨를 토닥토닥 두드려 주시겠지요? 그러시겠지요?

---

* 미선나무는 개나리와 같은 물푸레과에 속하는 낙엽관목으로 우리나라에서만 자라는 희귀식물입니다. 충북 괴산과 전북 부안의 자생지는 천연기념물로 지정되어 보호되고 있습니다. 열매 모양이 선녀의 부채를 닮아 미선(尾扇)나무란 이름이 붙여졌고 영어명은 흰개나리(white forsythia)이다.

120

축 성탄!
- 호랑가시나무

호랑가시나무의 날카로운 가시는
자신을 해할 짐승들의 범접을 막기
위한 자기 방어 수단인 셈이지요. 말
못하는 나무라고 절대로 우습게 보
아서는 안 됩니다.

이 땅에 사랑을 전하기 위해 아기 예수님이 오신 성탄절 아침. 그대에게 보여드릴 꽃을 고르다가 '호랑가시나무꽃'을 골랐습니다. 기억이 분명치는 않지만 나무보다는 이름이 먼저였던 호랑가시나무와 처음으로 마주한 것은 고창 모양성 앞에 있는 신재효의 생가였던 것으로 기억됩니다.

오래도록 마음속으로 은애하던 연인과 마주쳤을 때처럼 가슴이 뛰었었지요. 크리스마스카드에 육각꼴로 그려져 있던 이파리들이 잎 끝에 날카로운 가시를 숨기고 있어 함부로 만질 수도 없었습니다.

우리나라에서는 호랑이가 이 나뭇잎에 붙은 가시로 등을 긁는다 하여 '호랑이 등 긁기 나무'라고 부르다가 '호랑가시나무'로 부르게 되었다고 합니다.

서양 이름은 '홀리(holly)'이고 나무가 개의 뼈를 닮았다하여 '구골목(狗骨木)'으로 불리기도 하고, 중국에서는 이 나무의 가시가 고양이 발톱을 닮았다 하여 '묘아자(猫兒刺)' 또는 늙은 호랑이의 발톱을 닮았다 하여 '노호자(老虎刺)'라고 불리웁니다.

우리나라에는 음력 2월 영등날에 호랑가시나무를 꺾어서 정어리의 머리에 꿰어 처마 끝에 매달면 나쁜 잡귀가 물러간다는 풍속이 있습니다. 정어리의 눈알로 귀신을 노려보다가 호랑가시나무의 가시로 눈을 찔러 귀신이 오지 못하도록 한다는 뜻도 있고, 잘못 들어오면 정어리처럼 눈을 꿴다고 귀신에게 경고하는 것이라고도 합니다.

예수가 가시면류관을 쓰고 이마에 피를 흘리며 골고다의 언덕을 오를 때 그 고통을 덜어 주려고 날카로운 가시에 몸을 던진 '로빈'이라는 작은 새가 있었습니다. 이 작은 새는 예수의 머리에 박힌 가시를 부리로 뽑아내려고 애쓰다가 자신도 가시에 찔려 죽었는데 바로 이 '로빈새'가 호랑가시나무의 열매를 잘 먹기 때문에 서양 사람들은 이 나무를 귀하게 여겨 성탄절에 장식용으로 쓰게 되었다는 이야기가 전해옵니다.

호랑가시나무는 '구골목(狗骨木)'이란 이름에 어울리게 갖가지 뼈 질

환에도 효험이 있다고 합니다. 골절, 골다공증, 류머티스 관절염, 요통 등에 신기한 효력을 발휘하고 빨갛게 익은 열매, 잎, 줄기 뿌리 등 전체를 약으로 써서 버릴 것이 하나도 없는 나무입니다. 열매를 약으로 쓸 때는 겨울철에 빨갛게 잘 익은 열매를 따서 35도 이상 되는 소주에 담가 두었다가 6개월 뒤부터 하루 3번 기분 좋게 취하지 않을 만큼씩만 마시면 근육과 뼈마디가 쑤시는 병, 온몸이 노곤하고 피로를 쉽게 느끼는 증세 등에 효력이 대단하다고 합니다.

남부지방에서는 주로 정원수나 울타리용으로 흔하게 심는데 자람터 북쪽 한계선인 변산반도의 부안 도청리에 호랑가시나무 군락은 현재 천연기념물로 지정되어 보호되고 있습니다.

아까시나무를 베어내면 다음 해에 새로 돋은 가지엔 더 억세고 날카로운 가시가 생겨나는데 호랑가시나무도 어린나무일수록 잎 끝에 달린 가시가 억세고 날카롭다고 합니다.

나무가 사람 키를 넘어 크게 자라면 육각꼴의 잎 끝에 돋았던 뾰족한 가시들도 점차 사라지고 잎 모양도 타원형을 이루어 잎 끝에만 작은 가시가 달립니다. 이를테면 호랑가시나무의 날카로운 가시는 자신을 해할 짐승들의 범접을 막기 위한 자기 방어 수단인 셈이지요. 말 못하는 나무라고 절대로 우습게보아서는 안 됩니다.

나무도 다 생각이 있는 것입니다.

인생이
꼬였다 싶으면
- 타래난초

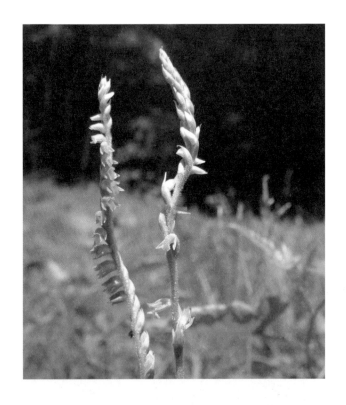

실타래처럼 꼬인 꽃 마디마디 분홍색 꽃을 피워 꽃타래
를 이루는 타래난초를 보면 삶이 꼬일 때마다 쉽게 포기
하고 주저앉기 쉬운 우리네 인생에 큰 깨달음으로 다가
오곤 합니다.

어느 덧 한 해의 끝자락에 와 있습니다.

감나무 우듬지에 매달린 까치밥처럼 남은 날들을 바라보며 그대는 무슨 생각을 하시는지요. 깊은 밤, 책상 앞에 고요히 앉아 한 해의 대차 대조표를 작성해야 할 시간, 지난 한 해도 나의 생은 낙과(落科)가 많은 적자투성이었습니다. 허투로 살아온 날들이 뼈아픈 후회가 되어 발등을 찍어오는 시간, 나는 지난 여름날의 앨범을 뒤적여 타래난초와 마주 앉습니다.

한 여름에 피는 타래난초는 유난히 볕 바른 곳을 좋아해서 무덤가 잔디밭에 가면 쉽게 만날 수 있는 꽃입니다. 야생란의 일종인 타래난초는 그 이파리가 매우 작아 꽃이 피기 전엔 여간해선 찾아내기 어려운 녀석입니다. 그렇게 잔디와 섞여 자라다가 여름이 오면 어느 날 불쑥 꽃대를 밀어 올려 분홍색 꽃타래로 피어나는, 작지만 앙증맞도록 이쁜 꽃이 타래난초이지요. 난초과에 속하는 여러해살이풀인 이 야생란이 왜 타래난초란 이름을 얻었는지는 꽈배기처럼 배배꼬여 피는 꽃모양을 보면 굳이 부연 설명을 하지 않아도 짐작할 만합니다. 학명은 스피란테 (Spiranthes)인데 희랍어의 'speira(나선상으로 꼬인)'와 'anthos(꽃)'의 합성 어라고 하니 꽃을 보는 눈은 동서양이 별반 차이가 없는 모양입니다.

제가 처음 타래난초를 본 것은 들판이 아닌 컴퓨터 모니터에서였습니다. 한껏 클로즈업 된 사진 속의 꽃만 생각하고 들판을 돌아다녔지만 타래난초는 쉽게 찾아지지 않았습니다. 그러다가 어느 무명묘 앞에서 타래난초를 만나고 그 작은 꽃 때문에 적잖이 실망도 했었습니다. 야생화를 쫓아다닌 지 얼마 되지 않았을 때의 일입니다. 똑딱이 카메라를 들고 다니던 때여서 그 작은 꽃을 제대로 카메라에 담기도 쉽지 않았습니다.

실타래처럼 꼬인 꽃 마디마디 분홍색 꽃을 피워 꽃타래를 이루는 타래난초를 보면 삶이 꼬일 때마다 쉽게 포기하고 주저앉기 쉬운 우리네 인생에 큰 깨달음으로 다가오곤 합니다. 타래난초는 옹이진 상처를 아름다운 무늬로 만드는 나무처럼 꼬인 마디마다 어여쁜 꽃을 피웁니다.

그래서 나는 인생이 꼬였다고 주저앉으려는 사람에겐 타래난초를 보여주며 이렇게 말해주고 싶습니다.

"더도 말고 덜도 말고 타래난초처럼만 살아라!"하고.

인생이 꼬였다 싶은 사람은
들판에 나가 타래난초를 찾아 볼 일이다
자꾸만 꼬여가는 자신의 삶을 탓하기 전에
꼬인 마디마다 꽃을 피워 분홍 꽃타래를 엮는
타래난초 앞에 조용히 무릎 꺾고
자신의 지난 세월을 찬찬히 들여다 볼 일이다
삶이 꼬일 때마다
주저앉아 울기만 했을 뿐
환한 꽃 한 송이 세상에 내걸지 못한
못난 자신을 조용히 반성해 볼 일이다
타래난초 마디마디
꽃 피운 사연을 받아 적으며
꼬인 실타래를 하나씩 풀어볼 일이다

백만 송이
장미의 추억

내 가슴에 끊임없이 피어나던
수천수만의 장미를 생각합니다.
당신으로 하여 내 안에 수없이 피고 지던
장미의 향기를 기억합니다.
세상에서 제일 곱게 피어나던 내 안의 장미,
당신을 나는 아직 잊지 않았습니다.

해마다 오월이 오면 찾아가는 장미원이 있습니다. 수백만 송이의 장미가 피어난 장미 언덕에 서면 분홍 안개에 휩싸인 듯 온몸을 덮쳐오던 꽃향기를 잊을 수가 없기 때문입니다

　　결혼식장의 꽃터널처럼 넝쿨장미가 흐드러지게 핀 산책로를 느린 걸음으로 지나가노라면 나는 어느새 어린 왕자가 되어 B512 소혹성의 장미꽃 정원을 거닐고 있는 듯한 환상에 빠져들곤 합니다.

　　흔히 야생화를 고집하는 사람들 중엔 장미같이 관상용으로 개량된 화단의 화려한 꽃들을 배척하는 이도 있지만 세상의 꽃들을 편애할 수 없는 까닭은 세상에 피어나는 꽃치고 아름답지 않은 꽃이 없고 허공으로 밀어 올린 저 형형색색의 말씀들은 하나같이 복음과도 같아서 어느 것 한 가지도 함부로 할 수 없기 때문입니다.

　　수백만 송이의 장미가 한꺼번에 봄날의 산불처럼 피어나 한 번 눈길을 잡아당기면 한나절은 놓아주지 않는다는 규모가 국내 최대라는 장미원으로 가서 꽃들의 표정을 카메라에 담으며 향기를 찍을 수 있는 사진기가 있었으면 하는 바람을 가져보기도 했습니다. 그렇다면 그 그윽한 향기를 벗님들께도 전해 드릴 수 있었을 텐데.

　　백장미와 노란장미, 그리고 빨간 장미꽃터널을 차례로 지나며 우리가 살아가는 동안 만나지는 생의 터널도 이 장미꽃터널처럼 향기롭고 눈부시다면 얼마나 좋을까 생각하였습니다.

　　산책로를 거니는 사람들의 발걸음은 빗방울이 떨어져도 빨라지는 법이 없고 장미꽃터널을 지나온 사람들의 얼굴은 꽃빛으로 물이 들어 한결같이 곱기만 하고, 사람들이 주고받는 대화 속에선 그윽한 장미향이 마냥 번져나고 있었습니다.

　　카메라로 저 고운 꽃들의 자태를 제대로 담아낼 엄두도 나지 않지만 장미원에서 받은 감동을 고스란히 전하기엔 형편없는 나의 어휘력을 탓할 밖에 다른 도리가 없습니다.

부지런히 발걸음을 옮기며 꽃들을 카메라에 담으며 해 부신 날 다시 찾아와 찬찬히 꽃들과 이야기 하리라. 마음속에 고운 다짐 하나 챙겨 넣고 이 어여쁜 꽃을 보여드릴 생각에 설레는 마음으로 장미원을 떠나왔던 그 흐뭇한 기억만으로도 나의 방은 지금 장미 향으로 가득 차있습니다.

제가 보여드린 꽃들로 하여 벗님의 하루가 향기로워졌으면 좋 겠습니다. 정말 그러했으면 참 좋겠습니다.

백만 송이 장미보다 고운 당신

닿장마다
넝쿨장미 붉게 타오르는 오월입니다.
꾹꾹 눌러 참았던 그리움이 터져오르듯
은빛 햇살 아래 터져오르는 수천수만의 꽃송이들이
당신과의 추억처럼 향기로운 장미 들판을
홀로 걸으며 당신을 생각합니다.

아침 햇살이
밤새 꽃잎 위에 맺힌 이슬을 굴리는
향기로운 장미꽃 길을 따라 걸으며
백만 송이 장미 보다 더 고운 당신을 생각하는
이 아침.
공복으로 스며드는 담배 연기처럼
아찔한 현기증에 발걸음이 휘청이고
무심히 흐르던 시간이 잠시 멈추는 듯 했습니다.

저 헤일 수 없는
수많은 꽃들의 소리 없는 외침 속에
당신의 붉은 사랑의 말을 어찌 찾아내야 하는지
바람마저 숨죽인 이 아침의 고요의 무게를
어찌 감당해야 하는 것인지.
나는 그만
장미 꽃들판에 주저앉고 말았습니다.

수천수만의 장미를 생각합니다.
당신으로 하여 내 안에 수없이 피고 지던
장미의 향기를 기억합니다.
세상에서 제일 곱게 피어나던 내 안의 장미,
당신을 나는 아직 잊지 않았습니다.

어김없이
장미의 계절은 돌아와
내 황량한 뜨락에도 장미는 피어나고
높디높은 나의 담장 위에도
넝쿨 장미는 채양을 향해 흐드러졌는데
당신은 어디에도 보이지 않고
내 마음 정처 없습니다.

겹겹으로 싸인
저 순백의 꽃잎을 헤집으면
거기, 당신이 계실까요?
들여다보면 어질머리 도는
꽃잎과 꽃잎 사이 숨겨진 길을 따라
당신을 찾아 떠나고 싶은 날,
속없는 장미는 자꾸만 피어나고.

어디에도 없고
어디에나 있는 당신.
당신이 정말 보고 싶습니다.

난 당신에게
향기로운 사람입니까?
- 모과나무꽃

흔히 모과를 보면 세 번 놀란다고 합니다. 처음엔 그 못생긴 모양에 놀라고, 다음엔 그 향기에 놀라고, 마지막으론 향기와는 전혀 다른 떫은맛에 놀란다고 합니다.

송년회도 끝나고 이젠 마음을 정갈하게 하고 새로 받을 삼백 예순 다섯 날을 맞이할 준비를 해야 할 때입니다. 비록 세월을 비껴갈 순 없다 해도 썩을수록 향기를 더하는 모과처럼 벗의 하루하루가 향기롭길 바랍니다.

속담 중에 '어물전 망신은 꼴뚜기가 시키고 과일전 망신은 모과가 시킨다'는 말이 있습니다. 울퉁불퉁 곱지 않은 모과의 생김새를 두고 생겨난 얘기이고 보면 예나 지금이나 외양을 중시하는 풍조는 크게 다르지 않았나 봅니다. 보기 좋은 떡이 먹기도 좋다는 말이나 같은 값이면 다홍치마라는 말도 따지고 보면 예쁘고 잘 생긴 것에 어쩔 수 없이 더 마음이 끌리는 사람의 심사를 대변하는 말이긴 마찬가지지요.

과일전의 천덕꾸러기쯤으로 여겨지던 모과지만 그것은 어디까지나 외양만 보고 하는 이야기일 뿐 모과를 조금만 더 알게 되면 더 이상 그런 이야기는 할 수 없게 됩니다.

흔히 모과를 보면 세 번 놀란다고 합니다. 처음엔 그 못생긴 모양에 놀라고, 다음엔 그 향기에 놀라고, 마지막으론 향기와는 전혀 다른 떫은맛에 놀란다고 합니다. 그러니까 모과는 사람들의 선입견을 여지없이 깨어 버리는 예측불허의 과일인 셈입니다.

하지만 그보다 놀라운 사실이 하나 더 있습니다. 그것은 바로 눈부신 봄볕 아래 분홍색으로 피어나는 아름다운 꽃을 만나는 날입니다. 갓 피어난 연둣빛 이파리와 잘 어울려 가지 가득 피어난 분홍꽃무리를 보고 있노라면 절로 탄성이 나옵니다. 꽃 모양은 명자꽃과도 비슷한데 모과나무가 장미과에 속하는 나무라는 사실 하나만으로도 그 아름다움에 대해선 따로 부연 설명이 필요 없을 것입니다.

모과라는 이름은 한자 이름 목과(木瓜)에서 비롯되었다고 하는데 노랗게 잘 익은 모과를 보면 정말 나무에 열리는 참외 같기도 합니다. 중국이 원산인 모과나무에겐 호성과(護聖果)라는 중국 이름도 있는데 그 이름이 붙게 된 연유는 다음과 같습니다.

옛날에 공덕을 많이 쌓은 어떤 스님이 외나무다리를 건너는 중간에 다리를 건너 갔고 있는 거대한 구렁이를 만났습니다. 나아가자니 자신을 노려보고 있는 구렁이가 두렵고 돌아가자니 믿어야도 한다며 믿어질까 겁이나 .1아밀로 진퇴양난ᴵᴵᴵᴵ에 처한 스님은 제발 길을 가게 해달라고 온 마음으로 기도를 하는 수밖에요. 기도가 끝나자 바람한 점 없는 고요한 날씨였음에도 외나무다리 쪽으로 길게 가지를 드리웠던 모과나무에서 모과 하나가 구렁이의 머리 위로 톡 하니 떨어져 내렸습니다. 놀란 구렁이는 물로 떨어졌고 스님은 무사히 다리를 건널 수 있었습니다. 이 이야기가 사람들에게 전해져 모과가 성인 같은 스님을 보호했다 하여 호 성과ᴵᴵᴵᴵ로 불리게 되었다는 것입니다.

본초강목에 따르면 모과는 주독을 풀고 울렁거리는 속을 편안하게 다스리며 설사병에도 잘 듣고 입덧을 다스리는 데도 효과가 있다고 합니다. 저는 차 중에서도 모과차를 즐겨 마십니다. 한 겨울에 마시는 따끈한 모과차는 영혼마저 향기롭게 만들어 줍니다. 하지만 그 쓰임새만 가지고 모과의 가치를 말하는 것은 사람들의 이기심일 뿐입니다. 봄날의 한 편을 아름답게 수놓으며 피어나는 모과꽃의 때 묻지 않은 아름다움에 눈길을 주어보는 일, 그 얼마나 근사한 일입니까?

거리에서 얼굴은 아는데 이름이 기억나지 않는 친구를 만났을 때 우리는 가슴이 답답해짐을 느낍니다. 열매만 알고 꽃을 모르는 것도 그와 비슷하지 않을까 싶습니다. 제법 오래 꽃을 보았음에도 아직도 이름 모르는 꽃이 많고 꽃은 아는데 열매를 모르는 나무도 많습니다. 모과나무 꽃 몇 송이 걸어두고 편지를 쓰려니 처음 모과꽃을 만나던 봄날의 기억이 되살아납니다. 그리고 어느 가을 날, 해남 가던 길에 들렀던 녹우당 뒤뜰에 떨어져 있던 상처 난 모과의 향기가 코끝을 맴돕니다.

못생기고 상처 난 모과일수록 향기를 더한다는데 난 당신에게 향기로운 사람입니까?

꽃을 찾는 일은 내 안에 흐려진 꽃빛을 찾는 일이기도 합니다. 꽃들이 제 안의 빛깔을 선명하게 드러내듯이 우리에게도 패랭이꽃처럼 나 아닌 누군가를 황홀하게 할 꽃빛을 지닌 적이 있었지요.

패랭이꽃

류시화

살아갈 날들보다
살아온 날이 더 힘들어
어떤 때는 자꾸만
패랭이꽃을 쳐다본다.
한때는 많은 결심을 했었다.
타인에 대해
또 나 자신에 대해
나를 힘들게 한 것은
바로 그런 결심들이었다.
이상하지 않은가 삶이란 것은
자꾸만 눈에 밟히는 패랭이꽃
누군가에게 무엇으로 남길 바라지만
한편으론 잊혀지지 않는 게 두려워
자꾸만 쳐다보게 되는 패랭이꽃

이 편지를 읽기 전에 큰 소리로 '패랭이꽃!' 하고 한 번만 불러 보세요. 혹시 아찔한 현기증이 일지 않나요? 이름 때문인지 꽃빛 때문인지 저는 패랭이꽃 이름을 부를 때나 꽃을 들여다볼라치면 세상이 팽그르르 도는 듯 꽃멀미를 하곤 합니다.

제 말이 믿기지 않으신다면 요 아래 사진을 눈을 떼지 말고 30초만 계속 바라보세요. 제 말이 맞죠?

봄꽃들이 물러난 자리에 초록이 들어차면 시절은 바야흐로 녹음의 세상, 태양도 달아오를 만큼 달아올라 햇살 속을 조금만 걸어도 이마에 구슬땀이 흐르는 여름 초입에서 만나지는 꽃이 패랭이꽃이지요.

다섯 장의 이파리를 하늘을 향해 활짝 펼치고 환하게 웃는 모습이 곱게 화장을 하고 방금 거리로 나선 새색시 같은 패랭이꽃은 보면 볼수록 사람을 빠져들게 하는 마력을 지녔습니다.

햇볕을 좋아해 양지 바른 무덤가나 잔디 같은 들판에서 많이 피어나는 패랭이꽃은 석죽과에 속하는 여러해살이풀로 줄기에 마디가 있는 것이 대나무를 많이 닮았습니다. 각시패랭이꽃, 술패랭이꽃, 구름패랭이꽃. 꽃패랭이 등이 있는데 꽃빛도 매우 다양하고 화려합니다. 어버이 날에 우리가 부모님께 달아 드리는 카네이션은 서양패랭이꽃을 원예용으로 개량한 것이니 그 조상은 패랭이꽃인 셈입니다.

자연 그대로의 아름다움에 만족하지 못하고 보다 더 화려한 꽃을 보려는 인간의 욕심이 카네이션처럼 겹꽃을 만들어 낸 것이지요. 원래 복잡한 것을 싫어하는 천성 때문인지 나는 꽃잎이 많은 카네이션보다는 다섯 장의 꽃잎으로 하늘을 받쳐 든 패랭이꽃 같은 홑꽃들을 더 좋아합니다. 패랭이꽃 중에서도 술패랭이꽃은 꽃모양이 특이하지요. 패랭이꽃이란 이름도 꽃을 따서 뒤집으면 옛사람들이 쓰던 패랭이를 닮은 데서 연유한 것이지만 술패랭이꽃 또한 패랭이의 술이 풀린 모양새에서 따온 이름입니다.

꽃을 찾아다니면서 느끼는 즐거움은 헤아릴 수 없을 만큼 많지만 그 중에도 큰 즐거움 중의 하나는 숨어 피는 꽃을 찾아내는 즐거움입니다. 잎을 내기 전 피는 꽃들과는 달리 패랭이꽃 같은 여름 꽃은 녹음에 파묻혀 찬찬히 살피지 않으면 놓치기가 십상입니다. 사방을 둘러봐도 온통 녹음뿐인 것 같은데 무심코 눈길 준 곳에 환하게 웃고 있는 패랭이꽃과 딱 마주쳤을 때의 기쁨이란 만만찮은 즐거움입니다. 마치 신이 숨겨 놓은 보물찾기를 하는 기분이라고나 할까요?
꽃을 찾는 일은 내 안에 흐려진 꽃빛을 찾는 일이기도 합니다. 꽃들이 제 안의 빛깔을 선명하게 드러내듯이 우리에게도 패랭이꽃처럼 나 아닌 누군가를 황홀하게 할 꽃빛을 지닌 적이 있었지요. 다만 세월의 바람에 바래지고 세상의 먼지바람 속을 걸어오느라 흐려졌을 뿐이지요. 내 안의 흐려진 꽃빛을 되찾을 때까지 나의 꽃에게 말을 거는 일은 지속될 것입니다.
그대의 삼백 예순 날이 꽃처럼 향기롭길 빕니다.

백합의 정원을
그대에게

다가설 수 없는 날들이 그리움의 향기를 빚습니다. 손잡을
수 없는 안타까움이 애틋함을 자아냅니다. 당신이 내게 그러
하듯이, 나 또한 당신에게 그런 사람이었으면 좋겠습니다.

꽃 편지를 쓰기 위해 사진첩을 뒤적이다가 함초롬히 비에 젖어 뜨락에 피어난 지난 여름 찍어둔 흰 백합 한 송이 제일 위에 걸어두고 편지를 씁니다.

꽃 사진 한 장 걸어두었을 뿐인데 온 방안에 백합꽃의 그 짙고 그윽한 향기가 가득 찼습니다. 나도 당신에게 저 백합처럼 그윽한 향기를 전하던 날들이 있었을까요?

다가설 수 없는 날들이 그리움의 향기를 빚습니다. 손잡을 수 없는 안타까움이 애틋함을 자아냅니다. 당신이 내게 그러하듯이, 나 또한 당신에게 그런 사람이었으면 좋겠습니다.

먼 여행에서 돌아온 탓인지, 잠을 자고난 이 아침에도 달콤한 피로감이 고스란히 남아 있습니다. 바짝 추워진 바깥 날씨에 핑계를 대고 늦잠을 자도 좋으련만, 이불을 걷어 젖히고 책상 앞에 앉은 것은 며칠 동안 미루어 두었던 꽃편지의 발송을 더는 늦출 수 없었기 때문입니다.

꽃이 그리운 혹한의 겨울, 나의 꽃 편지가 작은 위안이 된다는 믿음을 저버릴 수 없었기 때문입니다.

그것이 비록 나만의 착각이라 해도 이 행복한 순간을 놓치고 싶지 않았기 때문입니다.

나 어렸을 적엔 백합은 당연히 흰 꽃인 줄만 알았습니다. 하지만 백합의 백은 흰색을 일컫는 말이 아니라 100개의 비늘들을 가리키는 숫자라는 걸 꽃을 보면서 알게 되었습니다.

나리과에 속하는 백합은 땅 속에 있는 덩이뿌리 같은 비늘줄기가 자라 번식을 하는데 그 비늘줄기의 비늘들이 백 개나 합쳐져 있다고 하여 붙여진 이름이 백합(百合)이었던 것입니다.

장맛비 뿌려대는 여름 숲 속에 껑충한 꽃대를 밀어 올리고 꽃을 피우는 나리꽃이 백합의 조상이라면 당신은 믿으시겠습니까?

백합의 영어 이름인 릴리(lily)가 우리 이름인 나리와 그 뿌리를 같이 한다는 사실은 이미 널리 알려진 바이니 제 말이 허무맹랑한 말만은 아닙니다.

자태와 향기가 남달리 뛰어난 백합에는 여러 가지 전설이 전합니다.

쥬피터 신은 갓난 헤라클레스에게 영원한 생명을 주고 싶었습니다. 하루는 그의 아내 쥬노를 잠 재우고는 헤라클레스에게 쥬노의 젖을 빨게 하였습니다. 젖을 빨던 헤라클레스가 몹시 보채자 쥬노의 젖이 땅에 몇 방울 떨어졌습니다. 아름다운 쥬노의 젖방울이 떨어진 자국에 향기로운 백합꽃이 피었습니다.

또 하나의 전설은

옛날 아리스라는 소녀를 탐내는 못된 성주가 있었습니다. 아리스는 갖은 방법으로 성주의 손아귀를 벗어나려고 애를 썼습니다. 그러나 힘이 모자랐습니다. 아리스는 성모마리아 앞에 꿇어 앉아 기도를 올렸습니다. 마리아는 어여쁜 아리스를 아름다운 향기 높은 한 송이 백합꽃이 되게 하였습니다. 그런 탓인지 백합은 기독교의 의식에 많이 사용되고 성화에도 자주 등장하는 꽃입니다.

지난 여름 백합의 정원을 거닐며 담아온 백합꽃을 보여드리는 것으로 오늘의 꽃 편지는 마무리를 해야 할 것 같습니다.

천 마디의 말보다 꽃 한 송이를 보여 드리는 것이 벗님의 하루를 더욱 환하고 향기롭게 해 드릴 것이니까요.

지금까지 그래왔듯이 늘 그만큼의 거리에 계십시오. 꽃향기가 아련해지는 꼭 그만큼의 거리에서 나의 꽃 편지를 기다리며 향기로운 날들 지으십시오.

꽃 편지를 쓰는 이 시간이 나의 하루 중 가장 빛나는 순은의 시간임을 기억해 주십시오.

곱디 고운 나의 벗이여!

그대로 하여 나의 하루가 꽃처럼 눈부십니다.

백합의 말

이해인

지금은 긴 말을 하고 싶지 않아요.
당신을 만나 되살아난 목숨의 향기
캄캄한 가슴속엔 당신이 떨어뜨린
별 하나가 숨어 살아요.
당신의 부재조차 절망이 될 수 없는
나의 믿음을 승리의 향기로 피워 올리면
흰 옷 입은 천사의 나팔 소리
나는 오늘도 부활하는 꽃이에요.

가을 속에서 만나는 매화
- 물매화

몸을 낮추고 오래도록 꽃과 눈을 맞추다 보면 예
전엔 보이지 않던 아름다움이 하나씩 눈에 들어옵
니다. 꽃을 보는 일이 사람 사는 일과 크게 다르지
않습니다. 꽃을 보듯 사랑하는 사람의 얼굴을 찬
찬히 살펴보십시오.

졸립다 당신 등에 업히기만 하면
세상 어느 속주머가 이렇게 따뜻할 수 있을까

언젠가 내 마지막 가는 길도 이러했으면
불끈거리는 등뼈에 명치가 걸리는
그래서 까르르 웃다 깜빡 그대 곁을 떠나는
세상 마지막도 이러했으면

- 김복연의 〈地上의 사랑〉 中에서

몇 해 전 멀리 대구에서 정성으로 부쳐온 시집(詩集)『집이 멀었으면 좋
겠다』를 읽고 고맙단 인사도 건네지 못한 채 몇 계절을 건너뛰고서야
우연한 자리에서 마주한 시인에게 위에 옮긴 시가 유난히 눈길을 놓지
않더라 했더니 시만큼이나 고운 김복연 시인은 '사연이 있는 시인데
들키고 말았네요.' 하며 수줍게 웃었습니다.
　가장 행복한 순간에 생을 마감하고 싶어지는 이 이율배반적인 모순
의 감정이라니, 그건 어쩌면 행복한 순간을 영원으로 이어가고픈 소망
인지도 모르겠습니다.
　낡은 덧창문을 흔들고 가는 바람소리가 따뜻한 아랫목을 절로 떠올
리게 하는 요즘, 꽃나무들은 이 찬바람 속에서 무슨 꿈을 꿀까요?
　온산을 원색으로 물들이며 덮쳐오는 단풍의 거센 물결과 맞서기엔
꽃들의 힘이 조금씩 부치기 시작하는 가을 한가운데에서 만나지는 꽃
중에 '물매화'가 있습니다. 꽃샘바람 매운 봄의 문턱에서 맑은 향기로
우리에게 봄을 전하는 매화와는 달리 범의귀과에 속하는 물매화는 가
을 들판에서 만나는 또 다른 경이로움입니다.
　물을 좋아해서 물매화란 이름을 얻었지만 그렇다고 물가에서만 피지
는 않습니다. 다섯 장의 꽃잎을 펼쳐든 모양새만 보면 영락없는 매화이

지만 여러해살이풀인 물매화는 몸을 낮추어야만 만나지는 작은 꽃입니다. 뿌리 근처에 하트 모양의 잎이 달리고 그 위로 10cm~40cm 정도의 꽃대를 밀어 올려 꽃을 피우는 까닭입니다.

저도 그랬지만 야생화에 처음 관심을 갖기 시작한 사람들을 당혹케 하는 순간 중의 하나는 들판에서 실제 꽃을 만났을 때 사진 속 이미지를 보고 상상했던 꽃과 많이 다를 때가 아닐까 싶습니다. 대부분의 꽃 사진은 접사를 위주로 촬영되기 때문에 실제의 꽃보다 훨씬 크게 느껴지기 때문입니다.

물매화도 그리 큰 꽃이 아닙니다. 지름이 2cm 정도 되는 비교적 작은 꽃에 속합니다. 하지만 아름다움은 크기에 비례하진 않습니다. 큰 꽃은 큰 꽃대로, 작은 꽃은 작은 꽃대로의 아름다움이 있습니다.

몸을 낮추고 오래도록 꽃과 눈을 맞추다 보면 예전엔 보이지 않던 아름다움이 하나씩 눈에 들어옵니다. 꽃을 보는 일이 사람 사는 일과 크게 다르지 않습니다. 꽃을 보듯 사랑하는 사람의 얼굴을 찬찬히 살펴보십시오. 눈 마주치는 일이 쑥스럽단 생각이 드시면 잠든 얼굴을 바라보세요. 예전에 알지 못했던 아름다움을 찾을 수 있을 것입니다.

남해 오동마을에서
만난
비파나무꽃

저마다 다른 생체시계를 지닌 식물들은 그 생체
시계가 가리키는 대로 꽃을 피우고 열매를 맺
습니다. 하여 어떤 꽃은 봄에 피어나고, 비파나
무 꽃은 이렇게 늦은 가을에 피어나기도 합니다.

날씨가 매우 춥습니다. 냉랭해진 외기에 지레 겁을 먹고 산에 가지 않은 게 벌써 일주일이 가까워 옵니다. 생강나무나 벚나무, 진달래 같은 꽃나무들의 수피를 쓰다듬으며 봄날의 꽃을 그리던 마음도 당분간 접어야 할 것 같습니다. 그래도 꽃에 대한 미련을 버리지 못해 옛 사진첩을 들추어 보며 꽃 편지를 씁니다.

그러니까 벌써 3년 전 늦가을의 일입니다.

"흰벌님, 꽃을 볼 수 없어서 어쩌지요?"

풀꽃상 시상식을 위해 남해로 내려가는 버스 안에서 풀꽃상 집행 위원장이신 변산바람꽃 허정균님은 늘 꽃 생각에 젖어 사는 제 걱정을 하셨습니다.

"사람꽃 구경도 들꽃 구경에 못지않습니다."

말은 그렇게 했지만 나는 남해에 가면 예전에 보지 못했던 꽃 몇 송이쯤은 볼 수 있을 거란 확신을 가지고 있었습니다. 몇 년 전엔가 여수 향일암으로 새해 일출을 보러 갔다가 꽃을 만난 기억도 있고 기후가 따뜻한 남쪽으로 내려가면 아직은 가을꽃도 남아 있을 것 같았기 때문입니다.

남해의 아침 들녘을 산책하다가 밭둑에서 마주친 나무 한 그루, 초록의 이파리 사이로 흰 꽃을 피워 달고 아침햇살을 쬐고 있는 모습을 보는 순간 마음 밭이 한 순간 환해졌습니다. 꽃에 향기나 꿀이 제법 많은지 흰꽃 사이로 부지런히 나비 떼가 날고 벌들의 날갯짓 소리가 제법 소란스러웠습니다.

처음 보는 꽃이라 부지런히 카메라의 셔터를 눌러대면서 머리 속의 꽃 도감을 뒤적거려 보았지만 무슨 꽃인지 짐작조차 가지 않았습니다. 세상엔 내가 아는 꽃보다 모르는 꽃이 훨씬 더 많다는 것을 선선히 인정하면서 궁금증을 풀기 위해 꽃 한 가지 눈 질끈 감고 꺾어 들고 마을로 돌아왔습니다.

만나는 사람마다 붙잡고 꽃을 보여주며 물었지만 분명한 답을 해 주는 이가 없었습니다. 시상식을 위해 모여드는 마을 사람 중에 제법 나이 드신 어르신께 조심스레 꽃가지를 내밀었습니다.

"저 혹시, 이 꽃 이름을 아십니까?"

노인은 몇 번인가 고개를 갸웃하더니 이 꽃을 어디서 꺾어 왔느냐고 물었습니다. 그래서 꽃을 꺾어 온 장소를 말씀 드렸더니 그제야 생각났다는 듯 '비파나무 꽃이구먼.' 하셨습니다. 이듬해 여름에 노랗게 익은 열매는 먹기도 한다고 하셨습니다. 비파나무 꽃을 만난 것만으로도 나의 남해행은 제법 소득이 있는 셈입니다.

수많은 한해살이 꽃들이 화려했던 꽃잎을 떨어뜨리고 서둘러 꽃씨를 뿌리며 한 해를 마감하는 이 계절에 꽃을 피우고 해를 넘겨 열매를 맺는다는 비파나무를 생각하는 동안 지극하고도 다양한 생(生)에 대해 다시 한 번 경외감을 느꼈습니다.

저마다 다른 생체시계를 지닌 식물들은 그 생체시계가 가리키는 대로 꽃을 피우고 열매를 맺습니다. 하여 어떤 꽃은 봄에 피어나고, 비파나무 꽃은 이렇게 늦은 가을에 피어나기도 합니다. 혹시 사람들 몸속에도 제각기 다른 생체시계가 들어 있을지도 모를 일입니다. 어쩌면 인간의 불행은 그 생체시계의 시간을 거스르는데서 비롯되었을지도 모르겠습니다.

꽃이 귀한 시절이라 벌 나비 떼가 비파나무 꽃 주변을 떠나지 않습니다. 사진을 찍느라 바짝 다가서도 잠시 날았다 곁의 다른 꽃으로 자리를 옮겨 앉을 뿐 다른 곳으로 날아가는 녀석이 없습니다. 꽃 주변을 나는 나비들을 꽃과 함께 찍으니 작은 꽃들이 더 화사하게 다가왔습니다. 이제 어디서든 비파나무를 만나면 나는 남해의 푸른 밀밭과 따사로운 햇살 아래 눈부시게 피어 있던 비파나무 흰 꽃 사이를 날던 나비떼를 떠올릴 것입니다.

비파나무에 얽힌 옛 이야기 하나 덧붙입니다.

삼국지에 나오는 조조가 승상으로 있을 때, 그의 집 정원에 비파나무 한 그루가 있었다고 합니다. 조조는 그 비파나무를 무척이나 아끼서 어느 누구도 비파 열매를 따지 못하게 하였답니다. 본래 의심이 많은 조조는 비파나무 열매를 일부러 세어 보기도 하였는데 조조의 집을 지키던 보초병 중에 유독 말이 많은 보초병이 비파나무 열매 두 개를 몰래 따먹었답니다.

집으로 돌아온 조조는 비파나무 열매 중 두 개가 없어진 것을 금방 알아챘습니다. 화 많은 조조는 큰 소리로 하인들에게 나무를 뿌리째 뽑아 없애 버리라고 명령을 내렸습니다. 옆에서 그 소리를 듣고 있던 비파 열매를 따 먹은 말 많은 보초병이 별 생각 없이 버릇대로 한 마디 했습니다.

"그렇게 맛있는 비파를 왜 베어 버리라 하십니까?"

입이 방정이지요. 스스로 지은 죄를 자복한 꼴이 되고 말았습니다.

성현의 말씀에 '입과 혀는 화를 불러들이니 몸을 망치는 도끼와 같다'는 말이 있습니다. 말을 잘하는 것과 말을 많이 하는 것은 분명 다른데 이 둘을 혼동하는 사람들이 요즘 세상에 넘쳐납니다.

이제 막 비파나무를 알게 된 저는 아직 비파나무 열매를 보지 못하였습니다. 당연히 그 맛도 모릅니다. 내년 여름엔 비파나무 열매를 만나러 다시 남해에 다녀와야 할지도 모르겠습니다.

코스모스와
서양등골나물꽃

토종이든 귀화종이든 세상에 피어나는 꽃은 아
름답습니다. 굳이 구분을 지어 어느 한 쪽을 편
애할 이유는 없습니다. 다만 제 영역을 넓히기
위해 다른 종의 터전을 마구 짓밟는 것만큼은
경계해야 할 분명한 이유가 됩니다.

오래 전에 MBC 드라마 〈이산〉을 볼 때의 일입니다. 조선왕조 오백 년 역사에 가장 훌륭한 임금으로 꼽히는 세종대왕에 비견될 만큼 조선 후기의 르네상스를 주도했던 22대 임금이었던 정조대왕의 파란 많은 일생을 그린 화제의 드라마로 무료함을 잊을 만큼 제법 재미가 있었습니다. 세손의 거처에서 발견된 무기를 두고 목숨이 위태로워진 세손을 위해 온몸으로 뛰는 꼬마 친구들의 모습도 여간 예쁘지 않았습니다. 다행히 누명을 벗고 세손은 목숨을 구했으나 괴한들에게 쫓기는 신세가 된 대수와 송연은 눈치 빠른 삼촌 덕분에 겨우 위기를 모면하고 삼촌을 따라 들판을 마구 내달립니다.

한데 셋이 달려가는 가을 들판에 활짝 핀 분홍 코스모스가 자꾸만 내 눈에 거슬렸습니다. 조선조 22대 임금이었던 정조는 1752년에 태어나 1800년에 세상을 떠났고 코스모스는 멕시코가 원산인 귀화식물로 우리나라에 들어온 시기는 정확하지는 않으나 일제강점기였던 1930년대 이후로 알려져 있습니다. 그러니까 적어도 드라마 속의 코스모스는 150년 이상의 시공간을 앞질러 간 것입니다. 우연이거나 보다 멋진 그림을 만들기 위해 일부러 코스모스를 화면 속에 넣었겠지만 철저한 고증을 필요로 하는 사극 속에서 만난 코스모스는 조금은 생뚱맞은 느낌이 들었습니다. 이쯤 되면 분명 아는 것도 병입니다.

공연히 생트집을 잡으려고 드라마 이야기를 꺼낸 것은 아닙니다. 코스모스를 빌미 삼아 귀화식물에 대해 말씀드릴까 해서 드라마 이야기를 잠시 꺼냈을 뿐입니다. 비록 코스모스는 귀화식물이지만 오랜 세월 동안 우리의 가을 길을 수놓아 '살사리꽃'이란 우리 이름을 얻을 만큼 이제는 우리에게 아주 친숙한 꽃입니다. 어디 코스모스뿐이겠습니까? 여름강변을 수놓는 노란 달맞이꽃이나 풀꽃반지를 만들던 토끼풀이나 황무지를 하얗게 덮는 개망초도 다 머나먼 이국땅에서 흘러 들어온 귀화식물들이지요.

바람이나 해수를 타고 자연적으로 흘러 들어온 경우도 있지만 대부분의 귀화식물들은 사람들에 의해 이 땅으로 옮겨졌습니다. 필요에 의해 일부러 들여온 경우도 있고 잦은 교류의 틈에 끼여 들어온 경우도 있습니다. 현재 우리나라에 들어온 귀화식물의 종류는 그 수가 200여 종 이상인 것으로 알려져 있습니다. 귀화식물의 일반적인 특징은 생장과 개화가 빠르고 풍부한 종자 생산으로 확산 속도가 빨라 급속하게 영역을 넓혀갑니다. 더욱이 환경 적응능력이 뛰어나 척박한 토양에서도 잘 자란다는 것입니다.

　가을 숲 속을 찬찬히 살펴보면 어렵지 않게 만나지는 꽃 중에 서양등골나물이 있습니다. 다른 식물들이 잘 자라지 못하는 아카시아 숲 그늘에서도 마치 눈이 내린 듯 하얗게 무리지어 피어 있는 서양등골나물을 보면 절로 탄성이 터질 만큼 아름답습니다. 자잘한 흰 꽃송이들이 서로 어울려 너끈히 한세상을 이룬 모습을 보면 누구라도 그 숨 막히는 아름다움에 입을 다물지 못할 것입니다.

　한데 서양등골나물은 환삼덩굴과 함께 생태계를 교란시키는 대표적인 유해식물로 해마다 환경단체에서는 이 서양등골나물의 제거 운동을 벌이고 있습니다. 대부분의 귀화식물들은 함부로 토종식물들의 자리를 탐내지 않습니다. 처음엔 토종식물들의 서식지에서 멀리 떨어진 자갈밭이나 황무지 같은 변두리에 터를 잡고 점차 그 영역을 넓혀가게 마련인데 서양등골나물은 염치도 없이 마구잡이로 토종식물들을 몰아내고 자신의 영토를 넓혀가는 아주 고약한 녀석인 때문입니다. 토종이든 귀화종이든 세상에 피어나는 꽃은 아름답습니다. 굳이 구분을 지어 어느 한 쪽을 편애할 이유는 없습니다. 다만 제 영역을 넓히기 위해 다른 종의 터전을 마구 짓밟는 것만큼은 경계해야 할 분명한 이유가 됩니다.

단일민족으로 오천년의 역사를 자랑하던 우리나라도 지난 해 결혼한 사람 8명 중 1명은 외국인이라고 합니다. 식물이든 사람이든 한데 어울려 사는 세상이 아름답습니다. 서양등골나물처럼 남의 사정은 헤아리지 않고 제 욕심만 채우는 것은 문제가 되겠지만 서로서로 잘 어울릴 수 있다면 함께 사는 세상이 아름답습니다. 모여 피는 들꽃이 아름다운 것처럼요.

진도
운림산방의
맥문동

저마다 햇빛 쪽으로만 나아가려 하는 다른 풀들 과는 달리 어둔 숲 그늘을 환하게 밝히는 꽃, 맥 문동. 그 황홀한 빛에 한 번이라도 마음 빼앗겨 본 사람이라면 어찌 해당화의 분홍빛만 아름다 운 꽃빛이라 말하겠습니까?

그 맵던 추위는 어디로 사라졌는지, 어제는 어디선가 꽃망울이 부풀고 있을 것만 같이 한낮의 햇살은 따사롭기만 하였습니다.

추위에 핑계를 대고 꽃 편지를 띄우는 일에 게을렀던 나를 돌아보며 그대에게 보여드릴 꽃을 생각하다가 2년 전 여름 진도 운림산방에서 만났던 보랏빛 맥문동을 떠올렸습니다.

시·서·화에 고루 능해 삼절로 불리던 남종화의 대가 소치 선생도 산방의 마당을 거닐다가 저 보랏빛 맥문동을 보았을까요?

소치 선생이 유난히 꽃을 좋아했는지는 알 수 없으나 그 여름, 운림 산방엔 갖가지 꽃들로 가득 차 있어 그 곳을 돌아보는 내내 꽃향기에 취해 걸었던 것 같습니다. 그 중에도 자주 눈에 띄는 것이 배롱나무와 나무그늘마다 가득 들어찬 보랏빛 맥문동이었습니다. 소치 선생이 직접 심었다는 세 그루 나무 중의 하나인 연못 속의 배롱나무도 이제 막 꽃을 피우기 시작했고, 화실 근처 나무 그늘을 따라 맥문동이 보라색 꽃구름을 피워 올리고 있었습니다.

영화 〈스캔들〉에서 조원(배용준)과 조씨 부인(이미숙), 그리고 숙부인(전 도연)이 뱃놀이를 즐기던 장면을 기억하신다면 운림산방의 연못이 낯설 지 않으실 겁니다. 영화 〈스캔들〉의 촬영지였던 연못가를 거닐며 숲 그 늘 속 맥문동의 보랏빛 꽃무리를 보려니 맥문동을 두고 '음란성 시비' 를 벌였던 누군가의 이야기가 떠올라 홀로 쓴웃음을 지었습니다.

맥문동은 그늘을 좋아하여 주로 나무 그늘에서 자라는데 꽃에 무지 한 한 친구가 꽃이 피기 전의 맥문동을 보고 난이라고 우겼답니다. 익 히 맥문동을 알고 있던 친구는 이것은 난이 아니라 맥문동이라고 조근 조근 설명을 해도 친구는 끝내 잎의 모양이 영락없는 난인데 뭔 소리 냐며 끝까지 우기더랍니다.

그래서 친구는 맥문동은 백합과의 여러해살이풀로 그늘진 곳에서 자 라는 한약재라고 알아들을 만큼 설명을 해줬더니 난이라 우기던 친구 가 말하길

"그럼 음란(蔭蘭)이 틀림없구먼." 하더랍니다.

맥문동이란 이름은 한약재로 쓰이는 덩이뿌리의 말린 모양이 마치 껍질이 두꺼운 보리를 닮아서 얻은 이름인데 한겨울에도 푸른빛을 지니고 있어 '겨우살이풀'로도 불리는 다년생 풀입니다. 우리나라에는 맥문동, 개맥문동, 왕맥문동 등 여러 종류가 있는데 약효는 우리나라의 맥문동이 제일 좋다 합니다.

맥문동은 기운이 서늘하고 진액을 북돋우는 성질이 강하여 폐장의 기운을 돕고 기력을 돋우는데 탁월한 효과가 있고 체질적으로는 폐기능이 약한 태음인에게 좋은 약재로 알려져 있습니다. 차로 만들어 마시면 더운 여름을 건강하게 나는데 큰 도움이 된다고 합니다. 옛사람들은 풀 한포기 나무 한 그루를 볼 때도 그것이 사람에게 이로운지 해로운지를 먼저 헤아렸겠지만 그냥 꽃만 보아도 좋은 것이 맥문동입니다.

무덥고 습한 계절에 보랏빛 꽃등을 환하게 밝히는 맥문동을 보는 것만으로도 우리의 마음 밭은 환해지니까요. 저마다 햇빛 쪽으로만 나아

가려 하는 다른 풀들과는 달리 어두운 숲 그늘을 환하게 밝히는 꽃, 맥문동. 그 황홀한 빛에 한 번이라도 마음 빼앗겨 본 사람이라면 어찌 해당화의 분홍빛만 아름다운 꽃빛이라 말하겠습니까?

초록 그늘 속의 맥문동을 보고 있으면 이 땅 어딘가의 음지에서 묵묵히 땀 흘리며 수고를 아끼지 않는 아름다운 사람을 생각하게 됩니다.

이 새벽 찬바람이 다시 기운을 얻어 가는지 낡은 창문이 이따금 흔들립니다.

부디 꽃처럼 부신 날들 지으시기를.

아홉 가지
덕을 갖춘
구덕초(九德草)
- 민들레

오늘 문득 나무들이 사람처럼 걸어 다닐 수 있다면 지금처럼 의젓할 수 있을까 하는 엉뚱한 생각을 해 보았습니다. 나무들이 착한 건 걸어 다닐 수 없기 때 문인지도 모릅니다.

"아주 먼 곳으로 떠나고 싶습니다."

제자가 푸념처럼 스승에게 말하자 스승이

"누가 너를 매어 놓았느냐?" 하고 되물었다지요?

그 스승의 말처럼 누가 묶어 놓은 것도 아닌데 마음은 늘상 구름 밖을 떠돌면서도 몸은 여간해선 고삐에 묶인 염소처럼 스스로 그어 놓은 경계를 넘어서지 못합니다.

섣달그믐 날, 진종일 바람 불고 흩날리는 눈발에 마음이 갈피를 잡지 못하고 갈지자걸음만 걷다 하루해가 저물었습니다.

서울 갔다 집으로 돌아오는 차 안에서 민들레 홀씨 되어 어쩌고 하는 노래를 들었습니다. 정말 민들레 홀씨처럼 바람에 몸을 맡기고 정처 없이 어디론가 떠나고 싶어졌습니다. 하지만 그런 생각도 잠시 뒤따라오는 생각이 앞선 생각을 쓸고 갑니다.

초목들도 자생환경이 아닌 다른 지역에 처음 자리를 잡을 때는 자생식물들과는 거리를 두고 자리를 잡는답니다. 그러니까 자생식물들이 자라지 않는 돌 틈이나 아스팔트의 갈라진 틈, 담벼락 밑이나 보도블록의 틈새 같은 열악한 환경을 택해 싹을 틔우는 거지요.

그렇게 열악한 환경을 택하는 데는 그 나름의 이유가 있습니다. 다른 식물과 거리를 둠으로써 방해를 받지 않고 햇빛을 고스란히 받음으로써 왕성한 생장을 하여 일찍 꽃을 피우고 열매를 맺어 자신의 종자를 보다 많이 퍼뜨릴 수 있기 때문입니다.

사람들이 흠모하는 아홉 가지 덕을 갖추었다 하여 '구덕초(九德草)'란 별칭을 지닌 민들레도 그 중에 하나입니다. 꽃잎이 노란 민들레는 옛날부터 우리나라에서 자라던 토종이고 꽃잎이 하얀 민들레는 외래 식물인 서양민들레입니다.

특히 외래식물인 서양민들레는 노란 민들레에 비해 자생능력이 월등히 뛰어나 뿌리를 몇 토막으로 잘라 흙에 묻어두면 잘라진 뿌리마다 싹이 돋아 완전한 민들레로 자라난답니다.

노란 색의 재래종 민들레는 자신의 꽃가루받이를 하지 않는 자가불

화합성인 반면 서양 민들레는 자신의 꽃가루를 받아 수정하는 자가합성이라 아무리 외진 곳에 홀로 뿌리를 내려도 조금만 시간이 지나면 커다란 군락을 이룰 수 있답니다. 생장 속도도 빠르고 개화 시기도 봄부터 가을까지 이어져 종자 생산량이 재래종 민들레에 비해 엄청나다니 굴러온 돌이 박힌 돌 빼내듯 우리의 노란 민들레는 자꾸자꾸 자리를 내줄 수밖에요.

그리고 보면 목숨 가진 것치고 눈물겹지 않은 것이 없습니다. 노란 민들레도 다른 식물에 비하면 생장력이나 번식력이 뛰어난 식물인데 서양 민들레는 그보다 더 한 수 위이니 말입니다.

천 년을 넘긴 소나무가 사는 산은 험악하다지요. 열악한 환경일수록 생에 대한 집착이 더 강해지는 건지도 모르겠습니다.

옛사람들이 민들레를 왜 '구덕초(九德草)'라 했는지 귀동냥한 이야기나마 들려 드릴까요?

씨가 날아 앉으면 바위 위건 길복판이건 마소의 수레바퀴에 짓밟혀가면서도 모진 환경을 이겨내고 꽃을 피우는 것이 일덕(一德)이요.

뿌리를 캐어 대엿새 동안 볕에 노출시킨 후에 심어도 싹이 돋고 그 뿌리를 난도질하여 심어도 싹이 돋아나 역경의 인생에 더 없는 교훈을 주는, 그 자체가 가공할 생명력을 지니고 있음이 민들레의 이덕(二德)입니다.

민들레는 한 뿌리에 여러 송이의 꽃이 피는데 그 꽃이 또한 동시에 피는 법이 없고 한 송이가 지면 차례를 기다려 피는 꽃이라 하여 장유유서의 차례(序)를 아는 것이 민들레의 삼덕(三德)이요.

어둠에 꽃잎을 닫고 비가 오거나 구름이 끼어지면 그 꽃잎을 닫으니 명암의 절기를 알아 신의를 헤아리는 것이 또한 민들레의 사덕(四德)이랍니다.

장이 멀고 향이 진해 멀리서까지 벌들을 끌어 들이니 그 정이 많다는 것이 민들레의 오덕(五德)이요.

새벽 먼동이 트면서 가장 먼저 꽃을 피우는 그 근면함이 육덕(六德)이라고 합니다.

민들레는 씨앗이 제각기 의존하는 법 없이 바람을 타고 멀리멀리 날아가 일가를 이루는 꽃으로 그 모험심이 민들레의 칠덕(七德)이요.

민들레의 흰 즙은 한머리를 곱(검)게 하고 아로 인한 종창이나 황달을 낫게 하니 그 인(仁)이 팔덕(八德)이라고 합니다.

봄이 되면 어린 잎은 삶아 나물로 무쳐먹고 그 유즙은 커피나 와인, 맥주나 차에 타서 쓴 맛을 더하게 하여 머있으니 그 선선심이 민들레의 구덕(九德)이라고 합니다.

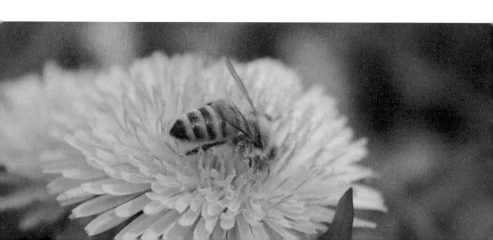

꿈보다 해몽이라고 구덕초란 민들레의 별칭도 사람들이 민들레의 특성을 이현령비현령* 식으로 해석하여 갖다 붙인 이야기에 지나지 않습니다. 민들레에겐 그렇게 악착을 떨지 않으면 자신의 종을 지켜낼 수 없는 절박함인 것인데 사람들은 그럴 수밖에 없는 민들레를 이해하기보다는 그저 보이는 모습만을 훔쳐다 자기식대로만 이해할 뿐입니다.

하긴 눈에 보이는 것조차 놓치기 십상인데 그 너머의 세계까지 들여다보는 일이 쉬운 일은 아닐 테지요.

오늘 문득 나무들이 사람처럼 걸어 다닐 수 있다면 지금처럼 의젓할 수 있을까 하는 엉뚱한 생각을 해 보았습니다. 나무들이 착한 건 걸어 다닐 수 없기 때문인지도 모릅니다.

거꾸로 사람들도 나무처럼 한 곳에 붙박혀 생을 살아야 한다면 나쁜 사람들은 모두 사라질 지도 모르겠습니다.

설날 아침,

노란 민들레 한 송이 그대에게 드립니다.

---

* 귀에 걸면 귀걸이, 코에 걸면 코걸이

두 통의
쪽동백편지

'당신의 안부를 묻던 날은 행복했었노라'고, 완료형으로 말하고 나면 내가 너무 슬퍼질 것 같아 아무 말도 할 수 없었던 시간들. 정작 하고픈 말은 가슴 깊이 묻어둔 채 허튼 웃음 속에 나를 감추던 위선의 나날들.

쪽동백편지 1

쪽동백 흰 꽃 지는 개울가에서 편지를 씁니다. 초록의 잎새 뒤에 숨어 피던 쪽동백 하얀 꽃들이 아무도 없는 산골짝 개울 위로 흐득흐득 떨어집니다.

당신 떠난 뒤 나의 봄은 너무도 길어 당신이 비워 둔 자리마다 어둡고 깊은 침묵이 내려앉습니다.

산비둘기 홰를 칠 때마다 하얗게 하얗게 흔들리던 꽃송이들. 무시로 개울물에 몸을 던지는 오월입니다. 뻐꾸기 울음소리 산을 넘어오면 까닭도 없이 나도 한 송이 꽃이 되어 물길 따라 떠나고 싶습니다. 당신 계신 그 곳에도 쪽동백 꽃이 집니까?

풀빛 그리움을 품고 사는 사람들에겐 꽃 한 송이 피고 지는 일도 예사롭지 않습니다. 물 위로 내려앉은 꽃송이들이 나뭇가지에 걸려 잠시 가던 길 멈추고 옹송거립니다. 바람처럼 당신에게로 달려가지 못하고 머뭇거리던 내 마음 같아 슬며시 나뭇가지를 치워주며 오래도록 멀리 계신 당신을 생각했습니다.

비록 쉽게 가닿을 수 없어 쭈뼛쭈뼛 다가간다 해도 사랑하는 사람을 향해 가는 일은 아름다운 일입니다. 제가 지닌 향기조차 온전히 전하지 못한 채 홀로 저무는 꽃들의 설운 사연을 아는 까닭에 마음의 풍향계가 가리키는 대로 물길 따라 흐르는 쪽동백 흰 꽃 위에 편지를 씁니다.

개밥바라기별이 뜨는 어스름녘이면 들판 가득 자욱하게 밀려오던 개구리 울음소리. 까닭 없이 목젖이 뜨거워지던 밤들은 이제사 생각하니 당신으로 인해 사랑으로 충만한 시간이었습니다.

방문 앞에 몰래 두고 온 꽃다발이 홀로 시들듯 나의 이 편지가 당신에게 닿지 못하고 어둠에 묻힌다 해도 나는 별이 뜨는 저녁이면 온몸으로 오는 바람을 맞으며 바람의 행간에서 당신의 마음을 읽을 것입니다.

당신의 마음이 바람을 몰고 들을 건너가는 것을 오래도록 조용히 지켜볼 것입니다

쪽동백 편지 2

쪽동백나무 흰 꽃이 피었습니다. 초록의 숲 속 어딘가에서 울어대는 뻐꾸기소리 들으며 쪽동백 흰 꽃송이 무시로 떨어지던 개울가에서 당신에게 편지를 쓰던 기억이 생생한데 다시 쪽동백 꽃 피는 시절이 온 것입니다.

무심을 가장한 우리의 침묵 사이로 무정한 세월은 계절을 돌아 쪽동백나무는 저리 눈부신 꽃을 다시 피웠는데 우린 아직도 먼 기억 속에 머물러 있습니다.

'당신의 안부를 묻던 날은 행복했었노라'고, 완료형으로 말하고 나면 내가 너무 슬퍼질 것 같아 아무 말도 할 수 없었던 시간들. 정작 하고픈 말은 가슴 깊이 묻어둔 채 허튼 웃음 속에 나를 감추던 위선의 나날들. 내가 아픈 만큼 당신도 아프고 당신이 행복하면 나도 행복하리란 그 터무니없는 믿음은 어디서 생겨났는지.

그 사이 꽃은 지고 쪽동백 흰 꽃이 흐르는 물결 따라 하염없는 길을 떠났습니다.

내가 쪽동백 꽃그늘에 앉아 당신을 생각하듯, 당신도 어느 나무 아래서 바람결에 실려 오는 나의 이야기를 듣고 계신가요?

해마다 쪽동백나무는 초록그늘 환하도록 꽃을 피우겠지만 흰 꽃송이 싣고 떠난 개울물은 다시는 돌아오지 않을 것입니다.

쪽동백 꽃나무 아래서 생각합니다.

당신과 나,

해마다 꽃등을 켜는 한 그루 쪽동백나무였는가.

꽃송이 싣고 떠난 여울물이었는가.

작은 꽃들이
모여 꽃타래를 이루듯
- 까치수염

좁쌀알 같은 작은 꽃들이 모여 꽃타래를 이루는 까치수염처
럼 우리들의 작은 꽃마음이 한데 모이면 팍팍한 이 세상도 조
금은 더 살만한 세상이 될 수도 있을 것입니다.

나팔꽃의 힘찬 나팔소리가 들릴 것만 같은 햇살 부신 아침입니다. 어깨 위로 내려앉는 햇살이 따사로와 한 이틀 비에 젖어 눅눅해진 마음을 빨랫줄에 걸어 두면 금세 뽀송뽀송해질 것만 같습니다.

그대는 어느 꽃에게 아침 인사를 건네며 이 아침을 맞이하고 계신가요.

장마가 시작될 무렵 무리지어 피어나는 까치수염은 까치 목덜미의 흰 부분을 닮아서 이름 붙여졌다고 하는데 어느 책엔 '까치수영'이라고도 하여 아직도 어느 것이 정확한 이름인지 헷갈립니다. 이삭처럼 생긴 꽃이 개꼬리를 닮았다 하여 '개꼬리풀'이라고도 하는데 제 생각엔 개꼬리풀보다는 까치수염이 훨 나은 것 같습니다.

떡갈나무 잎에 빗소리가 듣기 시작한 탓인지 까치수염 흰 꽃엔 나비의 날갯짓이 제법 분주해 보였습니다. 비가 오면 꽃 속에 물이 차서 꿀을 빨 수 없으니까 그 전에 조금이라도 허기를 메우기 위해 부지런을 떠는 것 같았습니다.

꽃에 나비가 앉으면 아주 근사한 그림이 되는 까닭에 나비를 따라 이리저리 꽃을 찾아 자리를 옮겨 앉으며 셔터를 눌러 댔는데 좀처럼 맘에 드는 사진은 건지지 못했어요. 왜냐구요? 나비란 녀석들이 몰카에 찍히는 사람처럼 자꾸만 카메라 앵글 밖으로 달아났거든요.

나비를 쫓아 까치수염 꽃밭을 헤매다가 제풀에 지쳐 주저앉고 싶어질 무렵 아주 오래 전에 TV에서 보았던 말괄량이 삐삐가 하던 말이 생각났습니다.

"삐삐야! 비가 오는데 굳이 화분에 물을 줄 필요가 있니?"

"비는 그냥 내리는 거구요. 이 화분의 꽃은 제가 주는 물을 먹고 자라거든요."

삐삐의 말처럼 물이라고 다 같은 물이 아니듯 꽃이라고 다 같은 꽃은 아니겠지요.

들판 가득 피어나는 까치수염이라고 해도 다 같은 까치수염일 수는 없는 노릇, 내가 눈 맞춘 꽃, 내가 만난 나비는 여느 꽃, 여느 나비와는 다른 특별한 사이가 될 수밖에 없습니다. 그 특별함은 다름 아닌 사랑일 것입니다. 하기에 꽃 앞에 앉아 나비를 기다리고 그 고운 모습을 그대에게 보여드리는 일은 내겐 아주 각별한 즐거움이자 행복한 시간입니다.

우리 산,
우리 들에 피는 꽃
꽃이름 알아가는 기쁨으로
새해, 새날을 시작하자

회리바람꽃, 초롱꽃, 들꽃, 벌깨덩굴꽃
큰 바늘꽃, 구름체꽃, 바위솔, 모싯대
족두리풀, 오이풀, 까치수염, 솔나리

외우다 보면
웃음으로 꽃물드는
정든 모국어
꽃이름 외우듯이
새봄을 시작하자
꽃이름 외우듯이
서로의 이름을 불러주는 즐거움으로
우리의 첫 만남을 시작하자

우리 서로 사랑하면
언제라도 봄
먼데서도 날아오는 꽃향기처럼
봄바람 타고
어디든지 희망을 실어나르는
향기가 되자

                              – 이해인 〈꽃 이름 외우듯이〉

썩 마음에 드는 것은 아니지만 어렵사리 찍은 나비 사진 한 장 동봉합니다. 무심히 보아 넘기면 밋밋한 사진일 수도 있지만 저 사진 한 장을 얻기까지 빗방울 떨어지는 풀숲에서 꽃 앞에 앉아 나비를 기다리던 나의 시간들을 그대가 헤아려 주신다면 사진 속의 나비가 사뿐히 날아올라 그대 가슴으로 자리를 옮겨 앉을 수도 있습니다.

좁쌀알 같은 작은 꽃들이 모여 꽃타래를 이루는 까치수염처럼 우리들의 작은 꽃마음이 한데 모이면 팍팍한 이 세상도 조금은 더 살만한 세상이 될 수도 있을 것입니다. 위에 적은 이해인 수녀님의 시처럼 그대와 나, 이 세상 어디라도 희망을 실어 나르는 향기가 되었으면 좋겠습니다.

들꽃 한 송이로 전하는 작은 기쁨이 되고 싶습니다.

엉겅퀴의 노래

가시 돋친 말들, 가시 돋친 생각들이 나를 찔러올 때
아프다 비명을 지르거나 경계하기보단 그렇게 밖에
할 수 없는 상대의 입장을 헤아려주는 아량이 더 필요
한 것인지도 모르겠습니다.

엉겅퀴의 노래

복효근

들꽃이려거든 엉겅퀴이리라
꽃 핀 내 가슴 들여다보라
수없이 밟히고 베인 자리마다
돋은 가시를 보리라
하나의 꽃이 사랑이기까지
하나의 사랑이 꽃이기까지
우리는 얼마나 잃고 또
떠나야 하는지
이제는
들꽃이거든 가시 돋힌 엉겅퀴이리라
사랑이거든 가시 돋힌 들꽃이리라
척박한 땅 깊이 뿌리 뻗으며
함부로 꺾으려드는 손길에
선연한 핏멍울을 보여주리라
그렇지 않고 어찌 사랑한다 할 수 있으랴
그리고
보랏빛 꽃을 보여주리라
사랑을 보여주리라 마침내는
꽃도 잎도 져버린 겨울날
누군가 또 잃고 떠나
앓는 가슴 있거든
그의 끓는 약탕관에 스몄다가
그 가슴 속 보랏빛 꽃으로 맺히리라

그대에게 보여줄 꽃을 찾아서 햇살 속을 걸어 산을 향해 가다가 어느 무덤가에서 엉겅퀴 꽃무리를 만났습니다. 유월의 숲 언저리에서 만난 엉겅퀴 꽃밭에서 보랏빛에 취해 한나절을 보내고 돌아오니 내 몸에서도 보랏빛 향기가 나는 듯합니다.

　　가시나물로도 불리는 엉겅퀴는 그 옛날 스코틀랜드에 침입한 바이킹의 척후병이 엉겅퀴 가시에 찔려 비명을 지르는 바람에 스코틀랜드의 병사들이 깨어나 바이킹을 물리쳤다고 하여 스코틀랜드의 국화가 된 꽃이기도 합니다.

　　유독 잎에 가시가 많아 사람들이 쉬이 접근하지 못하는 엉겅퀴 꽃에선 아주 순한 향기가 납니다. 제 하나 뿐인 여동생은 그 수수한 향기를 지극히 시골스런 향기라 하더군요.

　　국화과에 속하는 여러해살이 풀인 엉겅퀴는 온몸에 돋은 날카로운 가시 때문에 쉽게 다가가지 못하는 꽃입니다. 하지만 보랏빛 꽃 속엔 달콤한 꿀이 많아 벌 나비 같은 곤충들에겐 더없이 친근한 꽃이기도 합니다. 꽃을 찍으려 가까이 다가가면 온갖 곤충들이 꿀을 빨기 위해 꽃술 사이로 박혀 있는 모습을 쉽게 발견할 수 있습니다. 온 몸에 가시 돋친 엉겅퀴 꽃밭에서 한나절을 보내며 가시란 무엇일까에 대해 골똘해졌던 것 같습니다.

　　어쩌면 나무나 풀들이 몸에 날카로운 가시를 내어다는 것은 스스로를 지키기 위한 약자의 허장성세 같은 것인지도 모릅니다. 가시나무를 베어내면 새로 돋은 가지엔 더 크고 날카로운 가시가 돋는 것만 봐도 알 수 있지요. 비록 가시가 많은 나무일지라도 얼마만큼 자라면 가시가 점차 줄어드는 것도 이제 자신을 지켜낼 만큼의 힘이 생겼다는 자신감이라 할 수 있습니다.

　　가시 돋친 말들, 가시 돋친 생각들이 나를 찔러올 때 아프다 비명을 지르거나 경계하기보단 그렇게 밖에 할 수 없는 상대의 입장을 헤아려주는 아량이 더 필요한 것인지도 모르겠습니다.

　　벌 나비와 같은 곤충들에게 아낌없이 꿀을 나누어주는 엉겅퀴처럼 나도 누군가에게 나의 향기를 나누어주고 싶습니다. 내가 세운 가시란 것이 허장성세(虛張聲勢)임을 이미 아는 당신께.

꽃 피우지 않고 열매를 맺을 수는 없는 일. 바람 없이도
세상 속으로 알밤을 툭툭 던지는 밤송이들에게도 꽃시절
이 있었습니다. 꽃을 피우는 일은 자신을 돋보이게 하려
는 치장이 아니라 그 자체가 삶의 몸짓입니다.

어제는 하늘이 참 맑았습니다. 꽃들의 안부를 물으려 길을 나섰는데 표범나비 한 마리가 날아오더니 내가 걷는 길 위로 내려앉았습니다. 기진한 듯 몇 번인가 날개를 접었다 펴더니 이내 미동도 하지 않았습니다.

꽃에게 말을 걸 때면 언제나 눈앞에서 아른 거리던 나비. 나비가 '날아다니는 빛'이란 '날빛'에서 생겨난 말이라는 얘길 어디선가 들었던 것 같은데 가을엔 빛도 숨을 거두는 것인가.

나비의 쓸쓸한 임종을 지켜보면서 생각했습니다.

사랑 뒤의 그 쓸쓸함에 대하여.

가을꽃들을 보면 쓸쓸한 기운이 마음 안섶을 파고들어 까닭도 없이 외로운 사내가 되고 맙니다. 늦잠을 잔 아이가 지각할까 마음 조리며 학교로 뛰어가듯 뒤늦게 서둘러 피는 가을꽃들을 보면 자꾸 나를 돌아보게 됩니다.

무심한 듯 흐르는 세월이 그 꽃들을 흔들어 깨웠을 것입니다. 이제라도 네 꽃을 보여줘! 어쩜 그렇게 말하며 꽃대궁을 흔들었을지도 모릅니다.

가을꽃들을 보면 막차 시간 급한 사람처럼 허둥대며 살아온 나의 그림자 같습니다. 시나브로 피고 지는 게 꽃인 줄 알지만 세상에 꽃 한 송이 내어 보이는 일은 언제나 눈물겹습니다.

꽃을 피우지 않고 열매를 맺을 수는 없는 일. 바람 없이도 세상 속으로 알밤을 툭툭 던지는 밤송이들도 꽃시절이 있었습니다. 꽃을 피우는 일은 자신을 돋보이게 하려는 치장이 아니라 삶의 몸짓입니다.

나도 그대 향해 꽃을 피우고 싶은 가을입니다.

제 3 장
뜨거운 편지

상사꽃 설화

꽃들이 저마다 자신의 시간에 충실하여 아름다운 꽃을 피워내듯이 만나는 순간에 최선을 다한다면 어쩔 수 없이 헤어진 뒤에도 아프지 않고 생각하면 걸 고운 추억이 되리라는 게 제 짧은 생각입니다.

한바탕
소나기 퍼붓고 가던 어느 여름날
하안거에 든 한 젊은 스님이
마른 목 축이려고 법당문을 나서다가
비를 피해 절집 처마 밑을 찾아 든 한 여인을 보았다지요.
속세로 가는 길도 끊긴지 오래인 이 깊은 산 중에
아리따운 여인이라니,
아마도 헛것을 본 게라고 체머리 흔들며
돌확에 넘쳐나는 차디찬 석간수
한 바가지 가득 떠서 가슴에 들이 붓고 뒤돌아보니
마악 일주문을 나서는 여인의 뒷모습이 보였다지요.
여인이 한 걸음 한 걸음 옮길 때마다
연분홍 치마가 하늘하늘 흔들리는 것이
마치 커다란 연꽃 한 송이 허공에 떠가는 것만 같았다지요.

세상에나, 세상에나!
내 생전 저리 고운 연꽃은 처음 보겠구나.

스님은 자신도 모르게 깊은 숨 몰아쉬며
가슴을 쓸어 내렸던 것인데
그 때가 제 가슴에 꽃물 드는 순간인 줄은 까맣게 몰랐다지요.
그렇게 여인이 속절없이 떠나간 뒤로
가부좌 틀고 용맹정진 하던 스님의 머릿속엔
자나 깨나 탐스런 연꽃 한송이로 가득 차서
밤 깊도록 독경소리 그칠 줄 몰랐다지요.
짝 찾는 밤쑥국새 울음소리는 수시로 문지방을 넘어 오고
암자 뒷숲의 조릿대 밟고 가는 바람소리에도
스님의 귀는 대웅전 꽃살문 쪽으로만 열렸다지요.

석달 열흘을 꼬박 경을 읽어도
가슴 속 꽃물은 조금도 지워지지 않아
그 젊은 스님은 스스로 꽃이 되기로 마음을 굳히고는
여인이 서 있던 처마 끝 바로 그 자리에
가슴 속 꽃물을 게워 내듯 한바탕 붉은 피를 쏟아 놓고는
홀연히 저 세상으로 떠났다지요.

잠시 머물다 떠나간 여인처럼
잎이 먼저 돋았다 지고 나면
붉은 피 쏟고 저 세상으로 떠난 스님인 양
꽃대를 밀어 올려 꽃을 피우는
연분홍 상사화
그 자리에 슬픔처럼 피었다지요.

- 나의 졸시 〈상사꽃 설화〉

아시겠지만 상사화는 잎이 먼저 피었다 진 뒤에 꽃대를 밀어 올려 꽃을 피우는 슬픈 전설의 꽃입니다. 위에 적은 나의 못난 글도 그 전설을 빌려 끼적여 본 것이지요.

한 몸에서 비롯된 잎과 꽃이 서로 그리워 할 뿐 만날 수 없어 상사(相思)라는 이름을 얻게 된 꽃이지요. 봄날에 진록의 푸른 잎을 쭉쭉 뽑아 올려 뭇사람의 감탄을 자아내다가 장마가 시작될 즈음에 흔적도 없이 자취를 감추어 보는 이를 허탈하게 만듭니다. 그리고는 어느 날 다시 보면 잎이 진 자리에서 싱싱한 꽃대를 밀어 올려 꽃대마다 예닐곱 송이의 연분홍 꽃을 피워 사람을 놀래키는 꽃이 바로 '상사화'입니다.

선운사나 불갑사의 상사화 군락지가 꽤나 유명하지만 엄밀히 따지면 그 곳의 상사화는 꽃무릇, 또는 석산이라 불리는 꽃입니다. 둘 다 수선화과에 속하는데다 꽃의 생김새나 생태가 비슷하여 대부분의 사람들은 한데 뭉뚱그려 상사화로 부르곤 하지요.

굳이 구분을 하려 들면 상사화는 연분홍이나 노란색의 꽃이 피는데 반해 꽃무릇은 보다 붉은 빛의 꽃이 피고 개화 시기도 꽃무릇이 조금 늦다는 정도입니다.

유독 절집 부근에 이 꽃의 군락지가 많은 까닭은 그리워하면서도 서로 만나지 못하는 안타까움의 정서 때문이 아니라, 예전엔 이 꽃의 비늘줄기로 풀을 쑤어 책을 단단히 엮기 위해 스님들이 가꾸어 온 때문이라고 합니다.

회자정리(會者定離)는 이미 낡은 말이 되어 버렸지만, 우리는 날마다 많은 사람과 만나고 또 헤어집니다. 상사화처럼 한 몸에서 나고 자라도 서로 볼 수 없는 생래적인 그리움이야 어찌할 수 없다 해도 만날 수 있음에도 미워하며 헤어지는 일만은 없어야 하겠지요.

꽃들이 저마다 자신의 시간에 충실하여 아름다운 꽃을 피워 내듯이 만나는 순간에 최선을 다한다면 어쩔 수 없이 헤어진 뒤에도 아프지 않고 생각하면 결 고운 추억이 될 것입니다.

달맞이꽃,
생각하면
가슴 따뜻한…

물풀처럼 흔들릴 때마다 자신을 지켜내기 위해 내가 무수히 만들어
가졌던 삶의 이유들이란 것들이 얼마만큼 시간이 흐른 뒤에 돌이켜
보면 합리적이지도, 이성적이지도 못한 것이 대부분이지만 그 순간
엔 가장 절실한 외침이었음을 부인할 수는 없습니다.

어제는 종일토록 비가 내리더니 안개 낀 오늘 아침은 외기가 한껏 냉랭해졌습니다. 잎을 모두 떨군 나무들이 안개 속에서 고요히 묵상을 하고 있는 풍경을 바라보면 그 나무들의 생각이 궁금해지곤 합니다. 혹여 가지 끝에 꽃등을 내어 걸던 봄날이나 은실 한가닥만큼의 실바람에도 초록의 이파리들을 흔들어대며 환호하던 햇빛 찬란하던 여름날을 추억하고 있는 것은 아닐까 하는 상상을 하기도 합니다. 북풍이 몰아치는 겨울을 건너가는 힘은 그런 소소하고 따뜻한 추억들이 아닐까 싶은 생각이 들어서요. 나는 이미 꽃들이 사라진 겨울 들판에서 이따금 들판 가득 피어 있던 꽃들의 기억을 떠올리곤 합니다.

추억은 언제나 우리의 기억 속에 숨어 있다가 누군가가 사무치게 그리울 때 고개 젖혀 바라보는 하늘의 달처럼 따뜻하게 우리를 안아줍니다. 달 이야길 하니까 달맞이꽃이 떠오릅니다. 달하면 잡지의 부록처럼 자연스레 따라오는 꽃이 달맞이꽃입니다. 여름 들판에 지천으로 피어나는 노란 달맞이꽃은 달밤에 피어나 아침이면 꽃잎을 닫는, 그 노란빛만큼이나 귀엽고 사랑스런 꽃이지만 우리 토종이 아닌 귀화식물 중의 하나입니다.

달맞이꽃을 영어로는 'Moon Rose'라 부른답니다. 우리말로 하면 '달의 장미'쯤 되겠네요. 들판 가득 노란 물감을 뿌려 놓은 듯 점점이 피어 있는 달맞이꽃을 볼 때면 아주 오래 전 밤안개 자욱한 강가에서 그 작은 꽃에 얼굴을 묻고 꽃향기를 맡던 한 사람이 떠오르곤 합니다.

강은 끊임없이 푸른 안개를 피워 올리고 그 사람과 나는 그 안개 뒤에 숨어서 누구에게도 들키지 않을 둘 만의 내밀한 비밀을 나누어 가졌습니다.

그때 강심을 향해 물수제비를 날리며 누군가의 이름을 불렀는지, 혹은 사랑의 맹세를 외쳤는지 그 날의 기억은 그저 아슴하기만 한데 그 밤 달맞이꽃의 그윽한 향내만은 세월이 지날수록 짙어지니 참 별일입니다.

기억마저도 자신에게 따뜻하거나 유리한 것만 골라내는 나의 이기심이 밉기도 하지만 일견 생각하면 그것은 모든 생명들이 목숨을 이어가기 위한 생존본능 같은 거라고 애써 마음을 다스릴밖에요.

물풀처럼 흔들릴 때마다 자신을 지켜내기 위해 내가 무수히 만들어 가졌던 삶의 이유들이란 것들이 얼마만큼 시간이 흐른 뒤에 돌이켜 보면 합리적이지도, 이성적이지도 못한 것이 대부분이지만 그 순간엔 가장 절실한 외침이었던 것을 부인할 수는 없습니다.

앞으로도 나는 삶의 힘든 고비마다 스스로를 위로하고 지켜내 줄 이유들을 무수히 만들어 내겠지요.

스카보로 시장에 가시나요. 파슬리, 샐비어, 로즈메리와 타임, 거기 사는 이에게 소식 좀 전해 주세요. 그녀는 한때 진실한 내 사랑이었다오.

(Are you going to scaborough fair. Parsly,sage,rosemary and thyme. Remember me to one who lives there, She once was a true love of mine.)

사이먼과 가펑클(Simon & Gartunkel)이 노래한 '스카브로의 추억(Scaborouyh Fair)' 속 노랫말처럼 우리는 꽃이나 식물, 또는 그것의 향기와 함께 누군가를 떠올리거나 함께 했던 장소를 기억하곤 합니다.

먼 훗날 나는 벗님께 어떤 꽃으로 기억될 지 궁금해집니다.

섹시한 여자,
바람난 여인
– 얼레지

여느 꽃들처럼 그저 활짝 꽃잎을 벌리는 것도 아니고 있는 대로 뒤로 젖혀 꽃잎의 뒷면들이 서로 닿을 정도로 말이지요. 목욕탕에서 마악 나온 여인이 젖은 머리를 뒤로 쓸어 넘겨 놓은 것처럼요. 그 젖힌 꽃잎 안으로 보랏빛 암술대며 이를 둘러싼 수술대가 고스란히 드러나 산골 처녀치고는 파격적이라 할 만큼 개방적입니다.

혹시 위에 있는 꽃을 보신 적이 있으신지요. 봄이 오는 길목에서 만나지는 이 꽃의 이름은 '얼레지'입니다. 엘레지의 여왕 이미자 할 때 엘레지가 아니라 '얼레지'라고요. '가재무릇'이란 이름도 있지만 보통 얼레지라고 부릅니다. 이 꽃은 주로 고산지대에서 자라는 여러해살이 야생초인데 꽃의 생김새가 여간 섹시한 게 아닙니다. 얼레지란 이름은 아기 손바닥처럼 넙적한 녹색의 두터운 이파리에 자색 얼룩이 진데서 유래되었다 합니다. 여인이 가랑이를 벌리듯 양쪽으로 펼친 잎 사이로 꽃자루가 올라오면 고개 숙여 다소곳이 맺혀있던 꽃봉오리는 이내 여섯 장의 꽃잎을 한껏 펼쳐 자신만의 개성을 드러냅니다. 여느 꽃들처럼 그저 활짝 꽃잎을 벌리는 것도 아니고 있는 대로 뒤로 젖혀 꽃잎의 뒷면들이 서로 닿을 정도로 말이지요. 목욕탕에서 마악 나온 여인이 젖은 머리를 뒤로 쓸어 넘겨 놓은 것처럼요. 그 젖힌 꽃잎 안으로 보랏빛 암술대며 이를 둘러싼 수술대가 고스란히 드러나 산골 처녀치고는 파격적이라 할 만큼 개방적입니다. 그래서 얼레지의 꽃말이 '바람난 여인'이 되었는지도 모르겠습니다. 저 고개 숙인 얼레지꽃을 가만 들여다보고 있으면 섹시한 나부(裸婦)*의 형상이 그려지지 않습니까? 하얀 김이 오르는 탕에서 걸어 나와 평상에 털푸덕 주저앉아서 고개 숙여 자신의 은밀한 곳을 바라보고 있는 듯한. (ㅎㅎ 나만 그런가?)

하지만 아무리 바람난 여인 같은 이 꽃도 숲에서 보는 것으로 만족해야지 욕심을 내어 집으로 캐어가려 해서는 안 됩니다. 굳이 자신의 것으로 키우고 싶다면 우선 씨앗을 뿌려, 싹이 트고 꽃이 피기까지 5년 정도는 족히 기다릴 수 있는 인내심이 있어야만 합니다. 그 섹시함도 그저 쉽게 생겨나는 것이 아닙니다. 혹시 캐어가려 해도 땅 속에 있는 둥근 덩이줄기와 그 덩이줄기에 이어진 가늘고 긴 땅속줄기까지 무사히 옮겨와 살리는 일이란 미션 임파서블이거든요. 정작 재밌는 사실은 땅속줄기의 길이로 얼레지의 나이를 대략 알 수 있는데, 매년 땅속 덩

* 벌거벗은 여자

이줄기의 길이만큼 땅속으로 깊이 들어간다고 생각하시면 됩니다. 만일 땅속줄기가 땅속으로 60㎝ 정도 들어가 있는데 덩이줄기의 길이가 3㎝ 정도라면 20년쯤 되었다고 할 수 있지요. 참 대단하지 않습니까?

얼레지는 잎의 광합성 작용으로 양분을 만들어 덩이줄기에 저장하는데 이듬해 그 덩이줄기가 양분을 모태로 올려 보낸 뒤 죽고나면 그 밑에, 그러니까 올해의 덩이줄기 길이만큼 땅 속으로 들어간 부분에 매년 새로운 덩이줄기가 생겨 다시 한 해의 양분을 비축한답니다. 신기한 것은 얼레지는 매년 덩이줄기에 한 해 동안 살아갈 만큼만 저장했다 모두 사용한 뒤 죽고, 다시 만들기를 되풀이 한다는 사실입니다. 얼레지 잎으로 만든 나물을 어디선가는 지역 특산품으로 팔기도 한다는데 나물이 맛있다고 잎을 모두 따 버리면 다음 해엔 꽃을 만들 양분을 비축할 방법 자체가 없어지게 되니 그야 말로 얼레지를 두 번 죽이는 일이 아닐 수 없습니다. 님들은 얼레지 나물 생각에 입 안에 군침이 돌아도 행여 얼레지를 두 번 죽이지는 마시어요.

사루비아,
그 붉은 염원

그 꽃은 마치 나를 향해 소리치는 것만 같았습니다. 내게도 이처럼 뜨거운 가슴이 있노라고, 이렇게 붉은 꽃을 가득 피워 올릴 만큼 나의 생애도 뜨거워져서 여름을 지나왔노라고.

비 잦은 여름을 지나온 꽃들의 안색이 파리해졌습니다. 아침저녁으로 불어오는 바람의 결이 달라져서인지 한사코 담장 높은 곳으로만 넝쿨손을 뻗어가던 담쟁이도 잠시 주춤해진 표정입니다.

세상을 초록의 물결로 가득 채우던 풀과 나무들도 더 이상 물을 길어 올리지 않아 성장을 멈춘다는 처서가 어제였습니다. 처서가 되면 모기도 입이 삐뚤어진다지요? 드디어 길고 지리한 여름이 마침표를 찍는 날인 셈입니다.

이제 나무들은 가지 가득 매단 열매들을 튼실하게 키우는 일에만 몰두할 것입니다. 금빛 햇살이 그 열매 하나하나마다에 가득가득 쏟아져서 비바람을 이겨낸 나무들의 수고가 헛되지 않았으면 좋겠습니다.

오늘은 비가 오려는지 아침부터 하늘이 흐려 있습니다. 비가 내리면 가을은 또 그만큼 깊어질 테지요.

어제는 집으로 돌아오는 길에서 가로변 화단에 선홍빛으로 피어난 사루비아를 보았습니다. 푸른 하늘을 배경으로 선홍빛으로 환하게 피어 있는 사루비아를 보면서 가을을 예감했습니다.

언젠가 낯선 간이역에서 석양을 받고 선 사루비아를 본 적이 있습니다. 마악 산을 넘어가는 저녁 해가 남긴 손바닥만한 햇빛을 고스란히 받아 들고 서 있던 사루비아의 모습은 너무도 강렬해서 눈이 부실 지경이었습니다.

그 꽃은 마치 나를 향해 소리치는 것만 같았습니다. 내게도 이처럼 뜨거운 가슴이 있노라고, 이렇게 붉은 꽃을 가득 피워 올릴 만큼 나의 생애도 뜨거워져서 여름을 지나왔노라고.

그 뒤로 사루비아를 만날 때마다 난 막연하나마 어떤 염원 같은 것이 가슴 속을 소용돌이 치곤 했습니다. 나도 누군가를 향해 붉은 가슴을 내어 보이고 싶어졌습니다.

여름은 끝나 가는데 꽃들도 서둘러 옷자락을 여미는데 아직도 꽃의 계절은 끝나지 않았다고 사루비아는 온몸으로 절규하는 것은 아닐까요?

붉은 사루비아 꽃밭을 지나며 내 안에 아직도 남아 있을지 모를 붉은 염원을 생각해 보았습니다.

오늘은 누군가에게 나를 전하고 싶습니다.

몸이 뜨거운 꽃
- 복수초

지상에 피어나는 꽃 치고 허루로
피어나는 꽃은 하나도 없듯이 꽃
잎이 번들거리는 데에도 그럴만한
이유가 있습니다.

지금 벗님의 책상 위 탁상용 캘린더엔 어떤 그림이 들어 있는지요. 혹시 야생화 캘린더를 갖고 계시다면 제일 첫 장을 다시 펼쳐 보시기를. 모르긴 해도 십중팔구는 위 사진 속의 황금빛 꽃이 눈 속에서 환하게 웃고 있는 모습을 볼 수 있을 것입니다.

바로 이 땅에 봄이 가까이 와 있음을 알려주는 '복수초(福壽草)'입니다. 저 역시 이 꽃을 처음 만난 것은 야생화 캘린더에서였습니다. 복 복(福)자에 목숨 수(壽)자를 붙여 수복강녕을 소망하는 인간의 바람이 고스란히 들어 있는 꽃.

얼어붙은 땅속에서 꽃대를 밀어 올려 쌓인 눈을 헤치고 황금빛 꽃을 펼쳐 보이는 복수초는 새해를 알리기엔 더없이 좋은 꽃이지요. 새해 들어 가장 먼저 핀 꽃이라는 뜻에서 '원일초(元日草)'란 별호를 갖고 있는 복수초의 개화 시기는 절묘하게도 음력 설 무렵과 일치합니다.

쌓인 눈을 헤치고 올라와 꽃을 피우는 까닭에 복수초는 그 습성을 딴 얼음새꽃이나 눈새기꽃 같은 이름으로도 불립니다. 연꽃처럼 아침에 꽃봉오리를 열었다가 저녁이면 꽃잎을 닫는 탓에 '설련(雪蓮)'으로 불리기도 합니다.

이렇게 다양한 이름을 간직하고 있는 복수초는 낯가림이 심한 수줍음 많은 꽃으로도 알려져 있습니다. 사람이 다가서면 꽃잎을 오므리는 까닭에 그리 알려져 있지만, 사실은 복수초가 그늘을 싫어하기 때문입니다. 사람이 다가서면 그늘이 지니 꽃잎을 오므릴 밖에요. 그래서 복수초를 만나러 가는 날은 흐린 날보다는 해 부신 맑은 날이 좋습니다.

꽃 모양새가 코스모스를 많이 닮아 있는 복수초는 꽃잎을 들여다보면 코스모스나 장미의 꽃잎처럼 촉촉한 느낌이 아니라 화학섬유로 만든 가짜꽃잎처럼 그 표면이 번들거립니다.

지상에 피어나는 꽃 치고 허투로 피어나는 꽃은 하나도 없듯이 꽃잎이 번들거리는 데에도 그럴만한 이유가 있습니다. 복수초에 관심이 있는 분들이 한 번 쯤은 품었음직한 궁금증 중의 하나가 눈 속에 핀 복수초 주변엔 어찌하여 한결같이 눈이 녹아 있을까 하는 것일 것입니다.

제 짧은 소견으로는 그 비밀의 반은 꽃잎에 있는 것으로 생각됩니다. 저 번들거리는 꽃잎이 햇빛을 반사하여 그 복사열로 주변의 눈을 녹이는 것이지요.

그리고 또 하나의 이유는 복수초가 몸이 뜨거운 꽃이기 때문입니다. 며칠 전 세종로에서 독도 사진전을 개최한 사진작가 김정명 씨는 그 궁금증을 참을 수 없어 직접 온도계를 가지고 복수초의 체온을 재어 보았답니다. 그리고 아주 놀라운 사실을 알아냈습니다.

외기의 온도가 섭씨 영하 1~2도일 때 복수초 꽃봉오리 안의 온도는 5~6도였다니 무려 7~8도의 기온의 차이가 나는 셈입니다. 이만하면 복수초가 몸이 뜨거운 꽃이라는 말이 헛말은 아니란 것을 아시겠지요?

복수초의 학명은 'Adonis amurensis Regel et Radde'입니다. 학명에 들어 있는 아도니스는 복수초 전설 속의 주인공이기도 합니다. 그리스 신화 속의 사랑과 아름다움, 풍요의 여신인 아프로디테(Aphrodite)는 미소년 아도니스를 열렬히 사랑했습니다. 또 다른 여신 페르세포네도 이 친구를 좋아했지만, 페르세포네는 금지된 꽃을 몰래 따다 들켜서 지하에 갇히는 신세가 되지요. 어느 날 미소년 아도니스가 사냥을 나갔다가 멧돼지에 물려 변사체로 발견됩니다. 신화를 보면 그 멧돼지는 아도니스를 질투하던 헤파이스토스 혹은 아레스 신의 변신이었다고 합니다. 그때 아도니스가 흘린 피가 땅으로 떨어졌고, 거기서 꽃이 피어나 그 꽃이 바로 '복수초'라는 얘깁니다. 아도니스의 죽음을 슬퍼하던 아프로디테의 눈물에서는 장미꽃이 피어났고, 페르세포네는 지하에서 이 소식을 접하곤 땅이 꺼져라 한숨만 쉬었다 합니다. 이를 보다 못한 다른 신들이 아도니스는 1년의 절반은 지상에서 아프로디테와 지내고 또 다른 절반은 지하에서 페르세포네와 살도록 하였답니다. 그로 인해 복수초는 다른 식물과 달리 남들이 잠들었을 때 홀로 피었다가 남들이 싹을 틔우고 꽃을 피우는 봄이면 땅속에서 휴식을 취하는 것이랍니다.

복수초의 전설을 듣고 나면 한 가지 의문이 생겨나는데 그것은 다름 아닌 꽃의 색깔입니다. 아도니스의 피가 꽃이 되었다면 붉은 빛이어야 하는데 노란 꽃의 복수초라니요. 한데 신화의 무대가 된 유럽에는 붉은 빛의 복수초가 있다고 합니다. 복수초의 종류는 대략 20여 가지가 넘는 것으로 알려져 있는데 학자들이 구분해 놓은 것을 보면 복수초, 개복수초, 세복수초 이 세 가지 정도만 알면 될 것도 같습니다.

꽃이 귀한 시기에 홀로 피어나는 희귀성 때문에 많은 사람들이 눈에 보이는 대로 채취하여 마당에 옮겨 심는 까닭으로 가까운 산에서는 복수초를 만나는 일이 점점 더 어려워지고 있습니다. 복수초는 미나리 아재비과에 속하는 여러해살이풀이라 꽃을 만난 곳을 한 번만 기억해 두면 해마다 그 곳에 가면 예쁜 꽃을 볼 수 있을 테니 굳이 그럴 필요가 없을 텐데 말입니다.

저는 꽃을 보러 다니면서 나만의 야생화 지도를 가지고 있습니다. 수첩 속에 꽃을 만난 날과 장소, 그리고 그 날의 날씨와 꽃 모양이나 색깔 같은 간단한 메모를 해두는 것이지요. 그리하면 철따라 피는 꽃을 시기에 맞추어 그 장소를 찾아가면 만날 수 있기 때문입니다.

제대로 된 꽃의 완상법은 꽃과 눈높이를 맞추고 꽃과 동등한 위치에서 바라보는 것입니다. '영원한 행복'이란 복수초의 꽃말처럼 언제나 행복한 나날이시길 빕니다.

혹시 불 끄는 게
두려우세요?
– 삼지구엽초

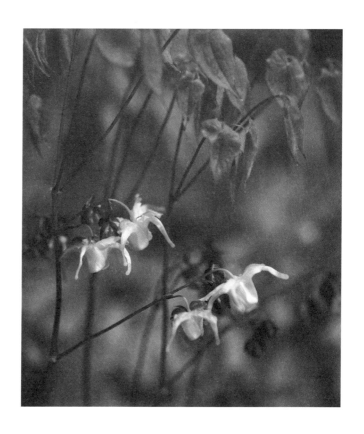

잠자리에 들어 불 끄는 게 두려워진다면 삼지구엽초로 담근
선령비주 한 잔씩 하고 잠자리에 드세요. 변강쇠처럼 장승이
라도 뽑아들 만큼 힘이 솟구칠지도 모르니….

삼지구엽초에 관한 옛날 얘기 두 토막.

옛날 중국의 사천지방에 한 목동이 살았는데 어느 날 양떼를 몰고 산으로 올라갔다가 숫양 한 마리가 암양과 연애하는 것을 지켜보았는데 무려 백 번을 하고도 지치는 기색이 없었습니다.

목동이 이상타 싶어 그 바람둥이 숫양의 행동을 유심히 살펴보았더니 한 번 연애를 하고 난 뒤에는 산기슭으로 올라가 어떤 풀을 열심히 뜯어먹고는 기운을 차려 내려오는 것이었습니다. 목동이 그 양이 먹던 풀을 뜯어 먹어 보니 허기도 들지 않고 힘이 넘쳐났습니다.

그리하여 삼지구엽초는 뒷날 음탕한 양이 먹는 풀이라 해서 '음양곽(淫羊藿)'이라 불리게 되었다고 합니다,

옛날 어느 마을에 칠순이 가까운 노인이 있었는데 어느 날 산에 나무를 하러갔다가 처음 보는 풀을 발견하여 뜯어먹었더니 갑자기 성욕이 발동하여 주체할 수 없었습니다. 노인은 짚고 있던 지팡이를 내팽개치고 부랴부랴 집으로 돌아와 아내를 껴안았습니다. 그리하여 삼지구엽초엔 지팡이를 내던지게 한 풀이라 하여 '방장초'라고 불렸습니다.

삼지구엽초는 키가 30~40cm쯤 자라는 여러해살이풀로 한줄기에서 가지가 세 갈래로 뻗고 거기에 잎이 세 장씩 돋아 잎이 모 두 아홉 장이 된다하여 '삼지구엽초(三枝九葉草)'라 하는데 '음양곽, 방장초' 외에도 '선령비, 천량금, 강전, 팔파리, 기장초' 등 여러 이름을 지니고 있습니다.

5월에 노란색 꽃이 피고 여름철에 잎이 무성하게 자랍니다. 우리나라의 강원도, 경기도, 그리고 북한지방의 깊은 산속 나무그늘 밑에서 자라며 옛날이야기에서 보듯 삼지구엽초는 정력을 세게 하며 음위를 치료하고 불임증을 고치며 치매를 예방하는 풀로 이름이 높습니다. 삼지구엽초로 담근 술은 '선령비주'라 하여 으뜸가는 강정약술로 꼽습니다. 머리카락이 빠지고 다리에 힘이 없으며 꿈이 많을 때 삼지구엽초를 먹으면 효험이 크다는데 술로 담가서 먹는 것이 가장 효험이 좋다고 합니다.

잠자리에 들어 불 끄는 게 두려워진다면 삼지구엽초로 담근 선령비주 한 잔씩 하고 잠자리에 드세요. 변강쇠처럼 장승이라도 뽑아들 만큼 힘이 솟구칠지도 모르니….

나팔꽃처럼
환하게,
부시게

나팔꽃처럼 세상을 향해 환희에 찬 기쁨의 나팔소리 내어보
세요. 나팔꽃처럼 꽃의 중심으로 들어갈수록 눈부신 그대이
기를.

나팔꽃

강해림

지상의 모든 길들은 초행길입니다
내 순결한 혈흔이 찍히기 전까지는

세상은 바지랑대 길이만큼의 길만 내게 보여주셨으므로
감히 허공의 길 넘보게 되었을까요

벼랑 끝, 발을 헛디뎠을 때의 아찔함
순간의 어떤 섬광 하나가 정신을 번쩍 들게 하고
난 주저하지 않고
허공인 몸의 길 따라 줄기를 뻗었답니다

사지를 친친 감으며 더듬어갈 때
몸속 깊은 곳에서 어둠의 수액이 퐁퐁 솟아나오고
흰빛, 자주빛, 붉은빛
비명처럼 터져나오는 내 안의 묵음(默音)들

눈물까지 찔끔거릴 뻔했지만
기쁨은 언제나
아침이슬처럼 잠시 머물렀다가 떠나는 거라고
말을 내뱉듯
까맣게 잘 여문 씨앗 하나
툭, 떨어져
환한 소리, 외길로 떼구르 굴러갑니다

날마다 비가 와서, 비에 젖은 발들이 마음속으로 걸어 들어와서 마음 안팎이 눅눅해지는 요즘 나팔꽃처럼 환하게 웃으세요. 나팔꽃처럼 세상을 향해 환희에 찬 기쁨의 나팔소리 내어보세요. 나팔꽃처럼 꽃의 중심으로 들어갈수록 눈부신 그대이기를.

꽃보다 그녀,
아카시아의 추억

사람이나 꽃나무나 저마다 타고난 몫이 있고 살아야 할 이
유가 있고 베풀 수 있는 무언가가 있습니다.

아카시아 꽃향기

내 안 깊숙이
바람이 들어차서
자꾸만 어디론가 떠나고 싶어지는 날
정처 없이 길을 나섰다가
향기로운 그 숲에 닿았습니다.
숲 그늘 속
뻐꾸기 울음소리에
까닭도 없이 목마른 시절
간신히 참았던 울음보 터지듯
아카시아 흐드러지게 피었습니다.
벌들의 날갯짓 소란스러운
흰 꽃그늘에 앉아
아카시아 향기에 그을리는 동안
무작정 그대가 사무치게 그리워졌습니다.
아무리 깊은 숨을 쉬어도
그리움의 허기는 채워지지 않고
아카시아 흰 꽃만 머리 위로
내 어깨 위로 하염없이 떨어져 내렸습니다.

세상에 피어나는 꽃 중에는 꽃빛으로 먼저 다가오는 꽃이 있는가 하면 향기가 먼저 와서 자신의 존재를 일깨우는 꽃이 있습니다. 아카시아는 후자 쪽에 속하는 꽃이라 할 수 있습니다. 지난 며칠 비오고 바람 사납더니 오늘은 한바탕 울음을 쏟아낸 사람처럼 햇살이 눈부신 아침입니다.

부신 햇살이 따갑게 느껴질 즈음 숲길로 들어서면 콧등을 훅 하고 스치던 맑은 꽃향기. 고개를 들면 키가 껑충한 아카시아 나무가 밥풀 같은 꽃송이를 가득 피워 달고 이웃집 키다리 아저씨처럼 나를 내려다보던 기억들.

유년의 기억 속에 들어 있는 아카시아껌과 그 껌보다 더 그윽하게 내 마음을 사로잡았던 아카시아껌의 광고모델이었던 정윤희를 떠올리게 하는 꽃, 아카시아. 이 꽃을 보면 주돈이의 애련설(愛蓮說)에 나오는 향원익청(香遠益淸)을 제일 먼저 생각하곤 합니다. 향기는 멀리 갈수록 그 맑은 기운을 더한다는 주돈이의 말은 연꽃을 두고 한 이야기이지만 아카시아 꽃을 위한 헌사로도 썩 잘 어울리는 말이 아닐까 싶습니다.

우리가 아카시아라고 부르는 이 꽃나무는 실은 '아까시나무'라고 합니다. 진짜 아카시아는 아프리카나 오스트레일리아 등지에 자라는 열대성 관목으로 기린이 가장 좋아하는 먹잇감 중의 하나라고 합니다. 아주 어렸을 때부터 아카시아라고 불렸던 것을 새삼스레 아까시라고 부르려니 짜장면을 자장면이라 하는 것만큼이나 어색하고 심심한 게 사실입니다.

언젠가 내셔널지오그래픽에서 본 기린과 아카시아에 관한 재미난 이야기가 하나 생각납니다. 기린은 아카시아 잎을 뜯을 때 한 나무에서 오 분 이상 머물지 않는다고 합니다. 그 까닭은 아카시아 나무가 기린의 공격을 받으면 몸속에서 독소를 만들어 잎으로 보내기 때문에 입이 써서 더 이상 먹을 수 없기 때문이랍니다. 어느 곳에나 한 번 뿌리를 내리면 죽을 때까지 제자리를 지키고 서 있어 아무런 생각도 없을 것만 같은데 아카시아 나무에게 그런 면이 있다는 게 놀랍지 않습니까?

아카시아, 아니 아까시나무는 삶에 대한 의지가 대단한 나무입니다. 대부분의 가시를 지닌 나무들이 그렇지만 아까시나무는 베어내면 베어 낼수록 옆으로 뿌리를 뻗으며 더욱 억세고 날카로운 가시를 세우며 가시덤불을 만듭니다. 군 복무 시절, 비무장 지대 내의 사계청소를 위해서 아까시나무 벌목작업을 했던 적이 있는데 우리는 그 나무를 해마다 베어내는 게 귀찮아서 나무를 베어내고 나무 그루터기에 폐유를 들이붓는 악행까지 저지르기도 했습니다.

아메리카가 고향인 아까시나무가 우리나라에 제일 먼저 심어진 곳은 경인철로변의 절개지였다고 합니다. 개항과 더불어 들어온 아까시나무는 이후 산림녹화를 위하여 널리 심어져 해마다 이맘때쯤이면 전국 어디를 가나 아카시아 꽃향기를 쉽게 만날 수 있습니다. 아까시나무는 생장이 빠르고 콩과식물의 특성인 질소를 고정시키는 뿌리혹이 있어서 척박한 토양에서도 잘 자라는 나무입니다. 한때 우리의 민둥산을 푸르게 만드는데 한 몫을 단단히 한 수종이지만 지금은 다른 나무를 자라지 못하게 하고 가시덤불로 숲을 망쳐 놓는 숲의 천덕꾸러기가 되어버린 곡절 많은 나무이기도 합니다.

하여도 아카시아-아까시나무라고 부르면 웬지 어색해서요.-는 그윽하고 맑은 향기로 봄과 여름의 틈을 가득 채우는 아름다운 꽃나무임에 틀림없습니다. 뿐만 아니라 먹어도 먹어도 허천나던 유년 시절, 하굣길에 허기를 달래주던 꽃이었고 나무 그늘 아래 친구들과 이파리를 떼어내는 놀이를 하던 추억이 서린 나무입니다. 이제 벌을 치는 사람들이 트럭 가득 벌통을 싣고 와서는 아카시아 숲 근처에 벌통을 내려놓으면 한동안 아카시아 숲은 벌들의 날갯짓 소리로 부산해질 것 같습니다. 사람이나 꽃나무나 저마다 타고난 몫이 있고 살아야 할 이유가 있고 베풀 수 있는 무언가가 있습니다. 아카시아 맑은 향기가 그대 계신 그곳까지 전해지길 빌며 오늘 꽃편지에 마침표를 찍습니다.

뿌리는 쓰나
그 꽃은 곱다
- 구슬붕이

세상의 모든 목숨 가진 것들은 저마다 귀하디귀
한 존재입니다. 굳이 남의 눈에 띄어야만 자신의
존재감을 느끼는 삶처럼 어리석은 삶도 없을 것
입니다.

참으로 오랜만에 들꽃편지를 띄웁니다.

그동안 두 눈 질끈 감고 지낸 것도 아니었는데 내 안에 스민 세상의 냉기가 너무 독했던 것일까요? 아니면 내 마음밭에 너무 때가 타서 착하디 착한 꽃들의 이름을 부르는 일이 너무 염치가 없어서였을까요? 한동안 부르지 못한 꽃들의 이름을 소꿉친구 호명하듯 하나씩 불러보려니 괜스레 목이 멥니다. 내가 이름 불러주지 않아도, 내가 눈길 주지 않아도 철 따라 피고 졌을 고운 이름들. 지금도 어느 들판 어느 골짜기에선 또 새로운 꽃들이 피어나고 있을 테지요.

충북 영동으로 과일꽃을 보러 다녀왔습니다. 나즈막한 구릉을 따라 끝없이 펼쳐진 배꽃과 복사꽃 물결에 취해 어질머리가 돌 지경이었습니다. 화려한 꽃물결에 떠밀리듯 바쁘게 영동의 이 곳 저 곳을 돌아다니다 민주지산 휴양림에서 일박을 하고 이른 아침 홀로 산길을 걸었습니다. 먼 길을 갈 때는 동행이 있는 게 좋지만 잠시 잠깐 산책을 할 때엔 홀로 걷는 것이 홀가분하고 이런 저런 생각도 할 수 있어 행복합니다. 반쯤은 저버린 산벚꽃과 꽃을 떨어뜨리기 시작한 진달래를 아쉬워하며 산길을 내려오는데 길섶의 작은 제비꽃이 눈에 들어왔습니다.

마른 가랑잎 사이로 꽃대를 내어 밀고 세상을 엿보기라도 하려는 듯 이제 막 꽃잎을 펼치기 시작한 제비꽃이 너무 앙증맞게 귀여워서 염치 불구하고 카메라를 들이댔습니다. 부끄럼을 타는 듯이 바람에 가녀린 꽃대를 살랑살랑 흔드는 제비꽃을 카메라에 담고 자리를 뜨며 '그래, 네가 거기 있다는 걸 잊지 않으마!' 하고 마음속으로 약속을 했습니다. 화려한 꽃빛에 취하면 작은 꽃들은 쉽게 지나치는 게 인지상정(人之常情)입니다. 하지만 우리가 지나치든, 보아주든 간에 꽃들은 늘 제 자리에서 세상의 하늘을 받쳐 들고 피어납니다.

여행의 말미에는 난계 박연 선생이 대금을 불어 새들을 불러 모았다는 옥계폭포를 찾아 가던 길에 봄구슬붕이를 만났습니다. 야생화를 찾아다닌 지 십년이 다 되어 가는데도 아직 저는 구슬붕이와 용담꽃을 잘 구분하지 못합니다. 세심하지 못한 성격 탓도 있고 꽃의 이름을 꿰는 것으로 꽃에 대해 아는 척 하는 게 어쭙잖은 일 같아 일부러 소홀히 했던 탓입니다. 꽃들의 이름을 열심히 배워가다가 어디쯤에선가 그게 참 부질없는 짓이란 생각이 들었거든요. 그저 꽃의 아름다움을 제대로 완상하면 될 일이지 그 종을 나누고 꽃들을 분류하는 것은 식물학자들의 몫일 테니 말입니다.

하여도 이렇게 애매모호한 녀석을 만나면 갑갑증이 이는 게 사실입니다. 봄구슬붕이는 큰구슬붕이, 좀구슬붕이와 한 집안인데 세 녀석을 한데 모아두어도 어지간히 꽃에 눈이 밝은 사람 아니면 그것들을 구분해내기란 쉽지 않을 것입니다. 그저 봄에 피니 봄구슬붕이려니 하는 게 속 편하지요. 용담과에 속하는 구슬붕이는 연보랏빛 파스텔 톤의 꽃빛이 매혹적이지만 꽃의 크기가 작아서 화려한 산도화나 산벚꽃에 눈이 홀린 사람의 눈엔 잘 띄지 않는 꽃이기도 합니다. 하지만 작은 꽃이라 하여 그 꽃이 담고 있는 세계 또한 작은 것은 아닙니다. 그래서 어느 시인은 꽃이 피는 것은 한 우주가 열리는 일이라고도 했습니다.

우리가 가장 쓰다고 알고 있는 게 곰의 쓸개 '웅담(熊膽)'입니다. 그 웅담보다 더 쓴 것이 있다면 그것은 무엇일까요? 옛사람들은 상상력이 뛰어나서 용이란 상상의 동물을 마음속에 그려 지녔습니다. 그래서 곰의 쓸개보다 더 쓴 것이라면 당연히 용의 쓸개일 거라 생각했는지 '용담(龍膽)'이란 이름을 생각해냈습니다. 약재로도 쓰이는 용담은 그 뿌리의 쓰기가 상상을 초월할 정도라고 합니다. 그러니 용담과에 속하는 봄구슬붕이의 뿌리도 그 쓰기가 만만치 않을 것은 자명한 일이겠지요?

제 아무리 작은 꽃이라도 저마다 소명을 지니고 이 땅에 피어납니다. 누가 보아주거나 말거나 꽃들은 제 생체시계바늘이 가리키는 데에 맞추어 꽃 피고 열매 맺습니다. 남의 시선을 의식하느라 자신을 놓치고 사는 일이 비일비재한 우리와는 딴판이지요. 세상의 모든 목숨 가진 것들은 저마다 귀하디귀한 존재입니다. 군이 남의 눈에 띄어야만 자신의 존재감을 느끼는 삶처럼 어리석은 삶도 없을 것입니다. 꽃빛이 하 고와서 그 뿌리의 쓴맛을 느끼고픈 호기심을 억누르고 구슬붕이꽃을 떠나왔지만 입 안엔 용담의 뿌리를 씹은 듯 자꾸만 쓴 물이 고여 왔습니다. '인내는 쓰다, 그러나 그 열매는 달다'고 한 말을 살짝 바꾸어 보았습니다.

"구슬붕이의 뿌리는 쓰다, 그러나 그 꽃은 곱다."라고.

아버지 무덤가에
솜방망이꽃

꽃 속 깊이 꿀을 감추고 날벌레를 유혹하는 솜방망이에게나
그 꿀을 맛보려고 부지런히 날갯짓을 해대며 꽃 주위를 맴
도는 꽃등애에게나 사는 일은 치열하지 않은 게 없습니다.

꽃을 만나는 순간은 언제나 설렘의 순간이지만, 늦은 봄날의 오후 고향 선산 아버지 산소 곁에서 이 꽃을 만나는 기쁨은 각별합니다.

'솜방망이'

이름은 다소 생뚱맞은 느낌이지만, 봄날에 드물게 만나지는 국화과의 꽃이라 반갑기 그지없습니다. '구설초, 풀솜나물'이란 이름도 지닌 이 꽃은 줄기에 거미줄 같은 흰색의 솜털이 빽빽하게 나 있어 솜방망이란 이름이 붙은 연유를 짐작케 합니다.

사진을 찍으려고 카메라를 들이대는데, 꽃등애 한 마리가 꽃 주위에 떠서 자꾸 신경을 건드렸습니다. 꿀벌이 1초에 190여 회의 날갯짓을 한다니 꿀벌보다 덩치가 작은 저 꽃등애는 그 곱절 이상으로 더 많은 날갯짓을 해야만 허공에 떠 있을 수 있을 것입니다.

그래서인지 모기소리처럼 진음은 들리는데 날개는 보이지 않습니다. 꽃 속 깊이 꿀을 감추고 날벌레를 유혹하는 솜방망이에게나 그 꿀을 맛보려고 부지런히 날갯짓을 해대며 꽃 주위를 맴도는 꽃등애에게나 사는 일은 치열하지 않은 게 없습니다.

선산에 누워 계신 아버지도 저 꽃을 보고 계실까요? 태어나서 세상을 뜨실 때까지 한 번도 고향을 떠난 적 없으시던 제 아버지는 고향의 산과 들에 철 따라 피고 지는 꽃들을 한 눈에 꿰고 사셨습니다. 꽃들이 피고 지는 것을 살피며 농사의 때를 가늠하기도 하셨고, 꽃이 피는 모양새를 보아 그해 농사의 작황을 예측하기도 하셨습니다.

그런 아버지에게 저 솜방망이꽃은 어떤 의미였을까요?

한 여자를
사랑한 세 남자

세 남자의 사랑을 모두 받고 싶었던 여인의 넋이
꽃으로 핀 튜울립엔 세 남자의 모습이 서려 있습
니다. 꽃송이엔 왕관을 쓴 왕자의 모습이, 잎에는
칼을 든 용감한 기사의 모습이, 황금빛 알뿌리엔
돈 많은 부자의 모습이 들어 있습니다.

한 여자를 사랑한 세 남자가 있었습니다. 한 남자는 절대 권력을 쥔 왕자였고, 다른 한 남자는 명예를 중시하는 용감한 기사, 그리고 또 다른 남자는 엄청난 부를 지닌 상인이었습니다.

돈과 명예와 권력, 한 남자가 이 세 가지를 모두 갖추었다면 더 이상 바랄 게 없는 킹카 중에 킹카였겠지만 이 세 남자는 세 가지 중에 한 가지씩만 갖추고 있었습니다.

세 남자로부터 청혼을 받은 여자는 어느 한 쪽을 선택할 수도, 포기할 수도 없어 쉽게 결정하지 못하고 속앓이를 할 수밖에 없었습니다. 누구라도 그 입장이 되면 쉽게 결정을 내리긴 어렵겠지요?

저마다 결혼할 꿈을 키워가던 남자들은 여자가 어느 한 쪽도 포기하지 못하고 서로를 저울질 하고 있다는 것을 알아차리곤 모두 등 돌려 여자를 떠나갔습니다.

세 남자의 사랑을 받다가 세 남자로부터 모두 버림받은 여자는 상심한 끝에 마음의 병을 얻어 그만 세상을 뜨고 말았습니다. 세 남자의 사랑을 모두 받고 싶었던 여인의 넋이 꽃으로 핀 '튜울립'엔 세 남자의 모습이 서려 있습니다. 꽃송이엔 왕관을 쓴 왕자의 모습이, 잎에는 칼을 든 용감한 기사의 모습이, 황금빛 알뿌리엔 돈 많은 부자의 모습이 들어 있습니다.

하나를 취하면 하나를 내려놓아야 하는 게 세상의 이치이고 인생은 끊임없는 선택의 연속입니다. 욕심이 지나치면 모든 것을 잃을 수도 있는 법, 튤립의 전설 속에도 인생의 교훈이 숨겨져 있습니다.

'사랑의 고백'이란 꽃말을 지닌 튤립은 사랑을 전할 때 건네기에 더 없이 좋은 꽃입니다. 그렇다고 아무 색깔의 꽃을 건네서는 곤란합니다. 꽃의 색깔에 따라 그 의미가 다르기 때문입니다.

빨간색 꽃은 '사랑의 고백'을 뜻하지만, 노란 색 꽃은 이루어질 수 없는 사랑이란 의미를 담고 있으며, 흰색의 꽃은 '실연'을 뜻하고 보라색 꽃은 '영원한 사랑'이란 의미입니다.

이 좋은 봄날. 빨간색 튤립을 들고 짝사랑 하는 여인을 찾아가거나 사랑하는 아내에게 보라색 튤립을 한 아름 안겨주시길….

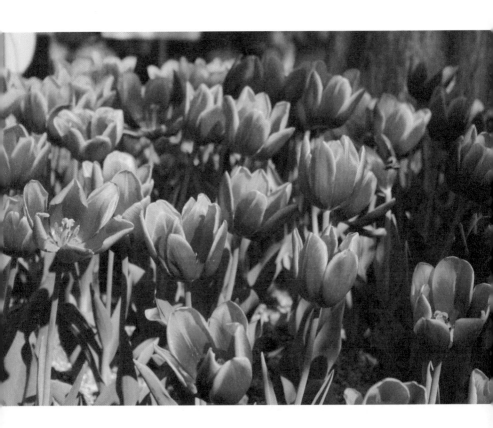

하인즈워드와
미스김라일락

미러가 겨울 산에서 찾아낸 나무의 씨앗은
바로 수수꽃다리의 일종인 털개회나무의
종자였고 그는 이 종자에 당시 자신을 도
와주던 한국인 타자수의 성을 따서 미스김
이란 이름을 붙여주었습니다.

"어머니의 땅에 와 기쁘다"

몇 해 전, 미국 미식축구리그(NFL) 슈퍼보울에서 MVP에 선정돼 조명을 받은 하인스 워드 (Hines Ward) 선수가 어머니 김영희 씨와 함께 인천국제공항을 통해 귀국하며 밝힌 첫 소감입니다. 29년 전, 어머니의 품에 안겨 한국을 떠났던 갓난아기가 슈퍼볼의 영웅이 되어 다시 고국 땅을 밟는 것을 뉴스를 통해 지켜보며 나는 우리의 꽃 '미스김라일락'을 떠올렸드랬습니다.

1년 중에 햇살이 가장 아름다운 5월이 되면 연보랏빛 꽃망울을 터뜨려 맑은 향기로 허공을 가득 채우는 꽃이 라일락. 라일락은 순 우리말인 '수수꽃다리'의 영어식 이름이고 '정향나무'는 중국식 이름인 셈입니다. 그 외에도 수수꽃다리 속에 속하는 나무로는 개회나무, 털개회나무 등 여러 종류가 있는데 그 중에도 서구인들에게 사랑받는 미스김라일락엔 아주 특별한 사연이 들어 있습니다.

해방 직후인 1947년 미군정청 소속의 식물채집가였던 미러라는 사람이 북한산 백운대 근처 바위틈에서 홀로 자라고 있는 한 나무를 발견하고 그 나무 곁에서 바람에 날아가지 않은 종자 몇 개를 찾아냈습니다. 미러가 겨울 산에서 찾아낸 나무의 씨앗은 바로 수수꽃다리의 일종인 털개회나무의 종자였고 그는 이 종자에 당시 자신을 도와주던 한국인 타자수의 성을 따서 미스김이란 이름을 붙여주었습니다. 가져간 12개의 종자 중에 7개가 싹을 틔워 그 중 2개가 지금 세계의 화훼시장을 휩쓸고 있는 '미스김라일락'이 되었다고 합니다.

미스김라일락이 인기 있는 이유는 처음 꽃봉오리가 맺힐 때는 진보라색을 띠다가 봉오리가 열리면서 라벤더 색으로 점차 변하여 만개했을 때는 백옥같이 흰색이 되어 짙고 그윽한 향기를 뿜어내기 때문입니다. 뿐만 아니라 내한성도 강해서 혹한에도 잘 견디며 키도 어른 키를 넘지 않을 정도로 알맞게 크고 잎도 작아서 관상용으로 안성맞춤이라 라일락 중의 여왕으로 대접받기에 부족함이 없는 꽃나무입니다.

우리가 무심한 사이, 우리의 소중한 자원들이 해외로 빠져나가 지금은 오히려 역수입되고 있다고 하니 생각하면 마음이 착잡해질 수 밖에 없습니다. 29년 만에 돌아온 하인즈 워즈와 그의 어머니를 지켜보는 눈길이 자꾸 흐려지는 것은 미스김라일락을 바라볼 때처럼 가슴 한편이 아리는 것은 어쩔 수가 없습니다.

오늘은 가슴으로 낳은 사랑인 '입양의 날'

미스김라일락의 향기가 싸아하게 가슴을 저며옵니다.

선녀의
옥비녀를
보셨나요?
– 옥잠화

비 버리는 날 물방울을 가득 매달고 있는
옥잠화 꽃봉오리를 보고 있으면 정말 선
녀의 옥비녀를 꼭 닮았습니다.

아득한 옛날. 중국 어느 마을에 피리를 기막히게 부는 악공이 한 명 살았습니다. 어느 달 밝은 밤에 여느 날과 같이 피리를 불고 있는데 홀연히 하늘에서 선녀가 내려와 옥황상제의 따님이 방금 당신이 연주한 곡을 다시 듣고 싶어 하시니 한 번 더 연주를 해달라고 부탁을 하였습니다. 악공은 정성을 다해 다시 피리를 불었고 선녀는 고마움에 대한 답례로 자신이 꽂고 있던 옥비녀를 악공에게 건네주었습니다. 그러나 선녀가 건넨 옥비녀는 악공의 손을 스치면서 그대로 땅바닥에 떨어져 깨어지고 말았습니다. 선녀는 이미 하늘로 올라간 뒤였고 악공은 후회막급이었지만 어쩔 도리가 없었습니다. 한데 얼마 후에 그 옥비녀 떨어진 자리에 선녀가 건네주었던 옥비녀를 쏙 빼닮은 꽃이 피어났습니다. 그 꽃이 바로 옥잠화(玉簪花), 옥비녀꽃입니다.

꽃의 전설이 중국에서 비롯된 것처럼 옥잠화는 중국이 고향인 백합과의 여러해살이 화초입니다. 잦은 비에 꽃구경이 쉽지 않은 우기에 여름 뜨락을 환하게 밝히는 어여쁜 꽃입니다. 비 내리는 날 물방울을 가득 매달고 있는 옥잠화 꽃봉오리를 보고 있으면 정말 선녀의 옥비녀를 꼭 닮았습니다.

얼마 전에 초등학교 교감으로 계신 무림 선생께서 옥잠화와 비비추가 자꾸 헷갈린다시며 그 구별법을 물어 오신 적이 있는데 가장 손쉬운 구별법은 꽃의 색깔입니다. 비비추는 꽃이 보라색인 반면에 옥잠화는 그 이름처럼 꽃빛이 백옥을 닮은 흰색이니까요. 꽃의 크기도 옥잠화가 비비추에 비해 훨씬 크고 꽃 피는 시기도 비비추는 7월부터, 옥잠화는 8월에 피어 옥잠화가 조금 늦습니다.

오늘도 날씨 흐리어 궂은비 내릴 것 같은 아침입니다. 하루를 시작하기 전 뜰로 나가 옥잠화 맑은 향기를 큰 숨으로 들이키고 꽃처럼 환한 하루를 시작하시면 어떨까요?

호랑이
부채를 빌려
더위라도 식혀볼까
- 범부채

붓꽃과에 속하는 범부채의 이름은 꽃잎에 찍힌 호랑반점과 합
죽선을 반쯤 펼친 듯한 잎 모양에서 생겨났습니다.

장마가 물러가면서 찾아든 무더위가 복날 이름값이라도 하는 것인지 조금만 몸을 움직여도 땀이 비 오듯 합니다. 마음 같아선 초록이 뚝뚝 듣는 숲 그늘 속으로 들어가 맑은 계곡물에 탁족이나 하면서 잘 익은 수박이나 쪼개어 먹으며 시집이나 뒤적이면 싶지만 나를 둘러싼 현실은 그리 녹록치 않아 그런 바람은 그저 잠시 꿈꾸어 보는 것으로 만족해야만 합니다.

이렇게 더위가 기승을 부릴 무렵 여섯 장의 호랑반점이 찍힌 황적색의 꽃잎을 펼쳐 들고 우리의 눈길을 잡아끄는 꽃이 있으니 '범부채'가 바로 그 주인공입니다.

붓꽃과에 속하는 범부채의 이름은 꽃잎에 찍힌 호랑반점과 합죽선을 반쯤 펼친 듯한 잎 모양에서 생겨났습니다. 꽃이 피기 전까지는 붓꽃과 잎 모양이 비슷해서 구별하기 쉽지 않습니다.

옛 선비들이 즐겨 쓰던 합죽선을 생각하면 임재의 시가 제일 먼저 떠오릅니다. 평안도 감찰사로 부임해 가던 중에 송도의 명기인 황진이를 찾았다가 이미 그녀가 저 세상 사람이 된 것을 알고 안타까운 마음에 자신이 지니고 있던 부채를 펼쳐 추모시를 적었다는 조선의 멋쟁이 임재.

훗날 합죽선에 적은 이 시는 임재가 벼슬을 내놓게 되는 빌미가 되기도 했습니다.

덥다고 엄마 치맛자락을 놓지 못하는 어린애처럼 에어컨이나 선풍기 곁만 맴돌기보다는 훌쩍 집을 나서 초록의 숲을 찾아가 호랑이부채(범부채)를 만나보는 일도 더위를 이기는 근사한 방법이 아닐까 싶습니다.

모두 건강한 여름 보내시길 빕니다.

청초 우거진 골에 자는다 누웠는다
홍안은 어디 두고 백골만 묻혔는다
잔 잡아 권할 이 없으니 그를 슬퍼 하노라

둥근잎
유홍초의
매혹

주인이 떠나면서 베어 버린 벚나무 죽은 등걸을 타고 유홍초와 환삼덩굴이
뒤엉켜 우거진 덤불 속에 선홍빛 나팔을 불어대는 녀석들, 떠나간 주인을
향해 돌아오라고 소리라도 치고 싶은 걸까요? 그 여린 나팔소리가 아침을
붉게 물들이고 있었습니다.

아랫마을로 담배 사러 가는 길에 문 닫은 목장 근처에서 요 예쁜 녀석을 만났습니다. 사람이 떠난 지 오래여서 폐허가 되어 버린 빈 목장 덤불 위로 저마다 작은 나팔을 불어대는 앙증맞도록 귀엽고 이쁜 녀석들. 흔하게 보이는 이파리가 새의 깃털을 닮은 새깃유홍초와는 달리 하트 모양을 한 '둥근잎 유홍초'입니다.

주인이 떠나면서 베어 버린 벚나무 죽은 등걸을 타고 유홍초와 환삼덩굴이 뒤엉켜 우거진 덤불 속에 선홍빛 나팔을 불어대는 녀석들, 떠나간 주인을 향해 돌아오라고 소리라도 치고 싶은 걸까요? 그 여린 나팔소리가 아침을 붉게 물들이고 있었습니다.

몇 해 전엔가, 어렵게 이 유홍초의 씨앗을 받아두었다가 고향집 화단에 뿌린 적이 있었습니다. 덩굴이 번져 발코니의 난간을 타고 오르는 모습이 제법 보기 좋았는데 그 후에 다시 집에 갔더니 유홍초가 보이질 않았습니다. 어머니께 여쭸더니 덩굴만 성하고 꽃도 피우지 않아 넝쿨을 몽땅 걷어 버리셨다 해서 많이 서운했던 적이 있습니다.

처음엔 어머니를 탓하였다가 열대 아메리카가 고향인 둥근잎 유홍초가 낯선 식물이다 보니 그럴 수도 있겠구나 싶어서 아쉬운 마음을 접었더랬습니다.

한 여름 덩굴만 무성히 키우다가 꽃들이 귀해지는 가을 들머리에 요염한 자태로 나팔을 부는 둥근잎 유홍초. 녀석들을 가만히 보고 있으면 지난여름의 더위쯤은 간단히 잊어버리게 됩니다. 보면 볼수록 마음을 끌어당기는 매혹의 꽃입니다. 꽃이 지면 기다렸다가 씨앗을 받아 다시 우리집 화단에 뿌려야겠습니다.

아침마다 녀석들의 기상나팔소리를 들으며 잠에서 깨어나면 아침이 얼마나 상쾌하겠습니까?

구절초
피는 뜻은

오월 단오에는 다섯 마디가 되고 구월이 되면 아홉
마디가 되어 구절초란 말도 있지만 나는 아홉 번 죽
었다 다시 피어나도 첫 모습 그대로 피어서 구절초
란 이야길 더 좋아합니다.

마침내 9월입니다. 은빛 햇살이 퍼지는 아침 뜨락에서 한 송이 흰 구절초꽃 앞에 앉아 그대를 생각하는 동안 마음자리 어지럽히던 소소한 일상들이 안개에 가려 지워지고 오롯이 구절초로 피어난 그대를 만납니다. 이제 하늘은 우물 안만큼이나 아득해지고 푸른 하늘을 배경으로 구절초 더욱 희게 눈부실 것입니다.

오월 단오에는 다섯 마디가 되고 구월이 되면 아홉 마디가 되어 구절초란 말도 있지만 나는 아홉 번 죽었다 다시 피어나도 첫 모습 그대로 피어서 구절초란 이야길 더 좋아합니다.

신이 세상의 꽃들을 만들 때 마지막에 만든 꽃이 '국화'라는데 그 말이 진실이라면 국화과의 수많은 꽃 중에서도 가장 마지막으로 만든 꽃이 구절초가 아닐까 싶습니다.

'선모초(仙母草)'란 별칭도 지닌 구절초는 '어머니의 사랑'이란 꽃말처럼 신을 대신해 이 세상을 보살피는 어머니의 따스한 사랑을 품은 꽃이기도 합니다.

그대의 향기 안에서 늘 고운 꿈을 꾸었던 것처럼 구절초 하얗게 핀 가을 들판을 걸어가면 내 안에도 은은한 꽃향기가 고스란히 배어들어 내가 향기로운 사람이 될 것 같은 아침입니다.

아홉 번 죽었다 다시 태어나도 첫 모습 그대로 피어나는 구절초처럼 그대를 사랑합니다.

보랏빛
비비추가
한창입니다

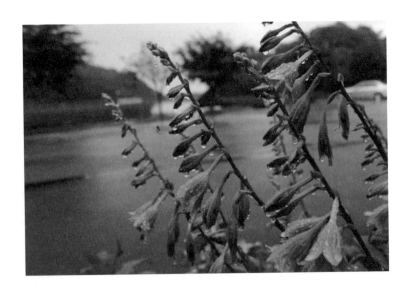

잦은 장맛비에 자주 주저앉는 마음 한 구
석 일으켜 세워 비비추처럼 세상을 환하
게 밝히고 싶습니다. 나도 비비추처럼 그
대 둘레를 싱싱한 푸르름으로 채우고 싶
어집니다.

낚시터 일을 시작한 뒤론 꽃 한 송이 보는 일도 쉽지
않습니다. 날마다 새벽부터 늦은 밤까지 낚시꾼들과
어울려 지내다 보니 하루하루가 전쟁을 치르듯 숨 가
쁘기만 합니다. 어느 한 가지에 열중하면 다른 하나
는 소홀할 수밖에 없는 게 세상 이치겠지요.

사는 일이 다 그런 것인 줄 알면서도 물 위에 떠다
니는 꽃잎을 보면 그래도 너무 무심한 게 아닌가 싶어 꽃들에게 슬며
시 미안한 생각이 들곤 합니다.

봄날 꽃비가 되어 수면 위로 내려앉던 벚꽃을 시작으로 찔레꽃, 아카
시아, 그리고 밤꽃까지 물결 따라 이리저리 떠밀리는 것을 보면서 잠시
시절을 생각하곤 했던 게 고작이니 말입니다.

지금 낚시터의 매점 앞엔 보랏빛 비비추가 한창입니다. 중국이 원산
지인 옥잠화를 닮았지만 비비추는 순백의 옥잠화와는 달리 보랏빛이
매혹적인 꽃이지요. '장병옥잠(長柄玉簪)'이란 한자 이름을 우리말로 풀
면 긴 자루 옥비녀란 말이 되니 꽃 이름만으로도 꽃의 생김새를 짐작
할 만합니다.

'비비추'란 이름은 '비비 틀면서 나는 풀'이라는 뜻으로 지어진 이름
으로 여겨집니다. '비비'는 물체를 맞대어 문지른다는 뜻의 움직씨 '비
비다'에서 온 '꼬이거나 뒤틀린 모양'을 나타내는 말로서 이는 살짝 뒤
틀리듯이 올라오는 비비추의 잎 모양을 표현한 것이고 '추'는 곰취나
참취 같은 나물이름에 나타나는 '취'의 변형으로, 비비추의 옛 이름은
'비비취'였을 것으로 여겨집니다. 맥문동과 함께 여름 화단을 환하게
밝혀주는 비비추를 만나면 비에 젖어 눅눅해졌던 마음도 한순간 뽀송
뽀송해지는 듯합니다. 비비추는 산지 냇가에서 잘 자라는 풀이지만 그
리 까탈스런 꽃이 아니라 어느 곳에서나 잘 자라는 편입니다.

비비추에 얽힌 옛이야기 속에는 오래도록 쉼 없이 꽃이 피고 지는
비비추의 성질이 잘 담겨 있습니다. 아버지를 대신해 변방으로 부역을
간 '가놈'이라는 청년을 6년째 기다리던 '설녀'란 처녀는 때를 놓치기

전에 다른 곳으로 시집가라는 아버지의 재촉에, 마당에 핀 비비추 꽃이 다 질 때까지만 청년을 기다리겠다고 합니다. 그런데 비비추 꽃은 끊임없이 새 꽃봉오리를 밀어올리고 꽃을 피워냅니다. 마침내 마지막 비비추 꽃이 지기 전에 기다리던 청년이 돌아옵니다.

잦은 장맛비에 자주 주저앉는 마음 한 구석 일으켜 세워 비비추처럼 세상을 환하게 밝히고 싶습니다. 나도 비비추처럼 그대 둘레를 성성한 푸르름으로 채우고 싶어집니다.

눈 속에서
매화를 찾다

같은 매화라도 위에 적은 이야기처럼 사람의 이야기가 피어들면 그 꽃은 누군가에겐 추억의 랜드마크가 되기도 하고, 영혼의 러브마크가 되기도 합니다.

대부분의 동식물이 겨울잠을 자는 이 혹한의 겨울에 웬 매화냐고요? 엄동설한에 매화를 생각하는 일이 낯설다 하실지 모르나 거기엔 그만한 까닭이 있습니다. 겨울이라 해서 전혀 꽃이 피지 않는 것은 아닙니다. 열대나 아열대에 고향을 둔 꽃들은 제주나 남해안 같은 따뜻한 곳에선 이 겨울에도 꽃을 피우지요. 하지만 남방계 식물들이 피워내는 겨울꽃들은 우리에게 그리 큰 감동으로 다가오지 않습니다. 정작 우리를 가슴 설레게 하는 것은 눈 속에 핀 매화나 변산바람꽃, 복수초 같은 철이른 봄꽃들이지요. 그 중에도 매화는 오랜 세월을 두고 사람들로부터 사랑을 받아온 꽃이니 한겨울 꽃 편지에 가장 잘 어울리는 꽃이 아니겠습니까?

저희 집 거실엔 20여 년 전에 한 서예가로부터 선물 받은 '매경한고발청향(梅經寒苦發淸香)'이란 글씨 하나가 걸려 있습니다. '매화는 추운 겨울의 고통을 이겨내고 맑은 향기를 발한다'는 시경에 나오는 말인데 오래전부터 제가 좋아하는 말이기도 합니다. 매화는 난초, 국화, 대나무와 함께 사군자라 하여 옛 선비들로부터 사랑을 받아왔습니다. 그 중에도 매화(梅花)는 봄, 동쪽, 인(仁)을 뜻하는 4군자의 으뜸으로 쳤는데, 그것은 매화가 겨울 추위를 이기고 가장 먼저 피어 고결한 향기를 풍길 뿐만 아니라 새해를 알리는 꽃이기 때문입니다.

　　그래서 조선 중기의 유명한 학자였던 상촌 신흠 선생 같은 이는 『야언(野言)』이란 문집에 다음과 같은 유명한 시를 남기기도 했습니다.

桐千年老 恒藏曲(동천년로 항장곡)
오동은 천년을 늙어도 제 곡조를 간직하고
梅一生寒 不賣香(매일생한 불매향)
매화는 일생을 추위 속에 살아도 향기를 팔지 않는다

매화는 장미과(薔薇科 Rosaceae)에 속하는 낙엽교목으로 매실나무라고도 하는데, 키는 5m 정도 자라고, 줄기는 굵고 거칠며 검은색이나 어린가지는 초록색입니다. 꽃은 이른 봄(2~4월)에 잎보다 먼저 나와 흰색 또는 연분홍색으로 피는데 향기가 강하며, 잎겨드랑이에 한두 송이씩 달립니다. 꽃자루가 거의 없으며 5장의 꽃잎은 난형이고, 수술이 많으며 암술은 1개이나 씨방이 털로 덮여 있습니다. 열매인 매실은 핵과(核果)로, 처음에는 초록색이었다가 7월쯤이면 노란색으로 변하며 매우 신게 특징입니다.

그렇다면 꽃이 사람에게 특별해지는 때는 언제일까요?

조선 초기의 문신이자 서화가인 강희안의 양화소록(養花小錄)에 그 좋은 예가 들어 있습니다. 양화소록은 강희안이 쓴 꽃과 나무의 특성이나 품종, 재배법 등을 정리한 원예서인데 거기에 자신의 할아버지인 강회백이 심은 경남 산청의 단속사지 정당매에 관한 일화가 나옵니다.

"우리 선조 통정공이 어려서 지리산 단속사에서 책을 읽었다. 그때 절마당에 손수 매화 한 그루를 심어 놓고는 시 한수를 지었다. 공이 과거에 급제하여 여러 관직을 거쳐 정당문학의 벼슬에 올라 지금까지도 그 매화를 '정당매'라 부른다."고 그 이름을 얻은 까닭을 밝혔습니다.

이렇게 '내가 그의 이름을 불러주었을 때/그는 내게로 와서 꽃이 되었다' 한 김춘수의 시처럼 꽃이 우리에게 특별해질 때는 사람을 만나 이야기를 얻을 때가 아닌가 싶습니다.

꽃에게 말을 걸기 시작한 뒤로 꽃에 관한 전설이나 일화들을 많이 알게 되었는데 그 이야기들 속엔 한결같이 우리네 인간의 삶이 들어 있었습니다. 아무래도 사람들은 오랜 세월 동안 그냥 꽃을 본 게 아니라 꽃을 통해 자신의 모습을 비추어 보고 꽃을 통해 우리네 삶의 비의를 찾고자 했던 것 같단 생각이 자꾸 듭니다. 같은 매화라도 위에 적은 이야기처럼 사람의 이야기가 끼어들면 그 꽃은 누군가에겐 추억의 랜드마크가 되기도 하고, 영혼의 러브마크가 되기도 합니다.

법정스님의 말씀 중에 일기일회(一期一會)란 말이 있습니다. 단 한 번의 기회, 단 한 번의 만남, 꽃을 만나든, 사람을 만나든 그 소중한 인연 앞에서 우리는 겸손해지고 진실해져야만 합니다. 제가 꽃을 만날 때마다 꽃에게 말을 걸고 꽃들의 이야기를 기록하는 것도 그런 생각에서 비롯된 것입니다. 내가 띄우는 이 꽃 편지도 지금 이 순간의 최초의 기록이자 마지막 정리일 것입니다.

뼈가 시릴 만큼 외기가 냉랭합니다.

비록 춥고 긴 겨울의 한가운데이긴 하지만 눈 속에 매화를 찾는 사람처럼 늘 설레는 마음으로 하루하루를 열고 닫으시길 빕니다.

열매가
아름다운 계절

서로 다른 골짜기를 흘러가는 물결처럼 무심함 속에 너무 많은 시간이 흘렀습니다. 홀로 보낸 시간만큼, 흘려보낸 세월만큼 서로에 대한 기억도 멀어지고 흐려질 수도 있을 거라 생각했는데 그 세월이 눈물을 키우고 그리움이 영그는 시간이었다니.

'가을은 눈물입니다.'

당신이 놓고 간 그 한 마디에 내 안의 빗장이 풀렸는지 종일토록 바람이 그치질 않았습니다. 여행길에 구기자 열매를 만났을 때 '가을은 열매가 아름다운 계절'이란 제법 근사한 생각을 했더랬는데 당신 말씀을 반추하며 찍어온 사진을 다시 보니 열매 하나하나가 모두 붉은 눈물입니다.

저 붉은 열매 하나를 달기까지 얼마나 많은 상처와 아픔, 그리고 눈물을 참아냈을까 헤아리려니 자꾸만 눈이 흐려졌습니다.

봄과 여름을 지나 가을에 이르는 동안 성한 잎 하나 없는 구기자나무가 자랑처럼 매달고 있는 저 붉은 열매는 구기자의 눈물이 틀림없습니다. 진주가 바다의 눈물인 것처럼 말입니다. 저 열매 하나를 빚기까지 뿌리의 수고와 잎새의 흔들림을 우리는 간과한 채 저 황홀한 빛에만 마음을 빼앗기고 있었다는 뒤늦은 깨달음이 이마를 치고 갑니다.

가지 가득 보랏빛 구슬을 달고 있는 작살나무 역시 구기자처럼 계절을 건너왔겠지요. 무심을 가장한 채로 세월만 꿰고 있던 그 긴 시간들을 홀로 되짚어 보는 시간, 나무들마다 열심히 살아낸 삶의 증거처럼 가지 끝에 내어 달은 열매들이 눈물겹게 다가오는 요즈음입니다.

서로 다른 골짜기를 흘러가는 물결처럼 무심함 속에 너무 많은 시간이 흘렀습니다. 홀로 보낸 시간만큼, 흘려보낸 세월만큼 서로에 대한 기억도 멀어지고 흐려질 수도 있을 거라 생각했는데 그 세월이 눈물을 키우고 그리움이 영그는 시간이었다니.

이제 나도 민들레처럼 하늘 높이 꽃대를 밀어올리고 내 그리움을 바람에 실어 그대에게로 보내야겠습니다. 높이높이 떠서 그대 뜨락에 닿기를 소망하며 세상의 바람을 불러 모아야겠습니다.

어느 날 그대 뜨락의 돌 틈 사이, 노란 민들레 한 송이 피어나거든 내 오랜 그리움이라 여기십시오.

비록 잠자리 한 마리 바지랑대 끝에 앉았다 날아가는 찰나의 일일지라도.

들꽃처럼
웃으면서
사세요

곰취의 노란 꽃 위로 배추흰나비 한 마리 날아와 앉았습
니다. 벌 나비가 날아든다는 것은 그 꽃이 아직도 나누어
줄 향기를 지니고 있다는 증거입니다. 다음 생으로 가는
길목에서까지 나비를 부르는 꽃들을 보면 나도 끝까지
향기로운 사람이고 싶어집니다.

비에 젖고 바람에 흔들리면서 건너온 여름의 등허리로 따가운 햇살이 쏟아지는 8월, 거미줄에 걸린 버드나무 이파리 하나가 허공에서 그네를 탑니다. 지상으로 내려앉았다가 땅에 닿지도 못하고 허공에 걸린 낙엽 한 장 공연히 설운 마음에 목젖이 뜨거워졌습니다.

세상이 초록으로 가득한 이 여름에 낙엽이라니! 돌무덤이 소복한 애장터를 지날 때처럼 등짝이 서늘해지면서 자꾸 마른기침이 났습니다. 뜨락엔 벌써 노란 소국이 피기 시작했습니다. 비에 젖고 햇살에 쫓겨 다니는 동안에도 계절은 어김없이 시간의 눈금을 헤아리고 있었나 봅니다. 오늘 아침은 안개가 자욱한 것이 하루 종일 햇살이 따가울 것 같습니다. 아무리 덥더라도 꽃들처럼 웃으면서 지내시길 빕니다. 제가 지닌 향기로 빈 허공을 채우며 그윽해지는 꽃들처럼 화사하게 지내시길 빕니다.

보랏빛 비비추도 이제 막바지에 다다른 듯 더러는 꽃이 진 자리에 열매가 맺히기 시작했습니다. 하여도 뒤늦게 피어난 꽃들은 여전히 청초한 모습으로 뜨락을 지키고 있습니다.

작은 꽃들이 한데 모여 하나의 꽃송이를 이루는 '흰톱풀꽃'도 한창입니다. 지들끼리 무슨 이야기를 나누는지 연신 하얀 웃음을 터뜨립니다.

하루가 다르게 커 가는 밤송이를 보면 가을이 멀리 있지 않았음을 실감하게 됩니다. 밤꽃 향기에 어질머리 돌던 때가 어제일 같은데 어느새 밤송이가 어린 아이 주먹만큼 커졌습니다.

여름내 화단을 지키며 꽃초롱을 밝히던 초롱꽃도 하나 둘 초롱의 불을 끄기 시작했습니다. 이제 씨앗을 갈무려 다음 해를 준비해야 할 때가 되었다는 것을 오래 전부터 알고 있던 것처럼.

그동안 키를 키우던 익모초(益母草)도 자잘한 분홍의 꽃송이들을 피워달았습니다. '어머니를 이롭게 하는 꽃'이란 이름처럼 여인들에게 좋은 약이 되는 익모초같이 나도 누군가에게 이로운 사람이고 싶다는 생각을 했던 적이 있습니다. 저 작은 꽃 앞에서의 맹세는 얼마나 지켜지고 있는 것인지.

봄부터 식탁을 풍요롭게 하던 곰취도 이제 노란 꽃을 피워 달고 서서히 다음 생을 준비하고 있습니다. 이파리가 곰 발바닥을 닮아서 곰취라는 이름이 붙었다지만 크지도 작지도 않은 노란 꽃송이들을 보고 있으면 그 이름이 무색해지고 맙니다.

곰취의 노란 꽃 위로 배추흰나비 한 마리 날아와 앉았습니다. 벌 나비가 날아든다는 것은 그 꽃이 아직도 나누어 줄 향기를 지니고 있다는 증거입니다. 다음 생으로 가는 길목에서까지 나비를 부르는 꽃들을 보면 나도 끝까지 향기로운 사람이고 싶어집니다.

한동안 마지막 더위가 기승을 부릴 것입니다. 하여도 분홍의 자잘한 꽃망울을 터뜨려 화사하게 웃고 있는 저 무릇꽃처럼 마음 송이송이 환한 꽃 피우는 나날이시길 빕니다. 들꽃처럼 환하게 웃는 그대이길 빕니다.

제4장

눈물 편지

그 꽃이
나를 울렸다
- 철쭉

꽃 피울 것 다 피운 산 속의 나무들
온산이 불꽃으로 타오르는 가을산 아래
꽃시절 다 놓치고 뒤늦게 꽃 피우는 일이
세상에 무슨 죄 짓는 일이라도 되는 듯
몰래 숨어 핀 철쭉꽃

그 꽃이 나를 울렸다

울컥,
목젖이 뜨거워지면서
눈물이 주루룩 뺨을 타고 흘렀다
순창 고추장보다 더 빨갛다는
강천산 애기단풍 만나러 가던 길목
어디쯤에선가
점박이 철쭉꽃과 마주쳤을 때였다
지천명의 세월을 건너온 사내가
한 떨기 꽃을 보고 눈물짓는
낭패라니!
봄여름을 건너오며
꽃 피울 것 다 피운 산 속의 나무들
온산이 불꽃으로 타오르는 가을산 아래
꽃시절 다 놓치고 뒤늦게 꽃 피우는 일이
세상에 무슨 죄 짓는 일이라도 되는 듯
몰래 숨어 핀 철쭉꽃
뒤늦게 찾아든 사랑에 손사래 치며
속으로만 뜨거워지던 내 사랑을 닮았다

그 꽃이 나를 울렸다

머리에
석남꽃
꽂고
– 만병초 이야기

머리에 석남꽃 꽂고
네가 죽으면
머리에 석남꽃 꽂고
나도 죽어서

오늘 나의 벗은 클림트의 'KISS'라는 그림을 보고 아내 에우리디케가 죽은 것을 비탄하여 저승까지 갔던 오르페우스의 사랑 이야기를 떠올렸다 합니다.

　　저승의 명부에까지 찾아간 뜨거운 사랑에 지옥의 마왕까지 감복하여 이미 죽었던 아내를 돌려주었다는 오르페우스와 에우리디케의 사랑을 나의 벗이 생각하는 동안 나는 천 년 전 한반도 속의 작은 나라 신라에 살았던 수삽석남(首揷石枏) 설화 속의 최항이란 사내를 떠올리고 있었으니 우연치고는 참 묘한 우연이다 싶습니다.

　　신라 때에 최항이란 사람이 살았는데 한 여자를 사랑했으나, 부모의 허락을 받지 못해 몇 달 동안 만나지 못하다가 그리움이 병이 되어 그만 죽고 말았답니다. 죽은 지 8일째 되는 날 사내의 혼령이 여자를 찾아가자 사내가 죽은 걸 알지 못하는 여자는 그를 반가이 맞았고 사내는 자신의 머리에 꽂고 있던 석남꽃 가지를 꺾어 여자에게 건네며 부모가 그대와 살도록 허락하여 찾아 왔노라고 말했습니다.

　　여자는 기쁜 마음으로 그의 집까지 따라갔는데 먼저 담을 넘어 들어간 사내는 날이 밝아 와도 나오지 않는 것이었습니다. 이윽고 날이 밝아 그 집 사람이 문 앞에 서 있는 여자에게 까닭을 물어 사실대로 말하였더니 그 집 사람이 말하길, 그가 죽은 지 이미 8일이 되어 오늘이 바로 장례날이란 것이었습니다.

　　여자는 그가 건네준 석남꽃 가지를 내보이며 그의 머리에 꽂힌 꽃가지를 확인해 보도록 하였는데 관을 열어 보니 과연 사내의 머리엔 석남꽃 가지가 꽂혀 있고 옷이 이슬에 젖어 있었습니다.

　　여자가 그를 따라 죽으려 하자 그가 다시 살아나 백년해로를 하며 잘 살았다는 것이 수삽석남의 설화입니다.

그러고 보면 서양에서나 동양에서나 사랑의 힘이 얼마나 위대한 지에 대해선 별다른 이견이 없는 듯합니다.

이처럼 아름답고 신비로운 설화를 담고 있는 '석남꽃'은 본래의 이름이 아니랍니다. 이 꽃의 원래의 이름은 다름 아닌 '노란만병초'입니다. 여름철에 피어나는 노란만병초는 중부 이북의 높은 산에서 자생하는 귀한 수종입니다.

백두산의 야생화 사진을 찾아보니 꽃이 만발한 노란만병초 군락이 단 번에 눈을 사로잡습니다. 몇 해 전 세상을 떠난 서정주 시인의 시에도 이 설화를 읽고 쓴 〈머리에 석남꽃 꽂고〉가 있습니다.

제가 꽃 한 송이 만나기 힘든 이 혹한의 계절에 노란만병초를 화제로 삼은 건 아무래도 친구가 들려준 사랑 이야기에 잠시 취했기 때문인가 봐요.

머리에 석남꽃 꽂고

서정주

머리에 석남꽃 꽂고
네가 죽으면
머리에 석남꽃 꽂고
나도 죽어서

나 죽는 바람에
네가 놀라 깨어나면
너 깨는 서슬에
나도 깨어서

한 서른 해 더 살아볼꺼나
죽어서도 살아서
머리에 석남꽃 꽂고
서른 해만 더 살아볼꺼나

가시는 걸음걸음
놓인 그 꽃을
- 진달래꽃

김소월의 〈진달래꽃〉으로 하여 진달래는 더욱 슬픈 꽃이 되었지만 그 슬픈 이미지는 사람이 만든 것일 뿐 세상에 피어나는 꽃치고 슬픈 꽃은 없습니다.

지금 그대의 화병엔 어떤 꽃이 꽂혀 있는지요?

찬 서리 하얗게 내려앉은 들길을 따라 새벽 산책을 하는 동안 내 안은 그대에게 띄울 꽃 편지를 생각하느라 연분홍 진달래로 가득 찼습니다.

아직은 봄이 멀기만 한 겨울의 중심이지만 산과 들로 꽃불처럼 번져가며 온 산천을 붉게 물들이던 진달래꽃을 생각하는 동안 내 마음엔 벌써 봄이 온 듯 연분홍 꽃물결이 출렁입니다.

흐린 기억 속을 더듬어 가면 진달래 가지 꺾어 화병에 꽂아두고 봄을 기다리던 어린 나를 만날 수 있습니다. 더디 오는 봄에 조바심치며 진달래꽃 피길 기다리던 산골 소년의 가슴 위로 헤일 수도 없을 만큼 많은 봄이 지나갔지만 그때를 생각하면 아직도 꽃물 드는 가슴입니다.

진달래 산천이라 불러도 좋을 만큼 해마다 봄이 오면 우리의 산천을 붉게 물들이는 진달래는 오랜 세월 동안 이 땅에 피고 지며 우리와 함께 숨 쉬며 살아온 우리의 꽃입니다. 나는 아직도 아버지 나뭇짐 위에 실려 오던 진달래꽃을 잊지 못합니다.

내가 아버지의 진달래꽃을 기억하듯 사람마다 각기 다른 추억을 담고 있는 진달래는 진달래과에 속하는 낙엽성 관목으로 봄이면 잎보다 먼저 가지 끝에 진분홍 꽃을 내어 달고 이 땅에 봄이 왔음을 알려줍니다. 진달래는 분홍의 진달래 외에도 흰 꽃을 피우는 흰진달래, 잎과 자루에 털이 있는 털진달래, 잎이 넓은 왕진달래, 한라산에 자라는 한라산진달래 등이 있습니다.

먹을 수 없는 철쭉꽃과는 달리 꽃전을 부쳐 먹기도 하는 진달래는 참꽃으로 불리기도 합니다. 우리 민속 중의 하나인 화전놀이는 진달래꽃 만발한 삼월 삼짓날, 부녀자들이 밖으로 나가 화사한 꽃그늘 아래서 진달래로 꽃전을 부쳐 먹으며 춤추고 노래하며 하루를 보내던 놀이였습니다. 어머니들이 진달래 꽃잎으로 전을 부쳐 먹고 노는 동안 아이들은 진달래의 암술을 휘어 걸고 잡아당기는 꽃싸움[花戰]을 하며 놀았습니다. 진달래는 꽃전을 부쳐 먹는 것 외에도 술을 담그기도 하고 화채를 만들어 먹기도 합니다.

　중국에서는 진달래를 '두견화(杜鵑花)'라 부르는데 중국 촉나라의 망제 두우가 전쟁에 패하여 나라를 잃고 죽은 뒤 두견새가 되어 해마다 봄이 오면 피눈물을 흘리며 온 산천을 날아다니는데 그 두견새의 눈물이 떨어져 핀 꽃이 진달래가 되었다는 슬픈 전설이 들어 있습니다. 제 생각엔 진달래꽃에 얽힌 이야기 중의 백미는 삼국유사에 나오는 한 노인이 불렀다는 '헌화가(獻花歌)'가 아닐까 합니다. 가파른 절벽 위에 피어 있는 고운 꽃을 보고 꽃을 따 달라 한 수로부인의 청을 뿌리치지 않고 절벽 위의 진달래꽃을 따서 바치며 노래를 부르는 노인의 모습은 얼마나 아름다운지요.

　김소월의 〈진달래꽃〉으로 인해 진달래는 더욱 슬픈 꽃이 되었지만 그 슬픈 이미지는 사람이 만든 것일 뿐 세상에 피어나는 꽃치고 슬픈 꽃은 없습니다. 이제 다시 봄이 오면 온 산천엔 진달래 꽃불이 번져갈 것입니다. 꽃을 만날 때엔 슬픈 기억보단 가슴 따뜻해지는 추억을 떠올릴 수 있는 그대이길 바랍니다.

귀촉도

서정주

눈물 아롱아롱
피리 불고 가신 님의 밟으신 길은
진달래 꽃비 오는 서역(西域)삼만 리
흰 옷깃 여며여며 가옵신 님의
다시 오진 못하는 파촉(巴蜀)삼만 리

신이나 삼아 줄 걸 슬픈 사연의
올올이 아로새긴 육날 메투리
은장도 푸른 날로 이냥 베어서
부질없는 이 머리털 엮어 드릴 걸

초롱에 불빛 지친 밤하늘
굽이굽이 은핫물 목이 젖은 새
차마 아니 솟는 가락 눈이 잠겨서
제 피에 취한 새가 귀촉도 운다
그대 하늘끝 호올로 가신 님아

코스모스
길을 따라서

너에게 가는 동안 꽃이 피고
돌아오는 저녁엔 꽃이 지리라
너의 가슴에 코스모스 꽃으로 필 수 있다면
나의 반생이 마냥 흔들린다 해도 서럽지 않으리

코스모스 길을 따라서

너를 만나러 가고 싶다

너에게 가는 동안 꽃이 피고

돌아오는 저녁엔 꽃이 지리라

너의 가슴에

코스모스 꽃으로 필 수 있다면

나의 반생이 마냥 흔들린다 해도 서럽지 않으리

그렇게 눈물도 모르고 한 시절 흔들리다가

제 춤사위에 취해 지는 코스모스가 되고 싶다

사랑이란 무엇이 되고 싶은 것

나 아닌 다른 누군가를 위해

끊임없이 무엇인가 해주고 싶은 것

코스모스 꽃대궁을 흔들고 가는

바람처럼 나를 흔드는 너는

누구냐?

울지마라,
외로우니까
사람이다
- 수선화에게

들꽃이 눈에 들어오기 시작하면 나이 들었다는 징조라고 합니다. 온 세상을 한 손에 움켜쥐고 쥐락펴락할 수 있을 것 같던 자신만만함이 젊은 날의 치기였음을 깨닫고 자신이 들꽃한 송이처럼 작은 존재임을 비로소 인정하기 시작했다는 징후인 셈입니다.

수선화에게

정호승

울지마라
외로우니까 사람이다
살아간다는 것은 외로움을 견디는 일이다
공연히 오지 않는 전화를 기다리지 마라
눈이 오면 눈길을 걸어가고
비가오면 빗길을 걸어가라
갈대숲에서 가슴 검은 도요새도 너를 보고 있다
가끔은 하느님도 외로워서 눈물을 흘리신다
새들이 나뭇가지에 앉아 있는 것도 외로움 때문이고
네가 물가에 앉아 있는 것도 외로움 때문이다
산 그림자도 외로워서
하루에 한번씩 마을로 내려온다
종소리도 외로워서 울려퍼진다

문득 제주에 가고 싶어졌습니다. 어제 신문 속에 들어 있던 한 떨기의 수선화가 내 마음을 단숨에 제주 대정 들녘으로 이끌었기 때문입니다. 동안거에 든 한라산은 여전히 흰 눈을 쓴 채 깊은 침묵에 잠겨 있고 한겨울의 냉기를 고스란히 품고 불어오는 해풍은 끊임없이 겨울을 일깨우는데 대정들녘에 피어난 한 떨기의 수선화는 우리에게 곧 봄이 올 거라고, 저만치 오는 봄이 보이지 않느냐고 소리치는 듯이 보였습니다.

일찍이 그 곳에서 긴 유배생활을 했던 추사 김정희는 적거지의 들녘에서 만난 수선화에 대해 '희게 퍼진 구름 같고 새로 내린 봄눈 같다'고 했습니다. 겉꽃은 희고 속꽃은 금빛이어서 옛사람들은 수선화를 '금잔은대(金盞銀臺)'의 꽃이라고 불렀습니다.

정호승의 시를 읽으며 해풍에 뼈가 시린 유배지의 들녘에서 희게 퍼진 구름 같기도 하고 새로 내린 봄눈 같기도 한 한 떨기 수선화와 눈맞춤하고 앉아 있는 추사를 생각했습니다.

들꽃이 눈에 들어오기 시작하면 나이 들었다는 징조라고 합니다. 그것이 몸의 나이이든, 영혼의 나이이든 분명한 것은 피 뜨겁던 청춘은 이미 자신을 비껴가고 있다는 사실입니다. 온 세상을 한 손에 움켜쥐고 쥐락펴락할 수 있을 것 같던 자신만만함이 젊은 날의 치기였음을 깨닫고 자신이 들꽃 한 송이처럼 작은 존재임을 비로소 인정하기 시작했다는 징후인 셈입니다.

권력의 중심에서 밀려나 찾아올 이 없는 절해고도의 유배지에서 만난 수선화는 추사에게 어떤 위로의 말을 건넸을까요? 꽃을 보려면 몸을 낮춰 꽃과 눈높이를 맞추어야만 합니다. 그래야 꽃의 이야기를 들을 수 있습니다.

요즘 꽃 이야기를 정리하면서 참으로 많은 생각들이 구름처럼 일었다 안개처럼 흩어집니다. 제대로 꽃을 보려면 아직도 멀었구나 하는 생각에 자꾸만 나를 돌아보게 됩니다.

겨울을 견디어
마침내 피어나는
– 인동초

꽃에게 이름을 붙이는 일도, 꽃에게 어울리는 전설을 만드는 일
도 모두가 사람의 일이니 혹여 그 전설이 억지스럽다 해도 꽃
을 탓할 일은 아닙니다.

그러니까 지난 여름이었군요. 새로 피어난 꽃을 찾아 나섰던 어느 날 오후, 마치 먼 바다를 건너오기라도 한 듯 나래짓이 힘겨워 보이는 배추흰나비 한 마리 쥐똥나무꽃 위에 위태롭게 앉는 것을 보았습니다.

어쩌면 생의 마지막 쉼터가 될지도 모를 꽃 위에서의 짧은 휴식. 지친 나래를 접은 나비의 쉼의 순간을 지켜보려니 생마늘을 삼킨 듯 가슴이 아려오면서, 산다는 것은 참고 견디는 일이라 하던 어느 시인의 말이 나비의 접힌 날개 사이로 끼워지던 그때가 마치 어제 일처럼 떠오릅니다.

오늘 그대에게 보여 드릴 꽃은 누릇누릇 보리 이삭이 팰 무렵이면 어김없이 희고 노란 꽃을 피우던 '인동꽃'입니다. 여느 꽃 못지않은 아름다움을 지녔음에도 꽃보다는 겨울을 참아낸다는 인동(忍冬)이란 말에 방점이 찍히던 인동꽃을 그대에게 보여드려야겠다는 생각을 했던 것이지요.

38선이 가까운 곳에 고향을 둔 내가 푸른빛으로 겨울을 나는 인동덩굴을 보았던 것은 불과 몇 해 전, 잔설이 남아 있던 겨울의 끝자락을 타고 해남 가는 길섶에서였습니다.

월출산을 돌아가는 국도변에 초록의 넝쿨을 뻗던 인동초는 신선한 충격이었습니다.

인동덩굴은 인동과(忍冬科)에 속하는 반상록 덩굴성 관목으로 인동덩굴, 인동넝쿨, 능박나무, 겨우살이덩굴, 금은화(金銀花)라고도 하며 줄기는 오른쪽으로 감고 올라가 길이가 3m에 이르고, 어린가지는 적갈색으로 털이 있으며 속이 비어 있는 게 특징입니다. 꽃은 6~7월경 잎겨드랑이에 1~2개씩 피는데, 처음에 필 때는 흰색이었다가 점차 노란색으로 변하여 '금은화(金銀花)'라 불립니다.

예로부터 민간에서는 잎과 꽃을 이뇨제, 해독제, 건위제, 해열제, 소염제, 지혈제로 쓰며 구토, 감기, 임질, 관절통 등에 사용한 소중한 약재이기도 했습니다.

옛날 어느 부부가 쌍둥이 딸을 낳아 이름을 금화와 은화라 지었다지요. 착하고 우애 깊던 자매는 잘 자라 시집갈 나이가 되었어도 서로 떨어지지 않으려 고집을 피워 부모님을 힘들게 하였다지요. 그러다 언니가 열병에 걸려 세상을 떠나고 동생 또한 같은 병으로 언니의 뒤를 따라 죽게 되었을 때 유언처럼 한 마디 하였다지요.

"우리는 비록 열병에 걸려 죽으나 죽어서라도 열병을 고치는 약초가 되겠습니다."

두 자매의 무덤에서 이름 모를 꽃이 피었는데 처음 필 때는 흰색이었다가 점차 노란색으로 변하였다지요. 마침 마을에 열병이 돌아 사람들은 그 꽃을 달여 먹고 병이 나았다지요. 그래서 그 꽃의 이름을 자매의 이름을 따서 '금은화'라 불렀다지요.

인동꽃의 전설은 다소 억지스러움이 있긴 하지만 하얗게 피었다가 노랗게 변하는 꽃을 지켜보노라면 인동꽃의 특징을 잘 설명해줍니다. 꽃에게 이름을 붙이는 일도, 꽃에게 어울리는 전설을 만드는 일도 모두가 사람의 일이니 혹여 그 전설이 억지스럽다 해도 꽃을 탓할 일은 아닙니다.

가녀리고 연약한 인동덩굴이 모진 찬바람과 눈보라를 참아내고 유월의 태양 아래 금빛 은빛 고운 꽃을 피워올리는 것을 보면 참으로 장하다는 생각이 들곤 합니다.

참을 인(忍)자 셋이면 살인을 면한다는 옛말은 참고 견딘 자만이 좋은 훗날을 기약할 수 있다는 뜻과 함께 참고 또 참는 일이 얼마나 힘든 일인지 일깨우는 말이기도 합니다.

세상에 휘둘리지 않고 자신을 지켜내고 자기만의 꽃을 피우는 일은 아무나 할 수 없는 일이기에 아름답고 그 향기는 더욱 멀리 가는 법이지요.

나는 그대가 인동꽃 같은 사람이었으면 좋겠습니다. 행여 세상이 때
때로 그대를 속이고 힘들게 한다 해도 참고 견디며 자신을 지켜 세상
을 이롭게 하는 인동꽃 같은 사람이었으면 좋겠습니다.

창을 넘어오는 아침 햇살처럼 그대의 하루가 찬란하길 소망합니다.

인동초에 꽃이 피던 날

박우복

쭈욱 늘어진 하지(夏至)의 햇살 받으며
모내기 하는 엄마를 찾아
어린 동생 등에 업고
젖먹이 길을 나설 때

보채는 동생의 울음 따라
등줄기로 흘러내리는
땀방울에 젖어
산모퉁이 외딴 집
돌담 그늘에서 식힐 때

짙은 꽃향기는 빈 가슴을 채우는데
금꽃은 따서 동생 입 속에 넣어주고
은꽃은 따서 내 입에 넣고
허기진 세월을 메우는 시간

두 눈에서 뚝 뚝 떨어지던
금빛 향기
은빛 향기

지금도 인동초가 꽃을 피우면
젖내음에 찌들어 있는
어린 동생의 울음소리 따라
허기진 또 하나의 내가
유월의 하늘을 멍하게 바라본다.

이룰 수 없는
사랑
- 목련의 전설

백옥 같은 꽃잎들이 봄 햇살을 받으면 선
녀가 타고 가던 흰 구름이 잠시 길을 잃
고 지상으로 버려앉은 것 같은 것이 그
꽃그늘 속에 들면 제 아무리 세속의 찌든
탁한 마음이라도 한순간에 정결해질 것
같은….

목련꽃 그늘 아래서 베르테르의 편질 읽노라….

목련꽃을 좋아한다는 벗의 말을 듣고 목련나무 아래를 서성이다 돌아온 저녁. 맑은 목련꽃 향기에 그을린 듯 '사월의 노래'를 허밍으로 부르며 이 꽃 편지를 씁니다.

꽃을 생각하기엔 아직은 아득한 겨울이지만 꽃샘바람 간간히 불어가는 사월의 문턱에서 초록의 잎을 내기 전, 빈 가지에 뽀얀 흰 꽃송이를 가득가득 피워 올린 백목련을 생각하는 것만으로도 내 안엔 봄빛이 가득 들어차는 황홀한 착각에 사로잡힙니다.

백옥 같은 꽃잎들이 봄 햇살을 받으면 선녀가 타고 가던 흰 구름이 잠시 길을 잃고 지상으로 내려앉은 것 같은 것이 그 꽃그늘 속에 들면 제 아무리 세속의 찌든 탁한 마음이라도 한순간에 정결해질 것 같은 기분 좋은 예감에 옷깃을 여미게 하는 꽃이 목련꽃이니까요.

"애비야, 뜰 앞에 목련이 꼭 불을 컨 것처럼 환하구나."

고향에 내려오기 전, 해마다 봄이 오면 어머니는 내게 전화를 걸어 목련의 개화 소식으로 고향에 다녀가라는 말씀을 대신하곤 하셨습니다. 그 마음자리가 짚어져서 목련이 피었다는 어머니의 전화를 받는 날은 밤 새워 쓴 편지를 부치러 우체국에 갔다가 부치지 못한 채 되돌아온 것처럼 마음이 무거워지곤 하였습니다.

목련의 종류는 수십 종을 넘을 만큼 다양하여 일일이 그것들을 구분하고 기억한다는 것은 보통 사람에겐 무리이고 굳이 그래야 할 이유도 없다는 게 제 생각입니다.

하지만 몇 가지쯤은 알아 두어야 목련꽃을 완상하는데 도움이 될 것입니다. 먼저 우리가 주변에서 가장 흔하게 만날 수 있는 꽃송이가 크고 탐스러우며 꽃잎도 넓적한 것은 백목련이고 그 보다 작은 꽃을 피우는 것이 목련입니다. 그리고 그보다 꽃송이도 작고 갸름한 것이 하늘의 별떨기처럼 떠 있는 것이 별목련입니다. 하얀 꽃을 피우는 목련과는 사뭇 다르게 보랏빛 꽃을 피우는 것이 자목련이고요.

그리고 많은 사람들이 후박나무로 잘못 알고 있는 잎이 매우 넓고

키도 큰 나무가 잎이 핀 뒤에 드문드문 꽃을 달고 선 것은 일본 목련입니다. 잎이 핀 뒤에 꽃이 피는 것이 하나 더 있는데 흔히 산목련으로 불리는 함박꽃나무가 정식 명칭입니다.

목련꽃을 좀 더 자세히 바라 본 사람이라면 꽃송이들이 한결같이 북쪽을 향하고 있는 사실을 눈치 챌 수 있을 것입니다. 꽃송이가 북쪽을 향하고 있어서 옛사람들은 목련을 '북향화(北向花)'고도 부르며 임금님이 계신 곳을 향하여 피는 꽃이라 하여 충절 높은 꽃으로 치기도 했다 합니다.

목련이 북쪽을 향해 피는 데는 다음과 같은 전설이 전해 옵니다.

옛날 하늘나라에 어여쁜 공주가 어느 날 우연히 북쪽 바닷가로 놀러 갔다가 바다지기를 보곤 짝사랑하게 되었답니다. 예나 지금이나 사랑의 열병에 빠져들면 그야말로 앉으나 서나 그리운 님 생각뿐이라, 해가 떠도 님이요, 달이 떠도 오직 내 사랑 뿐인지라 하늘나라 공주는 북쪽 바다 끝만 바라보며 바다지기만을 생각했답니다. 외사랑에 애를 태우던 공주는 더 이상 그리움을 참지 못하고 몰래 궁궐을 빠져나와 온갖 고생 끝에 북쪽 바다에 이르렀으나, 사랑의 비극은 엇박자의 인연에 있듯이 바다지기는 이미 아내가 있는 몸이었습니다. 상심한 공주는 그 길로 바다에 몸을 던져 목숨을 끊어 버렸고 뒤늦게 이를 안 바다지기는 공주의 시신을 건져 양지바른 곳에 묻어 주었습니다. 그리고는 공주를 잊지 못해 자기 아내에게도 약을 먹여 그 옆에 나란히 잠들게 하고는 자신은 평생 혼자 살았답니다. 뒤에 이 사실을 안 하늘나라의 임금님은 이들을 가엾이 여겨, 공주는 백목련으로, 바다지기의 아내는 자목련으로 다시 태어나게 하였습니다. 그리하여 공주의 다하지 못한 사랑 때문에 목련꽃의 봉오리는 항상 바다 저기가 살고 있는 북쪽하늘을 향하여 피어난다고 합니다. 그래서인지 백목련의 꽃말도 '이룰 수 없는 사랑'입니다.

고향집 뜨락의 백목련은 어김없이 새 봄이 오면 어머니의 그리움을 심지 삼아 환하게 꽃등을 켜겠지요. 행여 그 꽃이 지상으로 내려 앉아 흙빛을 닮아가는 날 어머니의 가슴도 그렇게 타들어가는 것은 아닐까 싶어 목이 메곤 했었는데 돌아오는 봄에는 어머니와 나란히 앉아 목련 꽃 피는 봄밤을 지켜보고 싶습니다.

오월의 숲에서
들리는 은종소리
- 때죽나무꽃

저리 고운 꽃이 그처럼 독한 열매를 맺는다는 것이 얼핏 낯설게도 느껴지
지만 아무리 고운 사람도 자신을 지키기 위해 독한 모습을 보이기도 하는
것을 생각하면 그리 이상할 것도 없습니다.

일 년 중 햇살이 가장 아름답다는 오월에 마침표를 찍기라도 하듯이 담장마다 넝쿨장미가 선홍빛 꽃송이를 피워 올리기 시작할 무렵 숲속을 찾아가 보신 적이 있으신지요. 이즈음엔 신록 우거진 숲 그늘에 들어가 아카시아 꽃향기에 취해 늘어지게 낮잠이라도 자고 싶어지지요. 오월의 숲에 들어가면 아카시아 꽃향기 말고도 우리를 놀래키는 이쁜 꽃나무가 있습니다.

몇 해 전, 전남 구례에서 열린 문학행사에 갔다가 차나 한 잔 하고 가란 박남준 시인을 따라 악양에 갔을 때 일입니다. 유장하게 흐르는 섬진강을 따라가다가 시인이 사는 동쪽의 매화마을(東梅理)쪽으로 길을 꺾었을 때 시인이 가지마다 순백의 꽃을 가득 달고 선 차창 밖의 나무 하나를 가리켰습니다.

혹시 '스노우벨(snow bell)'이란 꽃 이름을 들어 보셨는지요? 오월의 숲 속에서 만나는 눈빛의 종모양 꽃은 상상만으로도 눈부시지 않습니까? 수천수만의 순백의 꽃송이들이 바람에 흔들릴 때면 아주 맑고 투명한 종소리가 들리는 듯한 황홀한 착각에 빠져들게 하는 꽃이 바로 '때죽나무꽃', 영어로는 '스노우 벨'이란 꽃입니다. 시인이 가리켰던 바로 그 꽃입니다.

층층나무처럼 층이 진 가지마다 순백의 꽃송이를 촘촘히 매달고 있는 때죽나무는 눈여겨보지 않으면 그 꽃을 알아보기 쉽지 않습니다. 무심코 나무 아래를 지나다가 꽃향기에 이끌려 고개 들면 문득 눈부시게 다가오는 꽃이 때죽나무꽃이기도 하니까요.

엷은 레몬향이 나는 때죽나무꽃 향기도 일품이지만 넓게 퍼진 가지 아래로 매달린 순결함이 느껴지는 꽃송이는 황홀함 그 자체입니다. 저토록 아름다운 꽃송이를 드러내지 않고 나뭇잎 아래로 숨겨 놓은 신의 뜻이 궁금해지기도 하는 꽃입니다. 때죽나무 그늘에 벌렁 누워 그 눈부신 꽃들을 바라보고 있으면 정말 이 세상이 이 세상 같지 않고 도원경이 부럽지 않습니다.

때죽나무는 때죽나무 과에 속하는 낙엽 교목이지만 실제로 교목으로 자란 나무는 만나기 어렵다고 합니다. 저도 키 큰 나무는 아직 본 적이 없습니다. 층층으로 자란 가지가 다시 잔가지를 뻗어 부챗살처럼 퍼진 가지 사이마다 솜씨 좋은 장인이 매달아 놓은 은종처럼 매달린 꽃송이들은 봄꽃들이 물러난 오월의 숲에서 귀하게 만나지는 장관 중의 장관입니다.

가을이 되면 꽃 진 자리에 도토리와 비슷한 열매가 가득 달리는데 그 열매엔 아주 독성이 강한 물질이 들어 있어 옛날에는 그 열매를 찧어서 냇물에 풀어 물고기를 잡았다고 합니다. 저리 고운 꽃이 그처럼 독한 열매를 맺는다는 것이 얼핏 낯설게도 느껴지지만 아무리 고운 사람도 자신을 지키기 위해 독한 모습을 보이기도 하는 것을 생각하면 그리 이상할 것도 없습니다.

실제로도 때죽나무는 공해에 매우 강하여 최근에 각광을 받기 시작한 나무이기도 합니다. 도심의 숲들이 산성비나 공해 등으로 많은 피해를 입는 와중에도 유독 때죽나무만큼은 왕성한 생명력을 자랑하며 어린나무들을 키워냈기 때문입니다. 그렇다고 공해 지역에서만 잘 자라는 것은 아니고 청정의 숲에서도 잘 자라는데 다른 나무에 비해 공해를 이겨내는 힘이 아주 강한 나무입니다.

살아가다 보면 주저앉고 싶을 때가 종종 있습니다. 아름다운 꽃을 피워야겠단 생각을 하지만 당장의 힘겨운 삶이 버거워 접고 싶을 때가 있습니다. 그때마다 나는 때죽나무를 생각합니다. 어느 환경에서도 굴하지 않고 세상에서 가장 순결한 꽃송이를 피워 달고 오월의 숲속으로 종소리를 풀어 놓는 그 꿋꿋함을 생각합니다.

오월의 숲에서 들려오는 은종 소리를 벗님에게도 들려주고 싶습니다.

닫힌꽃이
초록 들판을
만든다

지상에서 꽃을 피우는 이유는 곤충들을 통한 타가수분을 함으로써 근친교배를 줄여 환경에 잘 적응하고 보다 강한 유전자를 만들기 위한 것인데 기후환경의 변화에 따라 교배가 기대만큼 이루어지지 않을 때를 대비하여 폐쇄화를 만들어 자가수분을 하는 것이지요. 그러니까 식물들의 폐쇄화란 전투 비상식량 같은 존재입니다.

비에 젖은 산빛이 한결 깊어졌습니다. 비가 오는 바람에 도토리를 주우러 가자던 친구와의 약속도 깨지고 비 그친 오후에 갈빛으로 물든 이끼나무 숲을 배회하다 집으로 돌아왔습니다. 숲으로 난 길을 따라 걸으며 콩 꼬투리를 매단 새콩넝쿨을 만났습니다. 여름날 보랏빛 아가 버선 같은 어여쁜 새콩들이 피었던 자리에 줄느러미 매달린 콩꼬투리를 보며 오래도록 잊고 있던 폐쇄화[닫힌꽃]가 생각났습니다.

얼마 전 신문에서 재불 서지학자 박병선 박사에 대한 기사를 읽고 어렴풋이 떠오르던 생각. 그게 무엇인지 몰라 입을 닫고 말았었는데 새콩 꼬투리를 보는 순간 그것이 다름 아닌 폐쇄화[닫힌꽃]란 게 선명해졌던 게지요. 정부의 도움도 없이 프랑스의 연금으로 생활하며 평생을 독신으로 프랑스 국립도서관에 있는 외규장각 도서 연구에만 몰두했던 박병선 박사. 그녀는 우리가 흔히 잡초라 부르는 들꽃들 대부분이 몰래 피우는 닫힌 꽃과 같은 존재였습니다.

프랑스 국립도서관 서고에서 세계 최고의 금속활자본인 「직지심체요절」을 찾아내 우리 민족의 뛰어난 금속활자술을 세계에 알리고 병인양요 때 빼앗긴 외규장각 도서 연구에 평생을 바친 박병선 여사는 들꽃들의 폐쇄화처럼 세상이 알아주든 안 알아주든 한 눈 팔지 않고 묵묵히 자신이 가치 있다 여기는 일에 일생을 두고 해 온 문화 독립운동가였습니다.

엄연히 이름이 있는 야생화들을 한 묶음으로 잡초라 부르며 닥치는 대로 호밋날로 찍어 넘기며 괄시하는 것은 인간의 횡포임에 분명하지만 그런 횡포에도 불구하고 갈수록 잡초들이 영역을 넓히고 번져가는 것은 바로 폐쇄화란 비밀의 꽃을 지니고 있기 때문입니다. 폐쇄화는 새콩이나 고마리 등 종자식물 전반에 걸쳐 나타나는데 이는 건조·저온 및 빛의 부족 등 악조건에 대한 적응성이 주요 원인이라고 합니다.

제비꽃 같은 경우는 벌나비가 날아오지 않는 가을철에 폐쇄화가 나타나기도 하고 민들레 같은 꽃은 정상적인 꽃 아래쪽에 폐쇄화를 만들기도 합니다. 새콩이나 고마리는 아예 지상이 아닌 땅 속에서 폐쇄화를 만들어 지상에서보다 더 크고 실한 열매를 맺기도 합니다. 지상에서 꽃을 피우는 이유는 곤충들을 통한 타가수분을 함으로써 근친교배를 줄여 환경에 잘 적응하고 보다 강한 유전자를 만들기 위한 것인데 기후 환경의 변화에 따라 교배가 기대만큼 이루어지지 않을 때를 대비하여 폐쇄화를 만들어 자가수분을 하는 것이지요. 그러니까 식물들의 폐쇄화란 전투 비상식량 같은 존재입니다.

개화를 하면 꿀을 만들어야 하는 번거로움도 있고 다른 곤충들에게 필요 이상의 꽃가루를 빼앗길 수도 있으므로 꽃을 피우지 않은 채로 그 속에서 자가수분으로 열매를 만들어 버리는 것이지요. 고마리의 씨앗 같은 경우는 새를 비롯한 작은 동물을 통해 다른 지역으로 옮겨가기도 하고 주로 물의 흐름을 타고 이동하는 경우가 많습니다. 이렇게 생경한 지역으로 옮겨지면 새로운 환경에 적응하기 위해선 몇 배의 공을 들여야 하는데 땅 속에서 열매를 맺으면 현재의 자리에서 별도의 노력 없이도 이전의 모습으로 살아갈 수 있습니다.

폐쇄화의 씨앗은 대체로 일반 씨앗보다 크고 실한 게 보통입니다. 지상의 개방화가 열매를 맺을 확률이 30%인데 반해 폐쇄화가 씨앗을 맺을 확률은 70%라고 합니다. 그러니까 들판을 푸르게 만드는 것은 우리의 눈을 현혹하는 지상의 어여쁜 꽃보다는 숨어 피는 폐쇄화의 공이 훨씬 큰 것입니다. 우리는 세상에 드러난 성공만을 부러워하며 그것만을 좇는 경향이 있습니다. 하지만 누가 보아주길 바라지 않으며 자신에게 주어진 일을 묵묵히 행하는 사람들이 이 세상을 끌고 간다는 것을 작은 들꽃에게서 배웁니다.

아, 내 안을 다시 한 번 돌아보아야겠습니다.

투구꽃에 대한
변명

옛날 장수가 머리에 쓰던 투구라 하기엔 연한 보랏빛이 너무나 사랑스러운, 꽃잎에 푸른 정맥 같은 실핏줄이 자꾸만 가슴 아리게 하는, 투구꽃으로 가슴에 화인(花印)을 찍는 동안 참나무 숲엔 바람이 일어 도토리 몇 알이 굴러 떨어져 숲의 적막을 깨뜨리고 나뭇잎 사이로 조각난 가을 햇살이 투구꽃을 비추었다.

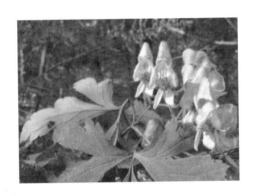

능이버섯을 따러 가는 친구들을 따라 산을 올랐습니다. 함께 간 친구는 길을 따라 걷는 것은 등산객이나 하는 일이라며, 버섯꾼은 사람의 발자국을 피해 산을 타야 한다며 길 없는 숲속으로 나를 잡아 끌었습니다. 한참을 참나무숲을 헤매다 함께 간 친구들마저 잃어버리고 산등성이 바위 섶에 앉아 지친 다리를 쉬다가 한 떨기 보랏빛 투구꽃을 만났습니다.

  몇 해를 두고 산을 오르내렸어도 그동안은 눈에 띄지 않았던 것이 친구도 잃고 길 밖에 버려진 지금에야 눈에 들어오다니! 보랏빛 투구꽃 앞에 앉아 이리저리 카메라를 들이대는데 아뿔싸! 겨우 사진 한 장 찍었을 뿐인데 카메라에 배터리가 떨어지고 말았습니다.

  이를 어쩐다?

  투구꽃을 만난 곳은 어림잡아도 해발 600고지는 너끈할 듯 싶은데 산을 내려갔다가 다시 올라올 수도 없는 노릇이고 어렵사리 만난 투구꽃을 두고 그냥 갈 수도 없고….

  결국 꽃 앞에 무릎맞춤을 하고 앉아 그 보랏빛 꽃을 가슴에 담아두기로 했습니다. 옛날 장수가 머리에 쓰던 투구라 하기엔 연한 보랏빛이 너무나 사랑스러운, 꽃잎에 푸른 정맥 같은 실핏줄이 자꾸만 가슴 아리게 하는, 투구꽃으로 가슴에 화인(花印)을 찍는 동안 참나무 숲엔 바람이 일어 도토리 몇 알이 굴러 떨어져 숲의 적막을 깨뜨리고 나뭇잎 사이로 조각난 가을 햇살이 간간히 투구꽃을 비춰주었습니다. 돌아보니 산 중엔 가을이 제법 깊었습니다.

놋젓가락나물꽃과
인사하다

한참을 머릿속의 꽃도감을 부지런히 뒤져 겨우 녀석의 이름을 알아
냈습니다. 그제야 놋젓가락나물꽃이 나를 보고 웃습니다. 자신을 알
아주는 상대에게 호의적인 건 꽃이나 사람이나 다르지 않습니다.

이 숲에서 너를 만나다니!

보랏빛 투구 모양의 놋젓가락나물꽃을 만났을 때 나는 오대산 상원사 대웅전 뒷뜰에서 만났던 투구꽃인 줄 알고 반가움에 마음속으로 쾌재를 불렀습니다.

오대산 적멸보궁 가던 길에 상원사에서 보았던 투구꽃의 기억은 거리에서 딱 한 번 우연히 마주친 게 전부인데도 잊히지 않는 아리따운 여인의 얼굴처럼 오롯이 기억 속에 남아 있었습니다.

그래, 그땐 들꽃이라면 자다가도 벌떡 일어나 달려갈 만큼 야생화에 매료되어 있던 시절이었습니다. 학창 시절 영어단어를 외우듯 꽃 이름을 외우던 시절이었습니다. 내 집안의 족보는 잘 알지 못해도 꽃의 족보는 줄줄이 외우던 그런 시절이었습니다. 한창 꽃에 매료되어 있던 시절에 귀하게 만난 투구꽃은 그 진한 보랏빛만큼이나 내 안 깊숙이 자리 잡고 앉아 있었는지 보랏빛 꽃송이와 마주친 순간 나도 모르게 탄성을 질러댔던 것입니다.

한데 자세히 보니 뭔가 좀 다릅니다. 꽃빛도 좀 엷은 듯 하고 다른 물체를 감아 덩굴을 뻗은 것이 예전에 보았던 투구꽃과는 뭔가 달라 보였습니다.

아하, 이 녀석이 바로 놋젓가락나물꽃이로구나.

한참을 머릿속의 꽃도감을 부지런히 뒤져 겨우 녀석의 이름을 알아냈습니다. 그제야 놋젓가락나물꽃이 나를 보고 웃습니다. 자신을 알아주는 상대에게 호의적인 건 꽃이나 사람이나 다르지 않습니다.

여름 숲의 신사,
마타리

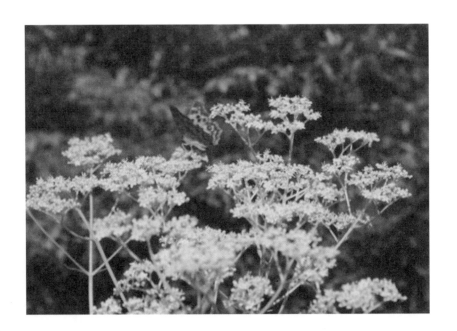

의학이 발달하지 않았던 옛날에야 풀이
나 나무의 약효에 대해 아는 것이 곧 생
존을 위한 필요요소였겠지만 요즘에야
그 흔한 말로 약은 약사에게, 진료는 의사
에게 맡기면 되니까 말입니다.

비가 옵니다. 빗소리에 밖이 궁금해져서 반소매 차림으로 현관문을 열었다가 와락 달려드는 냉기에 흠칫 놀라 뒷걸음질 쳐 방안으로 돌아와 앉았습니다. 열대야 때문에 잠 못 이루며 여름이 어서 빨리 지나가길 바랐던 게 불과 일주일 전쯤이었는데 절로 입 밖으로 춥다는 말이 튀어나오다니, 사람처럼 간사한 동물도 없지 싶습니다. 이제 저 비 그치고 나면 하늘은 한 뼘쯤 더 멀어지고 가을은 불쑥 찾아오겠지요?

어제는 날씨가 좋아 밖으로 나가 여름 숲의 신사, 마타리를 만났습니다. 마타리란 이름을 들으면 당신은 무슨 생각이 제일 먼저 드시나요? 전 처음 마타리란 이름을 알게 되었을 때 엉뚱하게도 여 스파이 마타하리를 떠올렸었는데.

하지만 나중에 알아본 바로는 마타리는 여간첩 마타하리와는 무관한 꼭두서니목 마타리과에 속하는 여러해살이 풀입니다. 우리나라 산과 들에 흔하게 자라는 풀이지만 여름에서 가을로 가는 길목에 노란 꽃을 피워 여름 숲을 환하게 밝혀주는 고마운 존재입니다.

마타리가 어혈을 풀거나 소염제로 쓰인다는 약효에 대해선 말하고 싶지 않습니다. 꽃 공부를 하다보면 어쩔 수 없이 알게 되는 것이지만 풀이나 나무들의 약효나 쓰임새에 대해선 한의사가 아닌 다음에야 꼭 알아야 할 이유는 없으니까요. 의학이 발달하지 않았던 옛날에야 풀이나 나무의 약효에 대해 아는 것이 곧 생존을 위한 필요요소였겠지만 요즘에야 그 흔한 말로 약은 약사에게, 진료는 의사에게 맡기면 되니까 말입니다.

사실은 참으로 많은 이야길 썼더랬는데 도중에 컴이 다운되어 모든 글을 날려버리고 처음부터 다시 쓰려니 이야기가 중구난방이 되어가는 느낌입니다.

날려 버린 글처럼 생각이 일목요연하게 정리되지도 않고 이야기가 자꾸 엉켜서 긴 이야기를 쓰기는 영 글러버렸습니다. 하여도 이해심 많은 당신은 나무라지 않으시겠지요?

어제 산길을 걷다가 마타리를 발견하고 걸음을 멈추었을 때 마침 표범나비 한 마리가 날아와 꽃 위에 앉았습니다. 꽃 위에 앉은 나비까지 사진에 담으면 아주 근사한 그림이 된다는 것을 익히 알고 있던 터라 부지런히 카메라의 셔터를 눌러대었습니다. 하지만 나중에 집에 돌아와 보니 그리 맘에 드는 사진이 없어 속이 상했습니다. 꽃이든 나비든 간에 어느 하나에 집중하고 몰입하지 않으면 결코 좋은 작품을 얻을 수 없다는 교훈 하나 공부한 셈 치는 수밖에요.

달새는 달만 생각하고 벌나비는 꿀만 생각하듯 꽃에게 말을 거는 남자는 꽃만 봐야 하는 건데, 꽃빛에만 흘려서 꽃의 이야기에 귀 기울이지 못한 나의 잘못을 반성하고 오늘 다시 마타리를 만나러 가려 했는데 비가 오니 그 또한 여의치 않을 것 같습니다. 다시 마타리를 만나면 그가 들려주는 금빛 말씀들을 받아 적고 싶은데 다시 만날 수 있을지 모르겠습니다.

비오는 아침, 그대의 하루가 금빛 마타리꽃처럼 눈부시길 소망합니다.

어머니와
익모초(益母草)

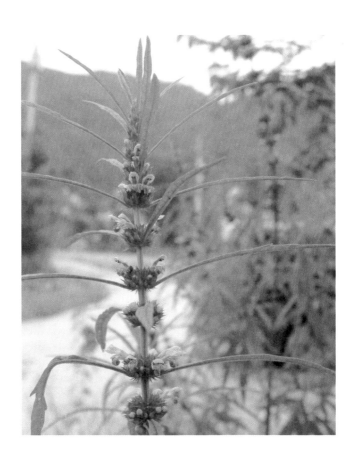

여자는 아무리 나이를 먹어도 여자일 수밖에 없다는 말처럼 구순의 연세에도 여전히 여자인 때문일까요? 익모초 꽃 앞에서 어머니에 대해, 그냥 어머니가 아니라 어머니란 여자에 대해 다시 한 번 생각해 보는 입추의 아침입니다.

하루가 멀다 하고 내리던 비가 뚝 그치고 나니 불볕더위가 숨을 턱턱 막히게 합니다. 하릴없이 나무그늘만 밟아 돌아도 등허리에 땀이 줄줄 흐릅니다. 아무리 늦더위가 기승을 부려도 시절은 어김없이 찾아오는 법, 오늘이 가을로 들어선다는 입추(立秋)입니다. 한낮의 땡볕은 뜨거워도 아침저녁으로 부는 바람은 제법 서늘한 기운이 돕니다. 유난스레 비가 잦은 탓일까요? 울안에 풀들이 무성해졌습니다. 잠시라도 가만히 앉아 있지 못하시는 어머니는 수시로 울밑을 돌며 여름내 풀을 뽑으셨습니다. 무더위에 젊은 사람도 몸 상하기 쉬운데 제발 쉬시라 해도 '호랭이 새끼쳐 나가게 생겼다'며 막무가내로 호밋자루를 놓질 않으십니다.

그렇게 울밑에 돋아난 잡풀들을 뽑으시면서도 어머니가 애지중지 키우시는 것이 익모초입니다. 키가 껑충한 것에 비해 층층이 자잘한 꽃을 피우는 익모초는 꿀풀과에 속하는 두해살이 풀인데 어머니가 들에서 캐어다 심어 가꾸시는 귀한 약재입니다.

'육모초'라고도 불리는 익모초(益母草)는 이름 그대로 어머니를 이롭게 하는 풀, 즉 부인병에 좋은 약재입니다. 조혈작용을 하며 여성들의 냉증 치료에도 효험이 있는 것으로 알려져 있습니다. 딸을 넷이나 둔 어머니는 예전에는 익모초를 베어 굴뚝 뒤에 걸어 말렸다가 조청을 고아 누이들에게 보내곤 했습니다.

몸이 허약하여 임신이 잘 안되거나 손발이 차고 생리가 불순할 때에도 익모초를 달여 먹거나 가루로 만들어 복용하면 효험을 볼 수 있다고 합니다. 얼핏 보면 쑥과도 비슷한 익모초는 키가 1m나 자라는 제법 큰 풀에 속하는데 큰 키에 비해 꽃은 매우 작아서 눈여겨보지 않으면 지나치기 쉬운 꽃입니다. 비록 꽃은 작지만 여느 꿀풀과의 꽃들과 같이 홍자색의 꽃 모양이 매우 특이한 것이 예쁘기 그지없습니다.

이제는 어머니에겐 물론이고 누이들도 나이 들어 별 소용이 없어진 익모초를 어머니는 어찌하여 한사코 가꾸시는 걸까요? 여자는 아무리 나이를 먹어도 여자일 수밖에 없다는 말처럼 구순의 연세에도 여전히 여자인 때문일까요? 익모초 꽃 앞에서 어머니에 대해, 그냥 어머니가 아니라 어머니란 여자에 대해 다시 한 번 생각해 보는 입추(立秋)의 아침입니다.

더덕꽃과
조병장의 추억

조병장의 말에 의하면 더덕향은 십리를 가기 때문에 멀리서도
쉽게 찾아낼 수 있다고 했습니다. 하지만 산야초에 문외한이었
던 나는 몇 번을 가르쳐 주어도 더덕 넝쿨 하나 찾아내질 못했고
더덕을 찾고 캐는 일은 몽땅 조병장의 몫이었습니다.

마당가에 심어 놓은 더덕 넝쿨에 올망졸망 연둣빛 꽃망울이 풍선처럼 부풀어 올랐습니다. 금명간에 초롱같은 꽃이 피어날 것입니다. 손가락으로 톡 건드리면 푸른 종소리가 날 것 같은 더덕꽃을 보면 생각나는 사람이 있습니다. 고향이 강원도 평창이었던 조병장입니다. 강산이 세 번은 바뀌었을 만큼 많은 세월이 흘렀음에도 더덕꽃이 눈에 띄면 습관처럼 말수도 적고 생김새도 강원도 감자 같이 울퉁불퉁 생긴 조병장을 떠올리곤 합니다. 우리는 그를 '조병장' 보단 '병준 아빠'로 호칭하는 걸 더 좋아했습니다.

　　그는 일찍 결혼하여 남매를 얻고 군에 입대를 했는데 그 큰 아이 이름이 병준이었습니다. 강원도 평창에서 농사도 짓고 약초도 캐다가 군에 입대한 그는 산나물이나 약초에 대해서만큼은 누구보다 박식하였습니다. 대대훈련이나 연대 합동훈련을 나가면 그는 산나물과 약초를 뜯어와 훈련에 지친 소대원들의 입맛을 돋우곤 했습니다. 그렇다고 그가 소대원들의 부식을 맡아 놓고 조달했기 때문에 더덕꽃을 보면 그가 생각나는 것은 아닙니다. 더덕꽃을 보고 그를 추억하는 버릇이 생긴 것은 그와 저는 환상의 더덕조였기 때문입니다.

　　요즘 군대에서는 절대 그럴 리가 없겠지만 내가 제복을 입고 있던 그 때만 해도 군에선 상납이란 게 횡행했습니다. 소대장은 중대장에게, 중대장은 대대장에게, 대대장은 연대장에게 하는 식으로 상납이 이루어졌는데 그 상납 품목이란 게 참으로 별나서 여름에는 정력에 그만이라는 살모사 같은 뱀, 그리고 겨울에는 더덕 같은 주로 야전에서 구할 수 있는 것들이 주종을 이루었습니다.

　　내가 더덕조로 조병장과 한 팀을 이룬 것은 중부전선의 격오지 파견을 나가 있던 겨울이었습니다. 격오지 파견이란 것이 인적 드문 곳에서 경계근무 서는 게 주 임무이다 보니 초소 근무자를 제외하면 특별히 할 일이 없는, 그때 말로 하자면 카추샤가 부럽지 않은 널널한 시절이었습니다. 그러다 보니 본부로부터 이런저런 명령이 떨어지곤 했는데 그 중에 하나가 바로 야생 더덕을 채취하여 대대본부로 보내라는 것이었습니다.

명령을 받은 소대장은 즉시 조를 짜서 더덕 채취 작전에 돌입했는데 그때 나는 농촌 출신이란 이유 하나만으로 조병장과 함께 더덕조에 편입되었습니다.

같은 촌놈이긴 해도 약초는커녕 산나물도 제대로 구분 못하던 나는 그저 자루 하나 들고 조병장 뒤만 강아지처럼 졸졸 따라다녀야 했습니다. 그해 겨울, 거의 매일이다시피 아침 식사를 마치면 조병장과 나는 야전삽과 곡괭이를 들고 산에 올라 하루 종일 더덕을 캐곤 했습니다. 눈밭에서도 조병장은 더덕을 잘도 찾아내었습니다. 하얗게 말라죽은 더덕넝쿨을 찾아내어 언 땅을 파면 몇 십 년 묵은 더덕도 쉽게 캐곤 했습니다.

조병장의 말에 의하면 더덕향은 십리를 가기 때문에 멀리서도 쉽게 찾아낼 수 있다고 했습니다. 하지만 산야초에 문외한이었던 나는 몇 번을 가르쳐 주어도 더덕 넝쿨 하나 찾아내질 못했고 더덕을 찾고 캐는 일은 몽땅 조병장의 몫이었습니다. 해도 우리는 그때 무척이나 즐거웠더랬습니다. 아침 식사만 마치면 더덕을 캐는 잠깐의 수고만 빼면 하루 종일 자유롭게 돌아다닐 수 있었으니 군에서 그보다 행복한 일이 어디 있겠습니까. 더덕을 캐러 다니며 조병장과 참 많은 이야기를 했는데 지금은 그의 소식을 알 수가 없습니다. 제대를 한 후 한 번인가 그를 찾아간 적이 있었는데 객지로 나가 있다하여 만나지 못했습니다. 더덕꽃을 보니 다시 조병장이 그립습니다.

술패랭이꽃

막걸리가 묻은 아버지의 수염처럼
술이 많은 술패랭이꽃

술패랭이 꽃을 만나면
오일장이 서는 장터에서
술 취한 아버지를 만난 것처럼 반갑다
막걸리가 묻은 아버지의 수염처럼
술이 많은 술패랭이꽃
내가 아버지! 하고 큰 소리로 부르면
엄하기만 하던 아버지는 다른 사람처럼
기분 좋게 웃으시며 천 원짜리
지폐 한 장 내 손에 쥐어주시곤 했다
술패랭이, 이 꽃을 오래 쳐다보고 있으면
하늘이 빙글빙글 돈다
아버지 얼굴이 꽃 속으로 사라졌다

자귀나무
사랑법

나무나 풀꽃마다 의미를 달아주는 것은 다름 아닌 그
나무나 풀꽃을 보는 사람의 마음일 뿐입니다. 자귀나무
로 울타리를 친다 해도 그 심은 뜻을 알지 못한다면 무
슨 소용이 있겠습니까?

간간히 뿌려대는 빗줄기를 피해 카메라를 둘러매고 자귀나무를 찾아
갔습니다. 며칠 전부터 눈여겨 봐두긴 했는데 차일피일 미루다가 더 이
상 미룰 수가 없어 비 그친 틈을 타서 찾아갔던 것입니다. 멀리서 보면
초등학교 운동회 때 부채춤을 추는 아이들이 펼쳐든 부채 같기도 하고
공작의 깃털을 닮은 것도 같은 자귀나무 분홍꽃무리는 궂은 장맛비 속
에서 만나는 작은 축복입니다.

가느다란 명주실에 분홍꽃물을 들인 것도 같고 광섬유에 불을 켠 듯
보이는 분홍실타래는 실은 꽃이 아니라 꽃의 수술입니다. 연초록의 작
은 꽃잎 위로 수많은 꽃술이 펼쳐져 꽃처럼 보이는 것입니다. 나무는
곧게 자라지 않고 이리 휘고 저리 굽어 목재로는 쓸모가 없지만 꽃 피
는 기간이 길어 예로부터 관상수로 사랑을 많이 받은 나무가 자귀나무
랍니다. 봄꽃이 질 무렵에야 잎을 피우고 녹음이 짙은 여름에야 꽃을
피우는 게으른 나무임에도 예로부터 '합환목(合歡木)'이라 하여 부부금
슬을 좋게 하는 나무로 여겨 울안에 심던 귀한 나무이기도 했습니다.

자귀나무가 이렇게 사람들로부터 후한 대접을 받은 것은 꽃보다는
저녁이 되면 서로 몸을 포개는 잎의 비밀에 있습니다. 이 나무가 해가
지면 잎을 포개는 것은 수분의 증발을 막고 해충으로부터 자신을 보호
하기 위해서라고 합니다. 부부금슬을 좋게 해주는 나무로 알려지게 된
것도 마주난 이파리가 몸을 포개면 아카시아 이파리처럼 외톨이 잎이
남는 법이 없이 모두 짝을 이루기 때문이랍니다.

분명한 것은 한 번 뿌리내리면 붙박이로 생을 마감할 때까지 제자리
를 지키는 나무들은 사람들이 어떤 의미를 부여하든 자기들만의 방식
으로 주어진 환경에 적응하며 최선을 다한다는 것입니다. 나무나 풀꽃
마다 의미를 달아주는 것은 다름 아닌 그 나무나 풀꽃을 보는 사람의
마음일 뿐입니다. 자귀나무로 울타리를 친다 해도 그 심은 뜻을 알지
못한다면 무슨 소용이 있겠습니까? 궂은 비 내려 잠 오지 않는 밤, 자
귀나무의 사랑법을 배워보는 일도 그리 나쁘진 않을 듯싶습니다.

자귀나무 송

홍해리

저녁 나절
몽롱히 취한 여자가
연분홍 실타래를 풀었다 말았다
동양을 꿈 속에 잠그고 있다.
등에 물을 끼얹으며
씻을 데 다 씻고 나서
한 사내의 넋을 불러내고 있다.

손마디 마디 녹아내린
밤 바람
어둠 속에서 달덩일 안고
죽어가듯이
풀과 하늘과 벌레를 수 놓으면서
정한 슬픔을 날리고 있다

저도 모르게 침 흘리는 사내 하나
재잘대며 숱한 새 떼를
저녁 하늘에 날리고 있다.
다 잠드는 지구 위에
이슬은 고이 나려
사랑하는 이의 꿈을 적시고
드디어 동양을 꽃피우고 있다.

석류미인

꽃보다 아름다운 열매 중의 하나가 석류라고 말하는
이도 있을 만큼 익으면 절로 터지는 석류를 보면 빨간
홍보석들이 가득 들어 있는 것 같은 것이 '사금대(沙金
袋)'라 했던 옛사람들의 말이 실감난다.

석류꽃이 피었다. '미녀는 석류를 좋아해!' 하던 계집애처럼 예쁘게 생긴 이준기의 석류음료 광고가 생각난다. 딱히 그 광고 때문만은 아니겠지만 석류를 찾는 여인들이 부쩍 늘었다.

석류 속에 여성호르몬인 에스트로겐이 다량 함유되어 있어서 피부노화도 방지하고 비만도 예방해주고 예뻐지는 데엔 만병통치약처럼 알려져 너도나도 찾는 때문이다.

꽃보다 아름다운 열매 중의 하나가 석류라고 말하는 이도 있을 만큼 익으면 절로 터지는 석류를 보면 빨간 홍보석들이 가득 들어 있는 것 같은 것이 '사금대(沙金袋)'라 했던 옛사람들의 말이 실감난다. 나는 석류꽃이 좋다. 초록의 이파리 사이사이로 피어나 여름의 뜨락을 밝히는 석류꽃을 보면 무언가 자꾸 끄적이게 된다.

바위 그늘을 나와 석류꽃 기다리듯

장석남

바위 곁에 석류나무 심었더니
바위 그늘 나와서는 우두커니 석류꽃 기다리네

장마 지나 마당 골지고
목젖 붉은 석류꽃 피어나니
바위는 웃어
천년이나 만년이나 감춰둔 웃음 웃어
內外하며 서로를 웃어
수수만년이나 아낀
웃음을 웃어

그러니까
세상에 웃음이 생겨나기 훨씬 전부터
울음도 생겨나기 이미 전부터

둘의 만남이 있었던 듯이
우리 만남도 있었던 듯이

싸리나무에게
경배를

못생긴 나무가 산을 지키는 게 아니라 싸리나무 같은
작은 나무들이 숲을 키우고 지키는 셈입니다. 이 땅을
지켜온 이들이 저 싸리나무처럼 힘없는 민초들이었던
것처럼요.

아기 노루 졸다간
옹달샘 가에
싸리꽃 향기로와
벌떼 잦은 곳

언젠가는 이 몸도
돌아가야 할
두어 평 잔디 속에
내가 묻힐 곳

아주 오래 전에 썼던 나의 졸시 〈고향〉의 일부분이다. 까맣게 잊고 있었는데 뜬금없이 이 부분이 떠오른 것은 아무래도 저 싸리꽃에게 혐의를 둘 수밖에 없습니다.

우리들의 기억이란 이렇게 오래 전에 읽은 책 속에 밑줄 그어둔 구절처럼 어느 날 갑자기 우리 앞으로 뛰어나와 당혹스럽게 만들기도 합니다.

어제는 선산에 올라 아버님 산소에 벌초를 했습니다. 며칠 전 꽃을 찾아 산에 올랐다 찾아뵌 아버님 산소에 우거진 풀을 보고 온 뒤로 마음이 편치 않았거든요. 낫을 들고 봉분에 웃자란 풀들을 베면서 유년 시절 할머니 산소를 돌보시던 아버님 생각을 했습니다. 아버지는 들로 일을 나가고 돌아오실 때마다 할머니 산소를 돌아보곤 하셨습니다. 할머니 산소 쪽에 볼 일이 없을 때에도 일부러 먼 길을 돌아서라도 산소에 다녀오시곤 했습니다. 그래서인지 할머니 산소는 언제나 잡풀 하나 없이 깔끔했습니다.

싸리꽃은 언제 보아도 그리움이 담뿍 담긴 꽃입니다. 연분홍의 꽃잎이 그렇고 수줍은 듯 가지런히 줄을 지어 피어 있는 모습이 그렇습니다. 나무라기에도 그렇고 풀이라 하기에도 애매한 숲의 들머리에 자라는 나무 같지 않은 나무가 싸리나무입니다. 숲 속의 키 큰 교목들이 제대로 자라기 위해 밖으로부터 불어오는 바람을 막아주는 숲의 경계병 같은 나무라고나 할까요?

임의(林衣)라는 말이 있지요. 바로 싸리나무처럼 숲으로 부는 거센 바람의 제일 앞에서 견디는 싸리나무 같은 떨기나무들을 가리키는 말입니다. 못생긴 나무가 산을 지키는 게 아니라 싸리나무 같은 작은 나무들이 숲을 키우고 지키는 셈입니다. 이 땅을 지켜온 이들이 저 싸리나무처럼 힘없는 민초들이었던 것처럼요.

우리가 잊지 말아야 할 것은 그 작고 보잘 것 없는 나무들도 어여쁜 꽃들을 피운다는 사실, 세상에 맑은 향기를 풀어 놓는다는 것입니다.

연분홍 고운 꽃 피운 싸리나무에게 경배라도 드리고픈 아침입니다.

달맞이꽃
피는 언덕

한 떨기 달맞이꽃으로 남은 당신을 생각하는 동안
달 없는 밤에 피는 달맞이꽃처럼 외로워졌습니다.
당신이 달맞이꽃 향기를 좋아하신다 하셨을 때
나는 달맞이꽃이 되고 싶었지요.

노란 달맞이꽃 핀
길을 따라 강으로 갔습니다.
흐린 하늘 끝으로 바람이 오고
둑길의 키 큰 풀들이 한쪽으로 몸을 눕히는 저녁
내 마음도 공연히 한쪽으로만 기울어
정처 없이 걷다보니 어느덧 강가에 이르렀습니다.
달 없이도 꽃을 피운 달맞이꽃,
그 꽃 앞에서 떠오르는 생각들이 강물 위에 파문을 지우고
나는 한 마리 물총새처럼 그 생각의 끝을 물고
저녁바람 속에 저물도록 앉아 있었습니다.

무시로 습한 바람이
갈대를 밟고 지나가는 강둑에 앉아
한 떨기 달맞이꽃으로 남은 당신을 생각하는 동안
달 없는 밤에 피는 달맞이꽃처럼 외로워졌습니다.
당신이 달맞이꽃 향기를 좋아하신다 하셨을 때
나는 달맞이꽃이 되고 싶었지요.
한 송이 노란 달맞이꽃이 되어
황금빛 향기를 그대에게 나눠주고 싶었습니다.
별도 달도 없는 캄캄한 밤에
함께 길을 가는 오랜 친구처럼
내가 지닌 향기나 조금씩 나누어 주며
그냥 당신 곁에 오래도록 머물고 싶었습니다.

아편보다
독한
양귀비의 매혹

살다보면 누구나 한 번쯤은 스스로를 던져버릴 만큼
지독한 사랑에 빠지기를 꿈꾸듯이 이따금은 꽃의 매혹
속으로 빠져들고 싶을 때가 있는데 그런 생각이 찾아
들 때 마음 주기에 딱 좋은 꽃이 양귀비꽃이 아닐까 싶
습니다.

허풍이 세기로 이름난 중국인들의 허풍을 대변할 만한 말 중에 경국지색(傾國之色)이란 말이 있습니다. 한번 돌아보면 성(城)을 위태롭게 하고 두 번 돌아보면 나라를 기울게 만들 미색이라니 뻥도 이만저만 한 뻥이 아니지만 도대체 얼마나 뛰어난 미색인지 자못 궁금해지기는 합니다. 흔히 중국 역사에 나오는 경국지색의 미모를 지녔던 여인들 중에 '서시, 초선, 왕소군, 양귀비'를 4대 미인으로 꼽는데 그 중에도 양귀비는 으뜸의 미모를 지닌 천하일색으로 꼽습니다.

춘추 말기의 월나라 미인이었던 서시는 그 모습을 본 물고기들이 헤엄치는 것도 잊을 정도여서 침어(沈魚)라는 별호를 얻었고, 왕소군은 날아가던 기러기가 그녀의 미모에 홀려 날갯짓 하는 것을 잊어 버려 낙안(落雁)이란 별칭을 얻었으며, 초선의 미모는 달님도 부끄러워 구름 뒤로 숨게 하여 폐월(閉月)이라 칭하였고 양귀비의 미모 앞에서는 꽃도 부끄러워 고개를 숙여 수화(垂花)라는 칭호를 얻었을 정도이니 뻥이 센 중국인들의 허풍을 감안하더라도 내 둔한 머리로는 선뜻 그 미모를 가늠하기 어려운 게 사실입니다.

세상에서 가장 아름다운 여인이자 꽃을 칭하는 양귀비를 만나러 포천 일동의 뷰식물원에 다녀왔습니다. 뷰식물원의 양귀비 축제는 연례행사로 찾는 곳이기도 하지만 언제 가도 양귀비의 화려함은 내 넋을 단숨에 빼앗아 버릴 만큼 매혹적입니다. 때 아닌 황사가 잔뜩 밀려든 하늘이 꽃을 찾아가는 마음에 짙은 그늘을 드리웠으나 진홍의 양귀비 꽃밭과 마주치는 순간 수심은 흔적도 없이 사라져 버리고 매혹적인 양귀비의 자태에 홀려 한나절은 족히 꽃밭에서 보냈던 것 같습니다.

세상에 피어나는 꽃치고 곱지 않은 녀석이 있을까마는 수천 평의 붉은 양귀비 꽃밭 앞에 서고나면 아무리 심지가 굳은 사람이라도 이내 마음이 흔들리고 맙니다. 살다보면 누구나 한 번쯤은 스스로를 던져버릴 만큼 지독한 사랑에 빠지기를 꿈꾸듯이 이따금은 꽃의 매혹 속으로 빠져들고 싶을 때가 있는데 그런 생각이 찾아들 때 마음 주기에 딱 좋은 꽃이 양귀비꽃이 아닐까 싶습니다.

양귀비 꽃밭 사이를 걸으며 생각합니다. 저 수백 만 송이의 양귀비꽃들의 어울림, 그 조화에 대하여. 더러는 꽃대를 곧추세우기도 하고 더러는 꽃대를 구부려 서로 어울려 피는 꽃들의 장관에 대하여. 누구에게도 상처주지 않고 누구라도 시기하지 않으며 제게 주어진 하늘만큼 꽃잎을 열어 보이는 저 욕심 없는 아름다움에 대하여. 사소한 일에도 상처 받고 상처를 주기도 하는 인간 세상에서 몇 걸음만 비켜서면 거기 고요한 아름다움의 나라가 존재함을 우리는 쉽게 잊어버리곤 합니다.

양귀비는 내 떠나온 뒤에도 피고지기를 거듭하며 짙어오는 초록의 그늘과 맞서 붉디붉은 꽃으로 세상의 하늘을 떠받치고 있을 것입니다. 마음의 병이 깊어 어쩌지도 못하는 사람들의 아린 가슴 속을 아편보다 독한 매혹적인 자태로 마비시키며 더없이 황홀하고도 평화로운 시간을 나누어 줄 것입니다. 꽃이 피는 곳이 멀지 않습니다. 앞만 보고 내달리는 경주마처럼 속도에만 익숙한 사람일지라도 잠시 길에서 비켜서서 꽃의 아름다움에 취해 보는 게 어떠실는지.

거기, 또 다른 삶의 지혜가 들어 있습니다.

봄이 올 때마다 들에는 수천 송이의 앵초가 피지만 똑같아 보이는 앵초 중의 단 한 송이만이 성문을 열 수 있는 열쇠라는 것이었습니다. 그리고 그 열쇠를 발견한 사람은 요정의 안내를 받아 성안으로 들어갈 수 있다고 했습니다.

독일의 작은 마을에 리스베스라는 소녀가 살고 있었습니다. 리스베스의 어머니는 병이나 오랫동안 앓아누워 계셨습니다.

봄이 왔습니다. 어머니는 '햇볕을 쬐며 들판을 걸어 보았으면…' 하고 바랐습니다. 걷는 것은 물론 일어날 기운조차 없어진 어머니가 쓸쓸하게 말했습니다.

"들판은 꽃으로 가득하겠구나. 얼마나 예쁠까?"

"엄마, 앵초를 꺾어 올게요. 싱그럽게 자란 앵초를 보면 금방 나을지도 몰라요."

리스베스는 들판으로 달려갔습니다. 들판은 푸르게 빛나는 하늘에서 부드럽고 따스한 햇볕이 쏟아져 마치 천국 같았습니다. 앵초는 지금 한창인 듯 아름답게 피어 있었습니다.

"분명히 멋진 꽃다발을 만들 수 있을 거야. 엄마가 얼마나 기뻐하실까?"

리스베스는 앵초를 꺾으려고 손을 뻗다가 멈추었습니다. 순간 앵초가 가여운 생각이 들었던 것입니다. 들판에 있으면 더 오랫동안 피어 있을 수 있지만, 한번 꺾이면 이삼일 안에 시들어 버릴 것입니다.

"뿌리채 뽑아 가면 돼."

리스베스에게 좋은 생각이 떠올랐습니다. 화분에 심어서 햇볕이 잘 드는 창가에 놓으면 앵초는 들에 있을 때와 마찬가지로 오랫동안 피어 있을 수 있을 것이라 생각했습니다.

조심스럽게 앵초 한 송이를 파내어 집으로 돌아가려던 리스베스는 갑자기 그 자리에 우뚝 멈춰 섰습니다. 요정이 훨훨 날아 바로 눈앞으로 내려오고 있었기 때문입니다.

"축하한다. 너는 아마도 이 세상에서 가장 운이 좋은 아이일 거야."

연녹색 날개옷이 펄럭이며 요정이 말했습니다.

"너는 지금 보물성으로 들어가는 열쇠를 찾았단다. 나를 따라 오너라."

리스베스는 고개를 갸웃거리며 요정을 따라 갔습니다. 새들이 지저귀는 수풀을 지나고 맑은 물이 가득 찬 샘물을 돌아서 요정은 깊고 깊은 숲속으로 들어갔습니다.

리스베스는 침을 삼키며 멈춰 섰습니다. 눈앞에 한 번도 본 적이 없는 아름다운 성이 나타났습니다. 커다란 나무들에 에워싸여 있는 성은 지붕도 벽도 모두 연녹색이었습니다. 높이 솟은 탑도 싱그러운 나무 빛깔이었습니다.

"요정이 지키는 성이야. 성안에는 보물들이 가득 차 있지. 성문을 여는 열쇠는 이 앵초뿐이란다."

요정은 리스베스가 안고 있는 앵초를 쳐다보았습니다.

봄이 올 때마다 들에는 수천 송이의 앵초가 피지만 똑같아 보이는 앵초 중의 단 한 송이만이 성문을 열 수 있는 열쇠라는 것이었습니다. 그리고 그 열쇠를 발견한 사람은 요정의 안내를 받아 성안으로 들어갈 수 있다고 했습니다.

보물을 차지하고 싶은 사람들은 들로 나가 앵초를 살펴보았습니다. 열쇠가 되는 단 한 송이의 앵초. 사람들은 그것을 단 한번 만에 찾아내야 했던 것입니다.

"너는 단 한번 만에 단 한 송이의 앵초 열쇠를 얻은 거야. 아마 마음씨 착한 리스베스에게 하느님이 주신 선물일 거야."

리스베스의 손에 꼭 쥐어 있는 앵초의 뿌리에는 겨자씨만한 금별이 반짝반짝 빛나고 있었습니다. 그것이 보물성의 열쇠라는 표시였습니다.

연녹색 성문에 앵초를 댄 순간 조용히 문이 열렸습니다. 성안은 온통 보석 천지였습니다. 온갖 보석이 산처럼 쌓여 있었습니다.

"서둘러, 리스베스. 행운을 놓쳐서는 안 돼. 문은 금방 닫힐 거야. 다음번에 문이 열리려면 일 년 후가 될지, 십 년 후가 될 지, 아니면 백 년 후가 될지 아무도 몰라. 이대로 갇히면 보석더미에 싸여 죽게 될 뿐이야. 백 년 전쯤에 행운을 잡았던 한 남자는 내 말을 듣지 않다가 그대로 갇히고 말았어. 그 남자의 뼈가 성안 어딘가에 남아 있을 거야."

요정의 말대로 보물성의 문이 열려 있는 것은 잠깐이었습니다. 요정은 잡히는 대로 보석을 주머니에 집어넣고는 리스베스의 손을 끌고 얼른 성 밖으로 나왔습니다. 그리고 리스베스가 미처 고맙다는 인사를 하기도 전에 요정도 보물성도 사라지고 말았습니다.

보석과 앵초를 갖고 리스베스는 집으로 돌아왔습니다. 꽃을 본 어머니는 행복해 했습니다. 보석 덕분에 어머니는 병원 치료를 받을 수가 있었습니다. 완전히 기운을 차린 어머니가 리스베스에게 말했습니다.

"내 병이 나은 것은 보석 때문이 아니야. 앵초를 캐 온 우리 리스베스의 정성 때문이지. 병과 싸울 힘을 네가 주었기 때문이란다."

리스베스는 평생을 행복하게 살았지만, 두 번 다시 앵초 열쇠를 발견하지는 못했습니다.

양지꽃 아버지

우리가 모르고 지나치는 순간에도 어딘가에서
제 나름으로 최선을 다해 피는 꽃이 있다는 것
만은 잊지 말아야 합니다. 목숨 지닌 것들이 피
워내는 꽃은 모두 눈물겹기에.

개나리 진달래는 그렇다 치고 백목련, 자목련도 만개했고 살구꽃 앵두꽃, 벚꽃까지 봄들판에 들불 번지듯 한꺼번에 화르륵 피어 세상이 온통 꽃대궐인데 이제 꽃샘바람의 기억쯤은 추억으로 돌려도 될까요? 하릴없이 지난 화첩을 뒤적이다가 노란 양지꽃을 보는 순간 가슴이 짠해 졌습니다. 겨울 빛이 고스란히 남아 있던 선산에 올랐다가 아버지 무덤 가에서 만났던 꽃입니다. 아직은 바람 끝이 매워서 꽃눈을 닫은 나무들 과는 달리 마른 잔디 위로 노란 다섯 장의 꽃잎을 펼쳐든 그 꽃 앞에서 나는 생의 지난함에 대해 잠시 생각했습니다. 세상 속으로 꽃 한 송이 피워내는 일이란 얼마나 지극한 일이던가.

아버지께서 선산에 누우신지 벌써 7년, 여든 일곱 해의 고단한 생을 접으실 때까지 농사밖에 모르셨던 나의 아버지는 단 한 번도 세상에 보란 듯이 꽃 한 송이 피워본 적 없는 자신의 삶을 늘 아쉬워 하셨습니다. 가족들을 마음껏 호강시켜준 적도 없고 자식들에게 많은 재산을 물려주지도 못하는 것에 대해 미안해 하셨습니다. 땅은 거짓말을 하지 않는다, 콩 심은데 콩 나고 팥 심은데 팥 나는 법이라며 한 눈 한 번 팔지 않고 오직 농사밖에 모르셨던 아버지는 천상 농부셨습니다.

양지꽃 앞에 무릎을 꿇으며 나는 잠시 아버지의 꽃시절을 떠올려 보았습니다. 쉽게 기억해낼 수 없는 아버지의 빛나는 순간들을 생각하는 동안에도 노란 양지꽃은 연신 바람에 몸을 떨어댔습니다. 벚나무나 목련 같은 키 큰 나무들처럼 느긋하게 봄을 기다렸다가 꽃을 피우지 못하고 찬바람 속에 서둘러 꽃을 피우는 식물들은 작고 보잘 것 없는 한해살이풀들이 대부분입니다. 화창한 봄날에 꽃을 피우는 것이 좋은 줄 몰라서가 아니라 백화가 만발하는 호시절에 꽃을 피웠다가는 화려한 꽃들에 묻혀 자신의 존재를 드러낼 수 없기 때문에 서둘러 찬바람 끝에 꽃을 내어 놓는 것이라 합니다. 그 까닭을 안 뒤로는 이른 봄에 피어나는 꽃들을 보면 가슴이 짠해지곤 합니다. 어쩌면 나의 아버지도 저 작은 양지꽃처럼 내가 기억할 수 없는 생의 이른 봄날, 서둘러 꽃을 피우셨던 것은 아닐까?

눈만 뜨면 천지간에 가득한 꽃들로 눈부신데 굳이 작은 꽃을 찾아보는 일은 쉽지 않습니다. 딱히 그래야만 할 이유도 없습니다. 우리가 눈길을 주건 안주건 작은 꽃들은 작은 꽃대로, 커다란 꽃은 커다란 꽃대로 제가 지닌 화려함을 한껏 뽐내며 제가 지닌 향기로 허공을 채우려 할 것입니다. 다만 우리가 모르고 지나치는 순간에도 어딘가에서 제 나름으로 최선을 다해 피는 꽃이 있다는 것만은 잊지 말아야 합니다. 목숨 지닌 것들이 피워내는 꽃은 모두 눈물겹기에.

떠나가는
것들을
위하여

민들레는 민들레대로
도깨비바늘은 도깨비바늘대로
사철나무는 사철나무대로
또 다른 세상을 그리며 떠나감을 준비합니다.

시절이 깊으면
바람도 길어지는가
갈빛 들판엔
떠나가는 것들의
마지막 춤사위가 눈부시다

나를
데려가 주세요
당신이 가는 곳이면
그 곳이 어디라도 상관없어요
비옥한 터가 아니어도
괜찮아요
또 한 세상
환하게 꽃 피울 수 있다면
당신의 하늘을 우러르고 싶어요

한 번만
나를 스쳐 지나가세요
당신의 잊혀지지 않는
인연이 되어 드리겠습니다
혹시라도 나의 뾰족한
바늘일랑 두려워 마세요
당신을 놓치고 싶지 않은
내 간절한 마음이에요
꿈은
이루었을 때보다
꿈꾸는 동안이 더 행복하다는

당신의 말씀
바람을 타고
세상을 건너는 동안에도
잊지 않을 게요

사시사철
푸른 잎으로 산다고
홍옥처럼 붉은
꿈도 꾸면 안 되나요
달디 단 내 사랑을
당신께만 드리고 싶어요
내 붉은 사랑으로
먹어도먹어도 허천나는
당신의 허기를 채워 드릴게요
내가 없다면
누가 바람의 존재를 일러주랴
흐린 허공을 쓸고 있는
갈대의 독백이 빈 들판에 흩어집니다.
민들레는 민들레대로
도깨비바늘은 도깨비바늘대로
사철나무는 사철나무대로
또 다른 세상을 그리며 떠나감을 준비합니다.
풀씨들의 말을 받아 적는 동안
나도 바람과 한 몸이 되어
세상의 어딘가로 떠나고 싶어졌습니다.

제 5 장

그리움 편지

그리움이
꽃을 피운다
- 할미꽃

우리는 그 작은 꽃 앞에 앉아 그리운 사람을 추억
할 것입니다. 꽃을 피우는 것은 바람도 아닌, 햇볕
도 아닌 그대 가슴에 품은 그리움입니다.

12월의 달력 한 장의 무게는 지난 열 한 달의 무게와 같다는 말이 가슴에 와 닿는 한 해의 끝 자락입니다. 어제는 구세군의 종소리가 울려 퍼지는 시내로 나가 탁상용 야생화 캘린더를 하나 샀습니다. 365장의 야생화가 들어 있는 새 캘린더를 책상에 올려 놓으며 새로 받을 나의 삼백 예순 날도 꽃처럼 피어 향기롭기를 빌었습니다.

살이에 부대끼느라 놓치고 산 인연들, 부르지 못한 이름들이 별처럼 돌아오는 12월엔 꽃으로 기억되는 사람들이 그리움으로 피어납니다. 이름 부르는 것만으로도 가슴이 뜨거워지는 요즘, 지금 그대는 누가 가장 그리우신가요?

오늘 그대에게 보여드릴 꽃은 '할미꽃'입니다.

손녀딸을 찾아가다 눈 속에서 얼어 죽은 할머니의 슬픈 사연을 담고 있는 할미꽃은 휘어진 꽃대와 꽃이 진 뒤 열매를 덮고 있는 흰색 털이 할머니의 흰 머리카락을 닮았다 하여 '노고초(老姑草), 또는 백두옹(白頭翁)'으로도 불리는 우리의 꽃입니다. 미나리 아재비과에 속하는 여러해 살이 풀인 할미꽃은 약 30여 종이 동아시아와 유럽 지역에 자생하고 있습니다. 우리나라에는 가는잎할미꽃, 분홍할미꽃, 산할미꽃, 노랑할미꽃, 동강할미꽃 등이 있는데 4,5월경에 꽃을 피웁니다.

위의 할미꽃은 지난 봄 할머니 산소 앞에서 만난 할미꽃입니다. 내가 중학교 2학년 겨울방학 때 세상을 떠나신 할머니는 제겐 더없이 자상하고 인자하신 분이셨습니다. 삭풍이 문풍지를 울리고 가는 겨울밤에 화롯가에 앉아 할머니의 옛날이야기를 들으며 구워주시는 군밤을 받아 먹던 일은 지금도 따스한 기억으로 남아 있습니다.

할미꽃이 무덤가에 많이 피는 까닭은 볕을 좋아하고 알카리성 토양을 좋아하는 할미꽃의 특성 때문이라고 합니다. 장례를 치를 때 사용하는 석회석이 토양을 알칼리성으로 바꾸어 놓아 할미꽃의 서식지로 적합한 환경이 된 것이지요.

봄이 오고 이 땅에 다시 꽃바람이 불기 시작하면 할머니 무덤가엔 또 어김없이 할미꽃이 필 것입니다. 그리고 우리는 그 작은 꽃 앞에 앉아 그리운 사람을 추억할 것입니다. 꽃을 피우는 것은 바람도 아닌, 햇볕도 아닌 그대 가슴에 품은 그리움입니다.

북풍이 성가신 겨울의 중심에서 꺼내 보인 할미꽃이 그대를 잠시나마 행복한 추억 속으로 인도하길 빌며 노랑할미꽃과 동강할미꽃을 동봉합니다.

노란 산국(山菊)
같은 당신

한 떨기 꽃으로
가을 숲을 가득 채우는 노란 산국처럼
온통 나를 채우던 당신
내 그리움이
산국 향기를 닮은 까닭을 이제야 알겠습니다.

호젓한 산길을 걷다가
노란 산국 한 떨기 만나면
당신 본 듯 가슴이 뜁니다.
꽃 앞에 가만히 앉아
깊은 들숨으로 그 향기 맡으면
당신의 은은한 향기 같아
나도 모르게 스르르 눈이 감깁니다.
한 떨기 꽃으로
가을 숲을 가득 채우는 노란 산국처럼
온통 나를 채우던 당신
내 그리움이
산국 향기를 닮은 까닭을 이제야 알겠습니다.

어제 산길에서
노란 산국 한 떨기를 만났습니다.
그 노란 꽃무지 앞에서 당신을 생각했습니다.
자잘한 꽃송이들이 뿜어내는 그 향기가 얼마나 짙고 그윽한지
잠시잠깐 꽃 앞에 앉아 있었을 뿐인데도 어느새 어질머리 돌고
생각은 머언 먼 추억의 지난 시간 속으로 내달았습니다.
노란 산국의 향기가 가을 숲을 가득 채우고
그 향기를 따라온 산벌들의 날갯짓에
숲에선 시나브로 낙엽이 져 내렸습니다.

내 그리움의 향기를 닮은 꽃.
산국 한 다발 당신에게 전합니다.
당신의 가을이 향기롭고 그윽하길 빕니다.

제비꽃,
그 보랏빛 그리움에
혹(惑)하다

손톱만한 제비꽃들이 저렇게 꽃들판을 이루어 보란 듯이
피듯 감추고 감춘 우리의 그리움도 어느 굽이에선가 보
랏빛 꽃무지로 피어날 것입니다.

유년의 기억 속 가래질 끝낸 논두렁을 따라 걷다가 무심코 발밑에 으깨어진 제비꽃을 발견하곤 돌아오는 길 내내 절로 뒤꿈치가 들리던 기억이 있습니다.

고래논 가래밥을 받아 넘기고도 기어코 살아남아 꽃을 피운 질긴 목숨을 한순간 부주의로 무참히 밟아버린 죄 때문에 찬바람 속 제비꽃처럼 몸이 떨려오던 때가 있었습니다.

먼 산 진달래 산벚꽃이 눈길을 잡아끌어도 자꾸만 발밑이 불안해져서 구두코만 보고 걷던 시절이 있었습니다.

세상에 혹(惑)할 일 하나 없는 불혹을 지나 하늘의 뜻마저도 알듯말듯한 지천명의 세월을 건너는 내겐 작은 설렘도 없고, 가슴 또한 두근거리지 않습니다. 오래도록 만나지 못한 당신이 아주 그립지 않은 것은 아니나 빈 방에 군불 넣듯 외로움에 불을 지피면 그리움쯤은 한 시절 둘둘 말아 베고 누울 만큼 여유가 생겼습니다. 더 이상 가슴이 설레지 않는다는 것이 조금은 나를 쓸쓸하게 하지만 그 쓸쓸함을 순순히 받아들일 가슴도 지녔습니다.

지난 봄, 산을 오르다가 보랏빛 제비꽃무지를 만났습니다. 바위처럼 굳어진 가슴이 한순간 출렁이면서 봄 햇살 사이로 잉크 빛 그리움이 낭자해졌습니다.

꾹꾹 눌러 참았던 그리움이 봇물처럼 터져 나와 나를 흥건히 적시고 스스로 길을 내어 당신에게로 흘렀습니다. '지금은 간신히 아무도 그립지 않을 무렵'이란 애시당초 존재하지 않는다는 걸 이제야 알겠습니다.

손톱만한 제비꽃들이 저렇게 꽃들판을 이루어 보란 듯이 피듯 감추고 감춘 우리의 그리움도 어느 굽이에선가 보랏빛 꽃무지로 피어날 것입니다.

제비꽃이 피었습니다

제 아무리 볕이 좋아도
아직은 꽃샘바람 매운 봄의 들머리
집에 벗어두고 온 겨울 외투 생각
간절하다
고개 빳빳이 들고
봄의 중심을 향해 내닫고 싶은데
움츠러든 어깨
좀처럼 펴지질 않는다
따뜻한 아랫목이 여전히 그리운 나는
집을 향해 발길을 서두르는데
보랏빛 제비꽃
눈길 한 번 주는 법 없이
깊은 생각에 잠겨 있다

높이 나는 새가 멀리 볼 수 있단다
선생님이 말씀하셨다
사내는 울타리 밑을 돌아도 밖에서 돌아야 하느니
아버님이 말씀하셨다
몸 상하지 않으려면 발밑을 잘 살펴야 한다
어머님이 말씀하셨다
앉은뱅이 제비꽃
해종일 제 발밑만 살피고 있다

능소화 편지

함께 누우면 언제나 나는
당신에게 말하곤 했지요.
"여보, 다른 사람들도 우리처럼
서로 어여삐 여기고 사랑할까요?
남들도 정말 우리 같을까요"

다시 능소화 피는 계절이 왔습니다. 노을빛을 닮은 능소화가 휘늘 어진 골목길을 돌아 나오며 문득 당신에게 편지를 쓰고 싶어졌습니다. 어찌하여 우리는 염천을 능멸하듯 담장을 타고 오르며 조금의 지친 기색도 없이 눈 멀도록 부시게 피어나는 능소화처럼 사랑할 수 없는 것일까?

사백여 년 전에 자신의 머리를 잘라 사랑하는 사람의 미투리를 삼았던 그 여인처럼 뜨겁게 사랑할 수는 없는 것인지.

생각이 많아지는 밤, 편지는 쓰여지지 않고 능소화 꽃담장 아래 털푸덕 주저앉아 떨어진 꽃 한 송이 주워 들고 가만히 불러보는 당신, 어느 시인이 그랬던가요?

불러보는 이름만으로도
이렇게 가슴이 뜨겁고 아플 수 있다니!

원이 아버지께

당신 언제나 나에게
'둘이 머리 희어지도록 살다가 함께 죽자.'고 하셨지요.

그런데 어찌 나를 두고 당신 먼저 가십니까?
나와 어린 아이는 누구의 말을 듣고 어떻게
살라고 다 버리고 당신 먼저 가십니까?

당신 나에게 어떻게 마음을 가져왔고,
나는 당신에게 어떻게 마음을 가져왔었나요?

함께 누우면 언제나 나는
당신에게 말하곤 했지요.

"여보, 다른 사람들도 우리처럼
서로 어여삐 여기고 사랑할까요?
남들도 정말 우리 같을까요"

어찌 그런 일들 생각하지도 않고
나를 버리고 먼저 가시는 가요.

당신을 여의고는 아무리 해도
나는 살 수 없어요.
빨리 당신에게 가고 싶어요.
나를 데려가 주세요.

당신을 향한 마음을 이승에서
잊을 수 없고, 서러운 뜻 한이 없습니다.

내 마음 어디에 두고
자식 데리고 당신을 그리워하며
살 수 있을까 생각합니다.

이내 편지 보시고 내 꿈에 와서
자세히 말해 주세요.

당신 말을 자세히 듣고 싶어서
이렇게 글을 써서 넣어 드립니다.
자세히 보시고 나에게 말해 주세요.

당신 내 뱃속의 자식 낳으면
보고 말할 것 있다 하고 그렇게 가시니,
뱃속의 자식 낳으면 누구를 아버지라
하라시는 거지요?

아무리 한들 내 마음 같겠습니까?
이런 슬픈 일이 또 있겠습니까?

당신은 한갓 그 곳에 가 계실 뿐이지만,
아무리 한들 내 마음 같이 서럽겠습니까?
한도 없고 끝도 없어 다 못 쓰고 대강만 적습니다.

이 편지 자세히 보시고 내 꿈에 와서
당신 모습 자세히 보여 주시고

또 말해 주세요.
나는 꿈에는 당신을 볼 수
있다고 믿고 있습니다.

몰래 와서 보여 주세요
하고 싶은 말, 끝이 없어 이만 적습니다.

이 글은 1998년 안동시 한 야산에서 택지개발 중 무덤에서 발견된 한글편지로 원이 엄마가 31세의 나이로
요절한 남편 이용태를 그리며 쓴 것이다.

살구꽃
필 때

네가 마지막 심을 쓰는 구나. 그 동안 애 많이 썼다. 그땐 그 말씀이 무슨 뜻인지 몰라 고개를 갸웃거렸었는데 살구 나무는 노란 살구를 모두 떨군 뒤 가지 끝부터 이파리가 시들시들 해 지는가 싶더니 그 해를 넘기지 못하고 이내 말라 죽고 말았습니다.

살구꽃

안도현

내 마음 이렇게 어두워도
그대 생각이 나는 것은
그대가 이 봄밤 어느 마당가에
한 그루 살구나무로 서서
살구꽃을, 살구꽃을 피워내고 있기 때문이다
나하고 그대하고만 아는
작은 불빛을 자꾸 깜박거리고 있기 때문이다

내 고향 옛집엔 늙은 살구나무 한
그루가 뒤란을 지키고 서 있었지요.
가지가 휘어지도록 노란 살구를 주렁
주렁 달고 서 있는 모습도 아름답지
만 나른한 봄날 연분홍 꽃잎을 가득
피어 달고 있는 모습은 정말 눈이 부
실 지경이지요.

어느 해 봄이었던가. 그 해에도 살구나무는 여느 때처럼 가지마다 환
한 꽃등을 가득 켜 들고 봄날 다 가도록 곱기만 했더랬습니다. 그 해엔
유난히도 살구가 많이 달려서 나는 내심 흡족하기만 했는데 아버지는
살구나무 수피를 쓰다듬으시며 살가운 벗에게 말을 건네듯 이렇게 말
씀 하셨습니다. "네가 마지막 심을 쓰는 구나. 그 동안 애 많이 썼다."

그땐 그 말씀이 무슨 뜻인지 몰라 고개를 갸웃거렸는데 살구나무는
노란 살구를 모두 떨군 뒤 가지 끝부터 이파리가 시들시들해 지는가
싶더니 그 해를 넘기지 못하고 이내 말라 죽고 말았습니다.

제게 주어진 이승의 시간이 얼마 남지 않았음을 알고 유난히 열매를
많이 맺었던 살구나무나, 나무가 혼신의 힘을 다해 열매를 맺는 것을
알아차리고 그 동안의 수고에 대해 인사를 건넨 아버지의 모습은 오랜
시간이 흘렀음에도 잊혀지지 않습니다.

쥘부채
속의
나리꽃

나리꽃을 보다가 문득 떠오른 이야기가 내어 주는 상상의 길을 따라
가며 꽃 속에, 나비 속에 깨알 같은 글씨로 염원을 적어 놓은 소설 속
의 여인처럼 남모르는 비원(悲願)을 가슴에 묻고 사는 수많은 사람들을
생각해 보았습니다.

오늘 산에서 만난 호랑반점의 나리꽃입니다. 무덤가 양지 바른 언덕에 홀로 서서 적황색의 꽃잎을 바짝 뒤로 젖히고 꽃술을 달고 피어 있는 어여쁜 나리꽃을 열심히 카메라에 담는데 어디선가 호랑나비 한 마리 날아와 꽃 위를 맴돌다 이내 언덕 너머로 날아가 버렸습니다. 저 붉은 나리꽃 위에 나비가 앉아 있어주면 더없이 멋진 그림이 될 것 같았는데 그런 나의 바람은 아랑곳하지 않고 날아가 버린 나비를 야속해하다가 문득 이병주의 〈쥘부채〉란 소설 속의 나리꽃이 생각났습니다.

'나는 죽어 꽃이 될테니 당신은 죽어 나비가 되어 오라'는 염원을 쥘부채 속에 그려 넣은 여인의 비극적인 사랑을 그린 이병주의 단편소설 〈쥘부채〉의 줄거리를 헤아리다가 지금 내가 바라보는 꽃이 그 소설 속 여인인 것 같은 생각도 들고 조금 전 꽃 위를 맴돌다 언덕 너머로 날아가 버린 호랑나비는 혹시 여인이 그리워하던 그 남자는 아니었을까 하는 엉뚱한 상상에 잠시 잠겨도 보았습니다.

소설 속에 나오는 청실과 홍실, 검은 실 대신 머리칼로 꼰 검은색 술이 달린 쥘부채를 펴면 나리꽃에 머리를 반쯤 묻고 있는 나비가 그려져 있고, 꽃과 나비 날개에는 각각 남녀의 이니셜이 깨알만 하게 새겨져 있습니다. 1950년 6.25가 발발하던 해, 비상조치법 위반으로 잡혀들어가 수형생활을 하면서 이승에서 다하지 못한 사랑을 저승에 가서라도 이어가고픈 한 여인의 염원으로 만들어진 부채였던 것입니다. 작가가 쥘부채를 통해 말하고자 한 것은 무엇이었을까요?

그리고 보니 오늘이 바로 6.25 전쟁 기념일이군요. '아아, 잊으랴. 어찌 우리 그날을.' 하던 초등학교 때 배웠던 6.25 노래도 얼핏 생각납니다. 금강산에선 반세기를 넘어 남북 이산가족 상봉행사가 열리기도 한 오늘, 나리꽃을 보다가 문득 떠오른 이야기가 내어 주는 상상의 길을 따라가며 꽃 속에, 나비 속에 깨알 같은 글씨로 염원을 적어 놓은 소설 속의 여인처럼 남모르는 비원(悲願)을 가슴에 묻고 사는 수많은 사람들을 생각해 보았습니다.

눈이 오면
생각나는
- 동자꽃

초록의 기세에 조금도 주눅 들지 않고
여름 숲에 당당히 붉은 점 하나 찍고
있는 동자꽃을 보며 나도 세상 속으로
꽃 한 송이 피우고 싶단 생각을 했드랬
습니다.

눈 내린 아침. 온 산에 하얀 눈꽃을 보니 오세암의 슬픈 이야기가 내 기억 속에서 리플레이 됩니다. 그리고 그 전설 속의 동자꽃을 습관처럼 떠올렸습니다.

지난 여름, 바위 섶 산길에서 붉은 동자꽃을 만났습니다. 녹음 우거진 여름 숲에 홀로 붉은 점을 찍고 있는 이 녀석과 처음 마주쳤을 때 왕안석의 만록총중홍일점(萬綠叢中紅一點)이란 싯귀를 잠시 생각했던 것 같습니다. 봄꽃들이 한바탕 잔치를 벌이듯 온 산천을 희고 붉게 물들이고 물러간 뒤 초록 그늘은 깊어질 대로 깊어져 꽃빛이 아쉬운 여름 숲에 붉은 점을 찍는 동자꽃은 꽃잠 자고 난 새악시의 이불 홑청에 남은 선명한 핏자국처럼 보는 이의 마음을 흔들어 놓았습니다.

암자에 홀로 남아 스님을 기다리다 죽은 동자의 넋이 꽃으로 피었다는 슬픈 전설 때문인지 동자꽃은 여느 꽃처럼 무연히 바라볼 수 없는 꽃이기도 합니다. 언젠가 함께 보았던 애니메이션 영화 〈오세암〉을 떠올리며 동자꽃을 바라보다가 그대가 했던 말이 생각나서 잠시 추억에 잠겼던 것도 같습니다.

다섯 살 길손이를 암자에 홀로 남겨두고 마을로 탁발을 하러가는 스님을 보고 그대는 매우 흥분된 어조로 그렇게 말했었지요.

"저건 분명한 어린이 유기라고. 어떻게 어린애를 홀로 남겨두고 산을 내려갈 수 있느냐고."

그때 나는 아이가 혼자 남아 겪게 될 두려움과 외로움의 크기를 가늠하느라 거기까진 미처 생각지 못했었는데 같은 영화를 보면서도 이렇게 생각이 다를 수도 있다는 게 놀랍고도 신기했습니다. 그것은 분명 깨달음이었습니다.

꽃을 보는 일도 그와 별반 다르지 않습니다. 내가 들꽃 한송이에 가슴이 먹먹해져서 감정을 추스리느라 잠시 말을 잇지 못할 때 내 곁의 다른 이는 별스럽지 않다는 듯 무심히 그 꽃을 스쳐 지나갈 수도 있으니까요. 우리의 옛 어머니들은 딸자식을 시집보낼 때 아흔 아홉 가지 나물과 약초를 가르쳐 보냈다고 합니다. 먹을거리나 약이 넉넉지 못했던 옛날엔 그렇게 어머니에게 배워 간 나물과 약초는 시집살이에 요긴한 지식이 되었을 것입니다. 그래서인지 우리의 꽃 이름들 중엔 동자꽃처럼 슬픈 전설을 간직한 꽃도 있지만 먹거리에 관련된 이름들이 많습니다.

유월의 따가운 햇살을 피해 계곡을 찾아 들었다가 우연히 마주친 동자꽃, 동자꽃도 제법 종류가 많은 편인데 여기에 올린 동자꽃은 털동자꽃입니다. 그 슬픈 전설과는 무관하게 초록의 기세에 조금도 주눅 들지 않고 여름 숲에 당당히 붉은 점 하나 찍고 있는 동자꽃을 보며 나도 세상 속으로 꽃 한 송이 피우고 싶단 생각을 했더랬습니다.

온 세상이 흰빛으로 빛나는 이 순은의 아침, 눈꽃보다 더 찬란한 꽃을 가슴에 품었을 그대가 그립습니다.

백련의
향기를
그대에게

지금껏 꽃은 보는 대상으로만 생각했던 나의 굳어진 생각들이 한순간 말랑말랑해지면서 베 납작해졌던 감성의 촉수들이 일제히 소스라쳐 일어서는 것이었습니다.

한 이틀 앓고 났더니 저만치 물러나 앉았던 꽃 생각이 다시 간절해졌습니다. 이른 새벽, 서둘러 광릉수목원 숲길을 달려 봉선사 연꽃을 만나러 갔습니다.

　울울창창 늘어선 전나무 가지들을 통과하느라 잘게 부서진 빛가루들이 내려앉은 길 위로 바람은 끊임없이 꽃향기, 나무 향기를 실어 나르고 나는 그 알 수 없는 향기를 따라가며 저 숲길 끝에 있을 봉선사 연꽃 방죽이 부쩍 궁금해졌습니다.

　아직 꽃은 보지도 못하였는데 맑고 그윽한 연꽃의 향기가 내 몸 속으로 들어와 번지는 바람에 한순간 그만 그윽해지고 말았던 것인데 수면 위로 연꽃잎이 내려앉듯 어디서 날아왔는지 흰 나비 한 마리 내 어깨 위에 내려앉는 몸짓을 하더니 이내 연꽃 방죽을 향해 너울너울 허공을 건너가는 것이었습니다.

　꽃잎 속에 숨겨 놓은 등불이라도 있는 것처럼 볼수록 부셔오는 백련의 고운 자태에 눈꼬리는 점점 가늘어지는데 푼수 없는 코는 자꾸만 벌름거리며 조금씩 평수를 넓히는 바람에 난 두 눈을 질끈 감을 수밖에 없었습니다. 지금껏 꽃은 보는 대상으로만 생각했던 나의 굳어진 생각들이 한순간 말랑말랑해지면서 내 납작해졌던 감성의 촉수들이 일제히 소스라쳐 일어서는 것이었습니다. 그제야 곤하기만 한 이승살이에 무디어진 오감이 서서히 살아나며 비로소 연꽃이 내 안에서 다시 피기 시작했습니다.

아아,
으악새 슬피 우니

젊은 날의 혈기나 객기도 비껴간 인생의 오후 두 시, 내 남은 삶이 억새꽃을 닮았으면 하는 소망과 함께 날선 욕망도 모난 마음도 둥글고 부드러워져 불어오는 바람을 온몸으로 받아 안고 춤을 추는 억새처럼 아름다워져야겠단 마음 속 다짐을 하게 합니다.

그대.

민둥산에 가신 적이 있으신지요. 바람 좋고 하늘 맑은 가을날 구릉마다 억새꽃 하얗게 하얗게 피어 은빛물결로 출렁이는 바람의 신전, 강원도 정선의 민둥산에 가 보신 적이 있으신지요. 갈빛 짙어져 노을에 젖은 산마을을 지날 때, 추수 끝난 들판을 가로지르는 강이 있는 풍경 속을 걸어갈 때 아이를 부르는 엄마처럼 부드럽게 손짓하는 억새꽃을 본적이 있으신지요.

다투듯 피어나는 철부지 봄꽃 들판을 지나 염천의 하늘조차 서늘케 하는 능소화 뚝뚝 지는 마을을 돌아, 새벽마다 무서리 내려앉는 바람찬 언덕에 노란 산국이 피기까지 원색의 꽃빛만 숨 가쁘게 따라가던 우리의 발길을 문득 멈추게 하는 무채색의 아름다운 억새의 하얀 영혼을 만나신 적이 있으신지요.

언제부터인가 나의 가을 속으로 흰 억새꽃이 자리하기 시작했습니다. 억새는 벼과에 속하는 여러해살이풀로 가을이면 계절의 정취를 더해주는 은빛의 멋스러운 꽃을 피우지만 부끄럽게도 억새꽃을 꽃으로 생각하기 시작한 건 근래의 일입니다. 산골에서 자란 까닭에 대문만 나서면 마주치는 흔하디흔한 게 억새였지만 억새는 소먹이 외에는 한낱 잡초에 지나지 않았으므로 불행히도 내 유년의 기억 속에 억새꽃은 들어 있지 않습니다.

억새는 이름만큼이나 억세고 환경적응력도 뛰어나서 어디에서나 잘 자라고 여름이 깊어지면 잎은 한껏 억세져서 억새수풀 사이로 산행을 하다보면 손을 베이기 다반사입니다. 흐린 기억을 더듬어 보니 내가 처음으로 억새꽃의 장관과 마주한 것은 강원도 철원에서 철책 근무를 하던 때였던 것 같습니다. 비무장지대 안은 해마다 늦가을이면 사계 확보를 위해 일부러 불을 놓아 키를 넘게 자란 억새를 모조리 태우곤 합니다. 그 불을 놓기 전, 비무장지대를 가득 채우던 억새꽃의 은빛 물결은 이십 수 년이 지난 지금도 잊히지 않는 아름다운 풍경으로 남아 있습니다.

억새꽃이 나의 가을 속에 자리 잡기 시작하면서 이마를 치고 가던 작은 깨달음, 그것은 사람도 나이 들수록 부드러워져야 한다는 것이었습니다. 젊은 날의 혈기나 객기도 비껴간 인생의 오후 두 시, 내 남은 삶이 억새꽃을 닮았으면 하는 소망과 함께 날선 욕망도 모난 마음도 둥글고 부드러워져 불어오는 바람을 온몸으로 받아 안고 춤을 추는 억새처럼 아름다워져야겠단 마음 속 다짐을 하게 합니다.

오늘은 어떤 꽃에 마음을 빼앗기셨는지요?

민둥산

김선우

세상에서 얻은 이름이라는 게 헛묘 한 채인 줄

진즉에 알아챈 강원도 민둥산에 들어

윗도리를 벗어 올렸다 참 바람 맑아서

민둥한 산 정상에 수직은 없고

구릉으로 구릉으로만 번져있는 억새밭

육탈한 혼처럼 천지사방 나부껴오는 바람 속에

오래도록 알몸의 유목을 꿈꾸던 빗장뼈가 열렸다

환해진 젖꽃판 위로 구름족의 아이들 몇이 내려와

어리고 착한 입술을 내밀었고

인적 드문 초겨울 마른 억새밭

한기 속에 아랫도리마저 벗어던진 채

구름족의 아이들을 양팔로 안고

억새밭 공중정원을 걸었다 몇 번의 생이

무심히 바람을 몰고 지나갔고 가벼워라 마른 억새꽃

반짝이는 실비늘이 첫눈처럼 몸 속으로 떨어졌다

바람의 혀가 아찔한 허리 아래를 지나

깊은 계곡을 핥으며 억새풀 홀씨를 물어 올린다 몸속에서

바람과 관계할 수 있다니!

몸을 눕혀 저마다 다른 체위로 관계하는 겨울 풀들

풀뿌리에 매달려 둥지를 튼 벌레집과 햇살과

그 모든 관계하는 것들의 알몸이 바람 속에서 환했다

더러 상처를 모신 바람도 불어왔으므로

햇살의 산통은 천 년 전처럼

그늘 쪽으로 다리를 벌린 채였다

세상이 처음 있을 적 신(神)께서 관계하신

알 수 없는 무엇인가도 내 허벅지 위의 햇살처럼
알몸이었음을 알겠다 무성한 억새 줄기를 헤치며
민둥한 등뼈를 따라 알몸의 그대가 나부껴 온다
그대를 맞는 내 몸이 오늘 신전이다

* '헛무덤'이라고도 하며, 시신 없이 쓰는 무덤

엄마와
맨드라미

여느 꽃처럼 꽃잎을 떨구는 법도 없이 올해도 맨드라미
는 선 채로 서리를 맞고 시들 때까지 우리집 화단을 마지
막까지 지키고 서 있을 것입니다.

요즘 집집마다 맨드라미가 한창입니다. 여름의 마지막을 장식하듯 붉은 핏빛으로 피어나는 저 맨드라미를 보면 나도 모르게 흥얼거리게 되는 노래가 있는데 다름 아닌 〈비 내리는 고모령〉이란 흘러간 옛노래입니다. '어머님의 손을 놓고 돌아설 때'나 '맨드라미 피고지고 몇 해이던가'하는 노랫말이 가슴을 저며 와서 처음 객지 생활을 시작하던 무렵 자주 불렀던 기억이 고스란히 남아 있는 탓인지도 모르겠습니다.

가난이 덕이 부족한 탓이라 여기고 덕을 쌓기 위해 흙으로 산을 만들던 형제가 서로 높이 싸우려고 다투자 이를 보고 크게 실망한 어머니가 집을 나와 한참을 걷다가 집을 향해 돌아본 곳이라는 전설이 서린 대구 어디쯤엔가 있다는 고모령을 가본 적은 없지만 저 노래를 입 속에 넣고 흥얼거리다 보면 고향의 나지막한 고갯마루가 떠오르고 거기 흰 옷 입고 가랑잎 흩날리는 고갯마루를 서성이는 어머니의 모습이 한 눈에 선하게 그려지곤 했습니다.

꽃 모양이 마치 수탉의 벼슬처럼 생겼다 하여 '계관화(鷄冠花)' 혹은 닭 머리 모양의 꽃이라 하여 '계두화(鷄頭花)'라고도 불리는 맨드라미는 유년 시절 흔하게 볼 수 있는 화초 중의 하나였습니다. 어느 집이나 담 밑이나 장독대 곁엔 으레 붉은 맨드라미가 피어 있었으니까요. 지금 생각하면 맨드라미의 붉은 빛이 잡귀를 물리칠 거란 생각에 그리 많이 심었을지도 모르겠단 생각도 들지만 확신할 수는 없습니다. 어머니는 가을이 오면 맨드라미꽃을 장독대 위에 말려 씨를 받아 두었다가 겨울에 우리들이 배탈이 나거나 할 때 비상약으로 내어 놓곤 하셨습니다.

물방앗간 뒷전에서의 로맨스는 없지만 어머니에 대한 추억이 서린 맨드라미꽃은 가을 문턱에서 만나는 각별한 꽃임엔 분명합니다. 맨드라미는 원예식물이라 다양한 품종이 있는데 그 중에서도 촛불 맨드라미는 정말 촛불이 타오르는 듯 아름답습니다. 그 정열적인 붉은 꽃빛 때문일까요. 맨드라미의 꽃말은 '불타오르는 사랑'이랍니다.

더위가 기승을 부리는 여름날에 붉은 꽃을 피워 꿋꿋이 화단을 지키고 선 맨드라미는 아름답다는 느낌보다는 왠지 비장한 생각이 먼저 들곤 했습니다. 열흘 붉은 꽃이 없다는 세상의 이야기를 비웃기라도 하듯 오랜 날을 두고 붉은색으로 화단을 채우는 맨드라미는 세상 풍파를 꿋꿋이 이겨내며 살아온 어머니의 삶을 많이도 닮았습니다. 여느 꽃처럼 꽃잎을 떨구는 법도 없이 올해도 맨드라미는 선 채로 서리를 맞고 시들 때까지 우리집 화단을 마지막까지 지키고 서 있을 것입니다.

요 며칠, 열대야로 잠 못 이루는 밤이 이어지면서 구순의 어머니는 이따금 딴소리를 하셔서 내 가슴을 철렁이게 만들곤 합니다. 평생을 맨드라미처럼 뜨겁게, 열정적으로 살아온 어머니의 생도 이제는 흔들리는가 싶어 가슴이 자꾸 내려앉습니다. 전기세 아깝다며 선풍기의 코드를 뽑아놓고 주무시는 어머니에게 선풍기를 틀어 놓고 뜰로 나서니 맨드라미가 제일 먼저 나를 반깁니다.

박꽃의
추억

어찌해서 아름다운 날들이란 지난 시간
속에서만 찾아지는 것인지요. 어찌해서
지난 시간 속엔 아름다운 날들이 보석처
럼 박혀 있는 것인지요.

화장실이 급해서 국도변에 차를 세우고 어느 농가의 낮은 돌담 뒤로 뛰어가다가 담장 위에서 맑은 낯빛으로 수줍게 웃고 있는 흰 꽃들을 보았습니다. 그 꽃들이 너무 고와서, 무채색의 그 웃음이 너무 맑아서 조금 전까지 종종걸음 치며 거기까지 달려갔던 급한 용무도 까맣게 잊어버리고 하냥 그 꽃들만 정신을 놓고 바라보았습니다.

수줍음 많은 내 누이를 닮은 그 흰 박꽃을 넋 놓고 바라보고 있으려니 가슴 깊은 곳으로 아련한 추억이 밀려드는 것을 느꼈습니다. 낮 동안 꽃봉오리를 닫고 있던 박꽃들이 꽃잎을 여는 것을 보시고 어머니는 저녁쌀을 안치시고 둥근 초가지붕 위로 저녁연기가 오르면 서편 하늘 가로 붉은 노을이 내려앉던 고향의 풍경들이 어제 일처럼 다가섰기 때문입니다.

저녁상을 물리고, 멍석을 내어 깔고, 약쑥을 꺾어다가 마당 한 귀퉁이에 모깃불을 피우고 어머니 무릎 베고 누워서 옛날이야기 듣다보면 동산 위에 둥근 달이 떠오르고 초가지붕 위론 달빛을 받은 박꽃이 하얗게 웃고 있었지요.

어린 누이와 함께 큰곰자리, 작은곰자리, 전갈자리 같은 여름 별자리를 찾거나 논두렁 위를 낮게 나는 반딧불이를 쫓다가 지쳐 돌아오면 어머니께서 함지박에 담아내어 놓던 찐 옥수수나 감자…. 그것들을 먹는 동안에도 지붕 위의 박꽃은 푸른 달빛에 젖은 채 하얗게 하얗게 웃고 있었지요.

여행길에서 우연히 마주친 박꽃에서 길어 올린 아련한 추억들이 하늘에 피어오르는 흰 뭉게구름처럼 나를 흐뭇하게 해 주었습니다.

어찌해서 아름다운 날들이란 지난 시간 속에서만 찾아지는 것인지요. 어찌해서 지난 시간 속엔 아름다운 날들이 보석처럼 박혀 있는 것인지요.

박꽃에서 눈을 떼어 들을 바라보니 너른 들엔 바람이 건너가는지 초록의 벼들이 마냥 흔들리고 있었습니다.

도라지
꽃잎은 몇 장인가

숲에서 만나는 한두 송이의 도라지꽃은 아련한 그리움을
불러 오지만 농가에서 심어 키우는 도라지 꽃밭은 한 떼
의 별무리처럼 환상적이기까지 합니다.

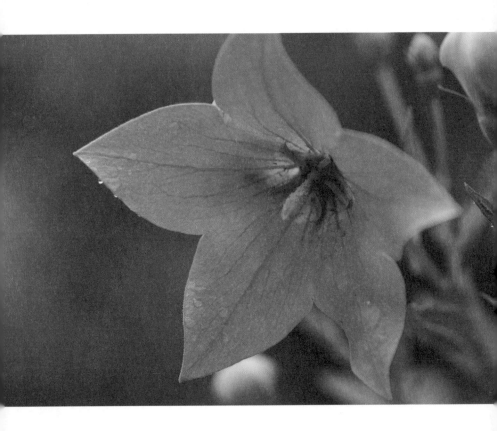

녹음이 짙은 숲 속을 거닐다가 도라지꽃과 마주친 적이 있으신지요?
여름날의 숲 속에서 간간히 우리들의 눈을 황홀하게 하는 도라지꽃엔
다음과 같은 두 가지 전설이 스며있습니다.

이야기 하나

옛날 도라지라 부르는 아름다운 처녀가 있었는데 이 처녀에게는 어려서부터 양가 부모가 결정해 놓은 약혼자가 있었답니다. 어느덧 성년이 되어 결혼할 나이가 되었을 때 총각은 공부를 더하고 싶다며 기다려 달라는 말 한 마디만 남기고 중국으로 유학길에 올랐습니다. 하지만 한해 두해가 지나도 총각에게선 소식이 없고, 그 곳에서 살림을 차렸다는 소문도 있고, 오던 도중 배가 침몰하여 죽었다는 등 소문만 무성했습니다. 처녀는 날마다 바닷가로 나가 서쪽바다만을 바라보다가 늙어 죽고 말았답니다. 죽은 그녀는 도라지꽃이 되었고 그녀의 사랑처럼 도라지꽃의 꽃말은 '소망', '영원한 사랑'입니다.

이야기 둘

옛날 한 고을에 도씨 성을 가진 사람이 살고 있었는데 자식이 없어 고민하던 차에 마흔이 넘어서 겨우 딸아이를 하나 얻었답니다. 이름을 '라지'라 하고 애지중지 길렀습니다. 세월이 흘러 혼기가 되자 많은 곳에서 혼담이 왔지만 모두 거절하였답니다. 이미 마음에 둔 사람이 있었기 때문이지요. 그 총각은 옆집에 사는 나무꾼이었는데 서로 너무나 사랑하였고 착실한 총각이라 집에서도 반대하지 않았답니다. 그러던 중 고을 사또가 도라지의 소문을 듣고는 도라지를 첩으로 삼고자 했지만 도라지는 사또의 청혼을 거절하였습니다. 이에 분노한 사또는 말도 안 되는 트집을 잡아서는 도라지 처녀를 관가로 끌고 갔답니다. 그리고는 말로 어르고 그래도 안 되면 매질을 하여 마음을 돌리려 했지만 도라지 처녀의 마음은 꺾을 수가 없었답니다. 결국 매질은 더 심해지고 견디지 못한 도라지 처녀는 죽게 되었는데 도라지는 죽으면서 자신의 시신을 나무꾼이 지나 다니는 산골에 묻어달라고 유언을 남겼습니다. 도라지 처녀의 소원대로 그녀의 시신은 산골에 묻히게 되었는데 그 후 사람들이 별로 다니지 않는 산 속 숲에 숨어 피게 되었답니다.

도라지꽃 피는 계절입니다. 숲에서 만나는 한두 송이의 도라지는 아련한 그리움을 불러 오지만 농가에서 심어 키우는 도라지 꽃밭은 한 떼의 별무리처럼 환상적이기까지 합니다. 도라지꽃을 향해 열심히 카메라를 눌러대다가 참으로 신기한 꽃들이 눈에 들어왔습니다. 초롱꽃과의 도라지는 종모양의 꽃잎이 다섯 개로 갈라지는 게 일반적인데 네 개로 갈라진 녀석과 일곱 개로 갈라진 녀석이 눈에 띄었기 때문입니다.
저걸 진화라고 해야 할지, 퇴화라고 해야 할지….

보랏빛
칡꽃차

칡넝쿨처럼 치열하게 순간을 살지 못하고 스스로 주저앉아 버린 적은 없었는지, 내가 지금껏 놓지 못하는 생각들은 내 스스로 뻗어간 칡넝쿨 같은 집착은 아니었는지…. 시작도 끝도 없는 생각들이 칡넝쿨처럼 뻗어가는 동안 많이 혼란스러워졌습니다.

'산다는 것이 때론 한 두릅의 굴비, 한 광주리의 사과를 만지작거리며 귀향하는 기분으로 침묵해야 한다'고 곽재구 시인은 〈사평역에서〉란 시에서 말했습니다. 애쓰며 살아온 삶의 흔적이 한 두릅의 굴비, 혹은 한 광주리의 사과에 지나지 않는 보잘 것 없는 것이라 해도 아니, 그마저도 가지지 못해 빈손으로 귀향할 수밖에 없는 가난한 삶이라 해도 침묵은 필요할 테지요.

침묵이란 다만 말하지 않음이 아니라, 미처 채우지 못한 욕망의 빈 광주리를 들여다보며 스스로에게 말을 건네는 시간입니다. 세월 격한 물살에 야위어 버린 자신의 영혼을 위로하는 시간이기도 합니다.

까까머리 중학생이었을 때, 고려 삼은*의 한 사람이었던 정몽주로 하여금 〈단심가〉를 지어 부르게 했던 이방원의 〈하여가〉를 배우면서 치기 어린 마음에 칡넝쿨에 대하여 이유 없는 무한대의 적대감을 지녔던 적이 있습니다.

길 없는 산길을 걷다가 칡넝쿨에 걸려 하마터면 넘어질 뻔 하였습니다. 낮은 관목을 타고 오르거나 자신을 의지할 곳조차 없으면 땅 위로 줄기를 억척스럽게 뻗어가는 칡넝쿨은 유달리 생에 대한 애착이 아주 강한 풀입니다. 그 칡넝쿨이 인적이 드문 산길을 가로지르며 자신의 영역을 넓혀가다가 정말 재수 없게도 내 발을 걸었던가 봅니다.

잠시 앉아 쉬는 동안 아주 많은 생각들이 구름처럼 피어올랐다 사라져갔습니다. 지금껏 살아오면서 나를 지킨다는 명목으로 타인의 발을 걸어 넘어뜨린 적은 없었는지, 혹은 칡넝쿨처럼 치열하게 순간을 살지 못하고 스스로 주저앉아 버린 적은 없었는지, 내가 지금껏 놓지 못하는 생각들은 내 스스로 뻗어간 칡넝쿨 같은 집착은 아니었는지…. 시작도 끝도 없는 생각들이 칡넝쿨처럼 뻗어가는 동안 많이 혼란스러워졌습니다.

---

* 고려의 세 충신. 포은(圃隱) 정몽주, 야은(冶隱) 길재, 목은(牧隱) 이색

부질없는 생각들을 털어 버리고 일어서는데 칡넝쿨 사이로 보랏빛 칡꽃이 내 눈을 환하게 했습니다. 한 여름에 피는 꽃이 어찌 벌써 피었는지 의아했지만 시절을 잊고 피는 꽃들이 안쓰런 생각이 잠시 들었지만 그 보랏빛 꽃은 내 마음을 촉촉이 적셔줄 예쁜 추억 하나를 내 앞에 들이밀었습니다.

어느 해 여름엔가 지리산엘 갔을 때였습니다. 칠선계곡 산자락에서 점심을 먹고 입안이 텁텁해져서 차 생각이 간절해졌을 때 누군가 종이컵에 뜨거운 물을 담아 와서는 근처의 칡넝쿨 속에서 그 보랏빛 칡꽃을 한 줌 훑어다가 컵 속에 띄우는 것이었습니다. 꽃빛이 우러나면서 은은한 꽃향기가 번졌습니다. 세상에 이렇게 좋은 차가 있었다니.

즉석에서 내게 칡꽃차를 만들어 준 그 사람의 어디에도 매이지 않은 자유로운 생각이 부러웠고 생전 처음 마셔보는 칡꽃차의 향기에 감탄하면서 나도 모르게 안으로만 닫혀진 내 마음이 못내 부끄러웠습니다. 보다 스스로를 좀 더 풀어 놓아야겠다고 마음 속 다짐 하나 더 새겨야만 했습니다. 그날의 기억이 되살아오면서 마음이 편안해졌습니다. 내 발을 걸어 나를 쓰러뜨리려 했던 칡넝쿨이 새삼스레 고와 보였습니다.

누군가를 탓하기 보다는 내 가난한 삶의 광주리를 쓰다듬으며 침묵하는 법을 좀 더 배워야겠습니다. 조금은 더 열린 마음으로 세상을 받아들여야겠습니다.

혹시
호박꽃 좋아하세요?

찬찬히 살펴보면 어여쁘지 않은 꽃이 없습니다. 아무리 하
찮게 보이는 사람일지라도 귀하지 않은 사람은 없습니다.
사람 사이에 담을 쌓아 구분 짓고 마음에 금을 그어 경계를
짓게 만드는 선입견이란 진실로 상대를 이해하는 일에 장
애가 될 뿐입니다.

들길에서 노란 호박꽃을 만났습니다. 너른 잎 사이로 얼굴을 내민 호박꽃의 황금빛은 얼마나 사람을 푸근하게 하는지요. 화려하진 않지만 소박해 보여서 친근감이 느껴지는 호박꽃엔 유년 시절 고향의 풍경이 스며있습니다. 늦은 들일에서 돌아와 마땅한 반찬거리가 없다 싶으면 어머니는 울 뒤의 채마밭으로 달려가 호박덩굴을 뒤져 살이 통통하게 오른 미끈한 애호박을 찾아 따오시곤 했습니다.

흔히 사람들은 못생긴 여자를 가리킬 때 '호박꽃'이라 칭하지만 호박꽃이 들으면 무척이나 서운할 이야기입니다. 한 번이라도 호박꽃을 자세히 들여다 본 사람이라면 호박꽃도 꽃이냐는 말이 얼마나 무지한 말인지 알 테니까요. 화려하게 피는 꽃일수록 질 때는 무참히 퇴색하는 것과는 달리 호박꽃은 질 때에도 몸을 조용히 오므려 줄기를 떠납니다. 그것도 탐스런 애호박 하나 남겨 놓고서.

호박꽃에겐 특별한 전설이 담겨 있습니다. 여기서 특별하다고 말씀 드리는 것은 대부분의 꽃들이 남녀의 사랑 이야기를 담고 있는 것과는 달리 부처님의 말씀이 담겨 있기 때문입니다.

아주 오랜 옛날 인도에 믿음이 진실한 스님이 계셨는데 그의 소원은 황금으로 된 범종 하나를 만들어 놓고 죽는 것이었습니다. 그리하여 부지런히 돌아다니며 시주를 받아 황금 범종을 만들기 시작하였지만 동(銅)으로 된 대형 범종을 만드는 일도 쉽지 않은 터에 황금으로 대형 범종을 만드는 일이란 그 어려움이 이만저만이 아니었음은 불을 보듯 뻔한 일이었지요. 결국 그 스님은 종이 채 반도 이루어지기 전에 기력이 쇠잔하여 죽고 말았고 죽어서 부처님 앞에 가게 되었습니다. 그는 부처님께 생전에 종을 만들던 일을 고하고 그 종을 완성할 때까지만 다시 인간 세상에 살도록 해달라고 간절히 빌었습니다. 그의 진심을 아신 부처님은 다시 그를 인간 세상에 살도록 허락을 해 주셨고 소원대로 환생을 하여 인간 세상으로 돌아왔으나 이미 세상은 예전에 살던 세상이 아니었고 그가 만들다 만 종의 행방도 찾을 수가 없었습니다. 그가 부처님께 잠시 다녀오는 동안 인간계에선 벌써 1백년의 시간이 흘러갔던 것이지요. 그리하여 그는 그 종을 찾아 완성하기 위해 바랑을 걸머지고 세상의 구석구석을 떠돌아 다녔는데 어느 날 길을 가다가 자신의 발밑에 자기가 만들던 종 모양을 한 황금빛 꽃이 있어 그 줄기를 따라 땅 속을 파들어 가니 바로 거기에 자신이 만들던 대형의 황금 범종이 미완성인 채로 묻혀 있었습니다. 그는 그 종을 파내어 각고의 노력 끝에 완성을 시키고 어떤 소리가 나는가 싶어 쳐 보았는데 종에선 소리 대신 황금빛 꽃이 떨어지면서 누우런 황금 열매가 달리는 것이었습니다.

두 말 할 것도 없이 황금빛 꽃은 호박꽃이었고 황금빛 열매는 다름 아닌 호박이었던 게지요. 그러니까 노란 호박꽃은 한 스님의 불심에 감복하여 부처님이 그 스님으로 하여금 범종을 찾게 하기 위해 만들어

낸 꽃인 셈입니다.

찬찬히 살펴보면 어여쁘지 않은 꽃이 없습니다. 아무리 하찮게 보이는 사람일지라도 귀하지 않은 사람은 없습니다. 사람 사이에 담을 쌓아 구분 짓고 마음에 금을 그어 경계를 짓게 만드는 선입견이란 진실로 상대를 이해하는 일에 장애가 될 뿐입니다.

사랑은 상대를 그윽히 바라보는 일입니다.

중랑천변의
해바라기

비록 영화 속의 이야기가 아니라 해도 엇
박자로 변주되는 인연이란 늘 명치끝에
걸려서 우리의 가슴을 눈물로 적시고 오
늘처럼 흐린 날이면 잊지 않고 찾아드는
어머니의 신경통처럼 우리를 먹먹한 추
억의 시간 속으로 이끌어 갑니다.

고향으로 가기 위해 접어든 동부간선도로에서 길을 따라 줄지어 핀 해바라기의 행렬과 맞닥뜨렸습니다. 흐린 하늘이 배경이란 게 조금은 속상했지만 해바라기는 상관없다는 듯 해맑은 낯빛으로 지나치는 나를 바라보고 있었습니다.

　　끝없이 이어지는 해바라기의 행렬을 바라보면서 아주 오래 전에 보았던 〈해바라기〉란 영화가 생각났습니다.

　　내 흐린 기억이 맞는다면 소피아 로렌이 주연했던 영화였을겝니다. 전쟁터로 떠난 남편의 사망 통지서를 받아 들고 그것을 믿을 수 없어 남편을 찾아 나선 비련의 여인 마샤 앞에 끝없이 펼쳐지던 우크라이나 해바라기 꽃밭의 풍경이 차창 밖의 풍경 위로 오버랩 되면서 나는 잠시 목젖이 뜨거워졌습니다.

　　지친 몸으로 소련의 구석구석을 누비다가 겨우 찾아낸 남편은 기억 상실증에 걸린 채 이미 다른 여자와 가족을 이룬 뒤였지요. 너무 오래 전에 본 영화여서 그 줄거리조차 분명하지 않지만 노란 색의 해바라기가 파란 하늘과 선명한 대비를 이루며 화면을 가득 채우던 그 장면만은 첫키스의 추억처럼 아직도 내 기억 속에 또렷이 남아 있습니다.

　　비록 영화 속의 이야기가 아니라 해도 엇박자로 변주되는 인연이란 늘 명치끝에 걸려서 우리의 가슴을 눈물로 적시고 오늘처럼 흐린 날이면 잊지 않고 찾아드는 어머니의 신경통처럼 우리를 먹먹한 추억의 시간 속으로 이끌어 갑니다.

　　마음 같아선 길 가에 차를 세워두고 해바라기 꽃밭을 따라 중랑천변을 느린 걸음으로 산책을 하고 싶었지만 여유 없는 시간에 핑계를 대고 지나쳐 오면서 지난 시간의 갈피 속에 마른 꽃잎처럼 꽂혀 있는 추억들만 곱씹었습니다.

　　내 기억의 꽃밭에도 해바라기가 들어 있습니다. 어린 시절, 여름이면 아버지가 손수 쌓으신 돌담 위로 비죽이 고개를 내밀고 섰던 키다리 해바라기는 빛바랜 추억의 사진처럼 소중한 기억으로 남아 있습니다.

학교에서 돌아오는 여름날, 하오(下午)*의 집안은 부모님께서 들일 나가신 뒤라 비어 있기 일쑤여서 나를 반겨주는 것은 담장 밖으로 고개를 내민 노란 해바라기뿐이었습니다.

텅 빈 집안과 마당으로 내려 앉아 있던 맷방석만한 은빛 햇살과 키 큰 해바라기의 노랗고 둥근 얼굴.

내가 처음으로 외로움이란 걸 느꼈던 때가 어쩌면 그 무렵이 아니었나 싶습니다.

* 오후

부처꽃에게

꽃빛은 능히 세상을 유혹할 만큼 매혹적이고 벌나비
의 방문이 끊이지 않을 만큼 향기 또한 여느 꽃에 뒤
지지 않는데 난 '부처꽃'이란 이름에 매달려 정작 꽃
을 제대로 보지 못했습니다.

사람을 만날 때엔 부디 이름으로 그를 기억하려 하지 마라. 눈빛과 그 사람의 향기로 가슴에 새겨야 시간의 물살에도 지워지지 않고 오래도록 기억에 남는 법. 이름으로 만난 사람은 저자거리에서 허투로 건네받은 명함 같아서 조금만 세월 가도 사람에 대한 기억은 없고 임자 없는 무덤처럼 이름 석자만 남게 되나니 남자는 울타리 밑을 돌아도 바깥쪽에서 돌아야 한다시며 처음 고향 떠나올 때 동구밖까지 따라오시며 어머님이 하셨던 말씀. 저 보랏빛 부처꽃 볼 때마다 생각이 납니다.

　꽃을 보러 다니기 시작하면서 만나는 꽃마다 이름이 궁금해 견딜 수 없었는데 부처꽃이란 이름을 처음 알고 나서 그 이름의 유래가 궁금해서 몸살이 날 지경이었는데 그 어디에서도 속 시원한 답을 찾을 수가 없었습니다. 하고 많은 이름 중에 하필이면 부처꽃이란 성스런 이름을 붙인 까닭이 무엇일까. 꽃빛은 능히 세상을 유혹할 만큼 매혹적이고 벌나비의 방문이 끊이지 않을 만큼 향기 또한 여느 꽃에 뒤지지 않는데 부처꽃이란 이름에 매달려 정작 꽃을 제대로 보지 못했습니다.

　꽃을 만날 때엔 부디 이름으로 꽃을 기억하려 하지 마세요. 꽃빛과 향기로 가슴에 들여야 시간의 물살에도 지워지지 않고 오래도록 가슴에 남는 법이니.

---

* 부처꽃
쌍떡잎식물 이판화군 도금양목 부처꽃과의 여러해살이풀로 천굴채(千屈菜)라고도 한다. 냇가, 초원 등의 습지에서 자란다. 높이 1m 정도로서 곧게 자라며 가지가 많이 갈라진다. 잎은 마주나고 바소꼴이며 대가 거의 없고 원줄기와 더불어 털, 잎자루도 거의 없으며 가장자리가 밋밋하다. 꽃은 5~8월에 홍자색으로 피며 잎겨드랑이에 3~5개가 달려 층층이 달린 것같이 보인다. 포는 보통 옆으로 퍼지며 밑부분이 좁고 바소꼴* 또는 달걀 모양의 긴 타원형이다. 꽃받침은 선이 있는 원주형으로 윗부분이 6개로 얕게 갈라진다. 꽃받침조각과 화관은 6개씩이고 꽃받침조각 사이에 옆으로 퍼진 부속체가 있다. 수술은 12개인데 긴 것, 짧은 것, 중간 것 등 3종류이다. 열매는 삭과(殼果)로 꽃받침통 안에 들어 있고 성숙하면 2개로 쪼개져 종자가 나온다. 한방에서는 전초를 방광염·이뇨·지사제(止瀉劑) 등으로 사용한다. 한국·일본 등지에 분포한다.

---

* 잎이나 꽃잎 따위의 모양을 나타내는 말. 가늘고 길며 끝이 뾰족하고 중간쯤부터 아래쪽이 약간 볼록한 모양.

망초꽃 핀
들녘에서

허리가 휘도록 일을 해도 육남매 뒷바라지에 숨이 턱턱 막
히던 그 시절의 아버지에겐 그렇게 밭둑에 앉아 담배 한 대
피워 무는 일이, 흰 망초꽃머 흔드는 시간이 유일한 휴식의
시간이자 고단한 살이의 여백이었을지도 모르겠습니다.

한낮의 후끈한 열기에 달구어진 풀 비린내가 해거름의 산들바람을 타고 내게로 끝없이 밀려옵니다. 연보랏빛의 싸리꽃이 간간히 눈길을 건네 오는 산길을 벗어나 앞이 훤히 트인 들길로 내려서는데 내 눈길 끝으로 흰 망초꽃이 매달려 왔습니다.

어렸을 적부터 너무 흔하게 보아왔던 꽃이어서 오히려 내 안에 접혀진 기억 하나 없는 꽃, 오늘은 그런 망초꽃이 핀 들길이 왠지 눈에 익어 자꾸 마음에 걸렸습니다.

무심히 지나치지 못하고 망초꽃 드문드문 피어 있는 구불한 밭둑에 앉아 털썩 주저앉아 담배 한 대 피워 문 것도 아마 그 때문이었을 겁니다.

돌각담 위엔 사람들이 놓치고 간 돌나물이 쇠어서 작은 별 같은 노란 꽃송이를 가득 피워달고 배시시 웃고 있는 것을 볼 수 있었던 건 덤으로 얻은 호사였지요.

망초꽃 바람에 흔들리는 밭둑에 앉아 해지는 풍경을 바라보려니 흐려진 하늘 끝으로 그리운 얼굴 하나 구름처럼 피어났다 사라집니다. 그 얼굴 그리워 나도 모르게 이름 아닌 이름을 입 밖에 내고 말았습니다.

아버지! 내가 낸 소리에 소스라치게 놀라 가슴을 쓸어내렸습니다. 이제야 낯설지 않은 풍경의 이유가 설명되어질 듯도 싶습니다.

이 무렵이지 싶습니다. 논두렁 가래질 하랴, 모내기 하랴, 눈코 뜰 새 없는 농번기여서 아버지는 늘 저문 들길을 걸어 집으로 돌아오곤 하셨습니다. 어쩌다 그런 아버지를 마중 나가기도 했었는데 그때 아버지는 소에게 먹일 꼴을 한짐 베어 지게에 무겁게 지고 오시다가 밭둑에 지게를 잠시 받쳐 놓고 지금의 나처럼 담배 한 대 피워 물고 해 지는 풍경을 바라보시곤 했드랬습니다. 푸른 담배 연기를 한숨처럼 허공에 흘리시곤 밭둑에 가득 피어난 흰 망초꽃대를 툭툭 건드려 흔들고 계셨습니다. 허리가 휘도록 일을 해도 육남매 뒷바라지에 숨이 턱턱 막히던 그 시절의 아버지에겐 그렇게 밭둑에 앉아 담배 한 대 피워 무는 일이, 흰망초꽃대 흔드는 시간이 유일한 휴식의 시간이자 고단한 살이의 여백이었을지도 모르겠습니다.

　어쩌면 저문 들판에 가득 피어난 흰망초꽃은 아버지가 남 몰래 몰아쉰 한숨이었을 테지요. 그렇게 숨을 고르시고 집으로 돌아와서는 우리들에겐 언제나 든든한 울타리의 모습으로만 보여지길 바라셨던 것인지도 모르겠습니다.

　오늘은 내가 그 아버지의 모습을 많이 닮아 있습니다. 망초꽃대 바람을 타는 들길을 걸으며 나도 모르게 아버지의 모습을 닮아가고 있는 내 모습에 망연해지고 말았습니다.

　어찌하여 깨달음은 늘 반 박자 늦게 찾아오는 것인지요.

배꽃
하얀 밤에
날아온 문자

집으로 가는 차 안에서 이 문자를 받은 것은 배꽃
하얗게 피던 밤이었습니다. 눈 버린 듯 하얀 꽃송
이들이 푸른 달빛에 젖은 배밭을 지나며 나는 기억
에 가물가물한 시조를 입 속에 넣고 천천히 중얼거
려 보았습니다.

'이화에 월백하고'의 시
인이 누구죠?
　집으로 가는 차 안에서
이 문자를 받은 것은 배꽃
하얗게 피던 밤이었습니
다. 눈 내린 듯 하얀 꽃송
이들이 푸른 달빛에 젖은
배밭을 지나며 기억에 가
물가물한 시조를 입 속에
넣고 천천히 중얼거려 보
았습니다.

이화에 월백하고 은한이 삼경인데
일지춘심을 자규야 알랴마는
다정도 병인냥 하여 잠못 들어하노라

어찌어찌 시조는 기억이 나는데 정작 시인의 이름은 떠오르지 않았습니다. 누굴까? 요로코롬 분냄새 폴폴 나는 시조를 지었다면 연애깨나 한 게 분명한데 황진인가? 아님 허난설헌? 혹시 부안의 이매창인가? 갑자기 머릿속이 뒤엉키어 옛 여인들의 이름만 동동 떠다니며 어지러울 뿐 어느 것 하나 무릎을 탁 치게 하는 이름은 생각나지 않았습니다. 가만 생각하니 나는 이 시의 작자에 대해선 한 번도 관심을 가져본 적이 없었습니다. 공연히 머릿속에 들어 있지도 않은 이름을 쥐어짜 봤자 머리에 쥐만 날 게 뻔할 일. 나는 전화를 걸어 나의 무지를 고백하는 수밖에 없었습니다.

수화기 저 편에서도 아직 답을 찾지 못한 듯 엉뚱한 이름만 뒤적이다가 통화를 끝내고 말았습니다. 다정가(多情歌)로 불리는 이 시의 작자는 고려 시대의 '이조년'이란 사람입니다.

이따금 우리는 시에 취해, 혹은 무심하여 작자의 이름을 놓치기도 합니다. 양인자씨가 쓰고 이선희가 부른 〈알고 싶어요〉란 노래도 한때 황진이의 시조가 원작으로 잘못 알려졌던 적이 있습니다. 〈토정비결〉의 저자 이재운 씨가 한시로 바꾸어 놓았던 게 오해의 시작이었다고 한다.

蕭寥月夜思何事(소요월야사하사)

소슬한 달밤이면 무슨 생각 하오신지

寢宵轉輾夢似樣(침소전전몽사양)

뒤척이는 잠자리는 꿈인듯 생시인 듯

問君有時錄忘言(문군유시녹망언)

님이시여 때로는 제가 드린 말도 적어보시는지

此世緣分果信良(차세연분과신량)

이승에서 맺은 연분 믿어도 좋을지요

悠悠憶君疑未盡(유유억군의미진)

멀리 계신 님 생각, 끝없어도 모자란듯

日日念我幾許量(일일염아기허량)

하루 하루 이 몸을 그리워는 하시나요

忙中要顧煩或喜(망중요고번혹희)

바쁠 때 내 생각하라 하면 괴로운가요 반가운가요

喧喧如雀情如常(훤훤여작정여상)

참새처럼 지저귀어도 제게 향하신 정은 여전하온지요

알고싶어요

양인자 작사 / 김희갑 작곡

달 밝은 밤에 그대는 누구를 생각하세요
잠이 들면 그대는 무슨 꿈 꾸시나요
깊은 밤에 홀로 깨어 눈물 흘린 적 없나요
때로는 일기장에 내 얘기도 쓰시나요
나를 만나 행복했나요
나의 사랑을 믿나요
그대 생각 하다보면 모든 게 궁금해요
하루 중에서 내 생각 얼마큼 많이 하나요
내가 정말 그대의 마음에 드시나요
참새처럼 떠들어도 여전히 귀여운가요
바쁠 때 전화해도 내 목소리 반갑나요
내가 많이 어여쁜가요 진정 날 사랑하나요
난 정말 알고 싶어요 얘기를 해 주세요

메밀꽃
필 무렵

어제 중랑천변을 지나는데 그 흰 메밀꽃이 눈부시게 피어 있었습니다. 예전처럼 호구지책으로 농사를 지은 것이 아니라 다만 그 꽃의 아름다움을 탐하기 위해 심어 놓은 꽃이란 생각을 하니 그 꽃이 그저 아름답게만 보이지 않았습니다. 그렇게라도 호사를 누리려는 인간의 이기심이 느껴져서일까요?

밤중을 지난 무렵인지 죽은 듯이 고요한 속에서 짐승 같은 달의 숨소리가 손에 잡힐 듯이 들리며, 콩포기와 옥수수 잎새가 한층 달에 푸르게 젖었다. 산허리는 온통 메밀밭이어서 피기 시작한 꽃이 소금을 뿌린 듯이 흐뭇한 달빛에 숨이 막힐 지경이다. 붉은 대궁이 향기같이 애잔하고 나귀들의 걸음도 시원하다. 길이 좁은 까닭에 세 사람은 나귀를 타고 외줄로 늘어섰다. 방울소리가 시원스럽게 딸랑딸랑 메밀밭께로 흘러간다.

　　　　　　　　　　　　　　-가산 이효석의 〈메밀꽃 필 무렵〉 中에서

도시에서 나고 자란 사람들에게 위에 옮겨 놓은 글을 읽고 그 풍경을 그리라 하면 어떤 풍경의 그림을 그려 내놓을까요? 저마다 상상의 나래를 펼쳐 멋진 풍경을 그려내긴 할 테지만 암만 생각해도 나처럼 산골에서 나고 자란 사람만큼 그 풍경을 고스란히 옮겨 놓진 못할 것이 분명합니다.

비탈진 산밭 가득 흰 메밀꽃이 달빛 아래 흐드러지게 피어 있고 밭둑가 커다란 노송 위에선 잠을 설친 밤 비둘기가 이따금 구구구 우는 적요한 밤공기 속으로 무장무장 내려앉은 희푸른 달빛, 굽어진 산길을 따라 소를 몰아 제 그림자를 끌고 가는 나그네. 잠시라도 그 풍경 속에 머물러 본 사람이 아니면 아무리 잘 그렸다 해도 진경일 수는 없을 테니까요.

꼭 삼십 년 전 이맘 때 쯤이었을 거예요. 새벽밥을 지어 먹고 아버지를 따라 소를 팔러 간 적이 있었습니다. 집에서 이십 여 리나 떨어진 읍내 우시장까지 소를 몰고 걸어갔었는데 집을 나서니 하늘엔 달이 휘영청 밝았습니다. 동네 어귀를 벗어나 잔솔밭이 있는 작은 고개를 마악 넘어서는데 이효석의 소설 속 풍경이 고스란히 펼쳐져 있었습니다.

달빛 아래, 소금을 뿌려 놓은 듯 하얗게 비탈진 산밭 가득 피어 있던 메밀꽃무리. 멍에를 지고 쟁기를 끌어 그 밭을 갈던 소도 그 밭 곁을 지나려니 목이 메는지 몇 번이나 걸음을 멈추고 '음메에' 슬픈 울음을 울었습니다. 어제 중랑천변을 지나는데 그 흰 메밀꽃이 눈부시게 피어 있었습니다. 예전처럼 호구지책(糊口之策)으로 농사를 지은 것이 아니라 다만 그 꽃의 아름다움을 탐하기 위해 심어 놓은 꽃이란 생각을 하니 그 꽃이 그저 아름답게만 보이지 않았습니다. 그렇게라도 호사를 누리려는 인간의 이기심이 느껴져서일까요? 그런 생각을 하는 나의 마음이 엇가고 있는 건지도 모르지만요. 사람들은 그 꽃들을 보러 와서 어떤 생각을 얻어 갈까요? 나처럼 아주 오래 전의 기억을 되살리거나 앞으로 살아가면서 가끔씩 꺼내어 볼 어여쁜 추억을 만들까요?

꽃은 어느 곳에 피어나도 제 모습 그대로 피어나는 것인데.

노랑제비꽃을
찾아서

나는 누구에게도 이 꽃의 아름다움을 ,어여쁨을 나와 똑
같이 느껴보라고 강요하고픈 마음은 추호도 없습니다. 사
람이나 꽃이나 가슴에 담지 않으면 결코 특별한 존재가
될 수 없으니까요.

그해 봄은 더디게 왔다
나는 지쳐 쓰러져 있었고
병든 몸을 끌고 내다보는 창밖으로
개나리꽃이 느릿느릿 피었다
생각해 보면
꽃 피는 걸 바라보며 십 년 이십 년
그렇게 흐른 세월만 같다
봄비가 내리다 그치고 춘분이 지나고
들불에 그을린 논둑 위로
건조한 바람이 며칠씩 머물다 가고
삼월이 가고 사월이 와도
봄은 쉬이 오지 않았다
돌아갈 길은 점점 아득하고
꽃 피는 걸 기다리며 나는 지쳐 있었다
나이 사십의 그해 봄

- 도종환의 〈그해 봄〉全文

서울엔 이미 봄이 깊어 백목련 꽃잎이 지고 있는데 게으른 농부처럼 뒤늦게 만개한 고향 뜰의 백목련을 바라보며 도종환의 시를 떠올렸습니다. 그가 기다린 봄, 꽃이 피는 날이란 세상 속의 봄이 아닐 수도 있지만 기다릴수록 더디 오는 봄에 대한 심정만큼은 별반 다르지 않을까 싶어서였습니다.

　'내년에도 저 꽃을 볼라나 모르것다'.

　지난 해 어느 봄날엔가 어머니가 혼잣말처럼 중얼 거리시던 그 말씀이 여태껏 명치끝에 박혀 있었는데 저 만개한 백목련을 보는 순간, 나도 모르게 마음속으로 크게 외쳤습니다.

　'보세요, 엄마! 목련꽃이 활짝 피었다고요.'

　노랑제비꽃을 만나러 산을 오르는 길. 길섶을 따라 피어난 제비꽃의 보랏빛이 자꾸만 눈앞에 아른 거리며 산으로 향하는 발걸음을 더디게 만들었습니다. 무덤가 잔디밭에 무리를 지어 피어 있는 제비꽃들의 귀엽고 앙증맞은 얼굴에 일일이 눈맞춤을 하고서야 산을 오를 수 있었습니다.

　할미꽃도 나의 인기척에 놀랐는지 흰 머리를 풀어 헤칠 때까지 펴는 법이 없는 허리를 빠끔히 고개 들고 나를 바라보는 바람에 나의 발걸음이 잠시 엉키기도 하였습니다.

　봄볕을 쬐고 있던 양지꽃도 노란 꽃잎을 펼치고 벌나비를 기다리다가 지쳤는지 가끔씩 체머리를 흔들어 대었습니다. 한수 이북에 위치한 제 고향의 들녘은 이제 봄의 초입을 마악 지나는 중인 듯 했습니다.

　길가엔 앉은뱅이 민들레도 노란 꽃을 활짝 피우고 볕바라기에 여념이 없고 간간이 벌 나비가 찾아드는 모습도 눈에 띕니다. 자주 만나지는 꽃들도 반갑고 정겹기는 마찬가지입니다. 돌아보면 누구에게나 눈부신 날들이 들어 있다던 어느 시인의 말처럼 저 한해살이풀들의 고운 꽃빛을 마주하면 마치 세상을 향하여 우리도 이렇게 부신 꽃을 피울 때가 있다고 소리치는 것만 같습니다.

　그러하여도 봄 산의 주인공은 연분홍 진달래가 아닐까 싶습니다.

화사한 봄볕 아래 눈부시게 피어 산허리에 분홍빛 안개를 휘감는 진달래는 봄날하면 제일 먼저 떠오르는 우리의 꽃이지요. 이 어여쁜 꽃을 어찌 그냥 지나칠 수 있을까요?

누가 불이라도 지른 것처럼 온산을 붉게 물들이는 꽃이 진달래인데 새삼스레 사진은 무슨 사진이냐고 퉁박을 주면 딱히 할 말은 없지만 그래도 그냥 지나치기엔 너무 예쁘잖아요.

다음으로 만난 꽃은 '애기붓꽃'이었습니다. 초록의 이파리를 배경으로 펼쳐 놓고 보랏빛 꽃을 피운 애기붓꽃은 산 중에서 만난 제법 귀티나는 꽃입니다.

숲 속의 꽃들이란 참으로 신기한 것이어서 건성으로 숲을 살피면 좀처럼 모습을 드러내지 않다가도 일단 한 녀석과 눈을 맞추고 그 주변을 찬찬히 살피면 그동안 보이지 않던 꽃들이 하나 둘씩 모습을 드러냅니다.

이 '노랑붓꽃'이란 녀석도 그런 경우였습니다. 보랏빛 각시붓꽃을 만나고 주변을 찬찬히 돌아보니 숨죽인 딱정벌레 한 마리와 함께 요 앙증맞은 모습을 하고 저를 쳐다보는 것이었습니다.

이 '흰 제비꽃'도 빼놓고 가면 섭섭하다 할 녀석입니다. 고향 뒷산 5 부능선 쯤에서 만난 이 녀석은 그 흰빛 때문인지 조금은 슬퍼 보였습니다. 누가 뭐래도 나는 분명한 촌놈이지만 들꽃에 관심을 갖기 전엔 제비꽃은 보라색만 있는 줄 알았습니다. 제비꽃이 보라색 뿐 아니라 흰색, 노란색도 있는 줄은 상상도 못했습니다. 깊은 산 중에서 외롭게 피어 있는 저 흰 제비꽃은 내게 무슨 말이 하고 싶었을까요?

1년 전의 내 기억이 분명하다면 이제 저 소나무 숲을 지나 산모롱이를 돌아서 작은 언덕 하나만 넘으면 노랑제비꽃을 만나게 될 것입니다. 다른 제비꽃들과는 달리 높은 산에서 자라는 노랑제비꽃은 쉽게 만나지지 않는 꽃이어서 더욱 만나고픈 꽃이기도 합니다.

지난 해 봄. 들꽃을 찾아 고향 뒷산을 뒤지다가 찾아낸 노랑제비꽃. 그 꽃을 처음 만나던 그 날의 감동을 나는 잊을 수가 없습니다. 바람 세찬 산등성이에 무리지어 피어서 골을 타고 올라 온 산바람에 마냥 떨고 있던 노랑제비꽃. 귀여운 녀석들을 만날 생각에 다리 아픈 줄도 모르고, 숨이 턱에 차는 줄도 모르고 허위허위 산을 올랐습니다. 그리고 드디어 1년만에 다시 녀석들을 만날 수 있었습니다.

누군가는 별 것도 아닌 꽃을 가지고 호들갑을 떤다고 할지도 모르겠습니다. 그렇습니다. 보는 사람에 따라 이 노랑제비꽃은 수많은 들꽃 중의 하나에 지나지 않을 수도 있고 먹먹한 감동의 꽃일 수도 있습니다.

나는 누구에게도 이 꽃의 아름다움과 어여쁨을 나와 똑같이 느껴보라고 강요하고픈 마음은 추호도 없습니다. 사람이나 꽃이나 가슴에 담지 않으면 결코 특별한 존재가 될 수 없으니까요.

아직은 노랑제비꽃에 대한 어떤 이야기도 쓸 수 없지만 언젠가는 노랑제비꽃에 대한 시 한 편 짓고 싶습니다. 하여 다시 이 노랑제비꽃을 만나는 날에 저 꽃밭에 앉아 나의 시를 들려주고 싶습니다.

내 고향의 꽃
- 포천구절초

어떤 꽃이든 간에 꽃의 이
름보다는 그 꽃의 아름다
움과 향기를 제대로 완상
할 줄 아는 것이 더 중요합
니다.

왕방산에 올랐다가 내 고향 지명을 딴 '포천구절초' 무리를 만났습니다. 깎아지른 절벽 한 편을 하얗게 덮으며 군락을 지어 피어 있는 내 고향의 꽃, 포천구절초! 이렇게 찐한 감동을 어디에 비할까요!

일찍이 안도현 시인은 쑥부쟁이와 구절초도 구분 못하는 스스로를 향해 무식한 놈이라 자책하며 절교까지 선언했었는데 쑥부쟁이와 구절초를 구분하는 것도 모자라 구절초의 종류까지 구별할 줄 알게 되었으니 꽃에게 말을 거는 동안 제법 내공이 쌓이긴 쌓였는가 봅니다.

대부분의 야생화가 그렇듯이 특정 지역의 지명을 달고 있는 꽃은 대개 그 꽃이 처음 발견된 지역을 가리킵니다. 포천구절초는 한탄강 부근에서 처음 발견된 꽃이라 '포천구절'초란 이름이 붙여졌다고 하는데 사실은 아주 꽃에 관심이 있는 사람이 아니라면 꽃만 보고 그 꽃이 '한라구절초'인지 '포천구절초'인지 구분하기가 쉽지 않습니다. 아니 꽃 사진만 보아서는 그 꽃이 원예종인 마가렛이나 샤스타데이지와도 헷갈리기 일쑤지요. 그렇다고 안도현 시인처럼 스스로를 무식한 놈이라 자책할 필요까지는 없습니다. 어떤 꽃이든 간에 꽃의 이름보다는 그 꽃의 아름다움과 향기를 제대로 완상할 줄 아는 것이 더 중요하니까요.

그러함에도 불구하고 나는 포천구절초와 만나면 절로 입이 딱 벌어지고 가슴이 두근거립니다. 해외에 나가서 태극기를 보았을 때의 감동에 버금가는 설렘을 느끼게 됩니다. 내 고향의 이름을 딴 꽃을 만나기가 어디 쉬운가요. 그 귀한 꽃이 피어 있는 곳이 하필 바위 절벽이어서 사진 찍기가 쉽지 않았습니다. 부지런히 셔터를 눌러댔건만 집에 와서 컴퓨터에 옮겨 놓고 보니 그리 근사한 사진은 보이질 않았습니다. 그나마 위로가 되는 것은 집까지 따라와 준 구절초의 은은한 청향이 남아 있는 것이었습니다. 포천구절초는 내 고향 포천시의 시화(市花)이기도 합니다

쑥부쟁이와 구절초를
구별하지 못하는 너하고
이 들길 여태 걸어왔다니
나여, 나는 지금부터 너하고 絕交다!

　　　　　　　　　　　－안도현의 '무식한 놈' 全文

벌노랑이떼와
마주치다

사람들의 세상이 제아무리 시끌벅적 난리를 피워도 꽃들은
저마다 몸 속에 아주 정밀한 생체시계를 지니고 있어 꽃 피
울 시기를 놓치는 일없이 때맞추어 아름다운 꽃을 피웁니다.
그리고 보면 수시로 때를 놓치고 사는 것은 가장 잘난 척하
는 우리 인간들뿐인지도 모르겠습니다.

가을날의 서늘한 쇠의 기운이 여름날 불의 기운에 지레 겁먹고 납짝 엎드린다는 삼복중의 두 번째 고비인 중복날, 더위는 피하는 것이 아니라 꺾어 이겨내야 한다는 옛사람의 호기를 빌려 더위를 식힐 양으로 들길을 걸었습니다. 백년 만에 찾아든 더위라지만 둑길에 서니 초록의 벌판을 건너오는 바람은 제법 싱그러웠습니다. 그리고 그 둑길에서 벌노랑이떼를 만났습니다.

세상에 저리 고운 노랑색도 있다니!

온통 금가루를 뿌려 놓은 듯 둑길 가득 피어 있는 벌노랑이떼에 한 번 벌어진 입은 좀처럼 다물어 지지 않았습니다. 한 송이의 벌노랑이도 아름답지만 들꽃은 무리지어 필 때가 가장 아름답습니다. 저 작은 꽃송이들이 서로 어울려 빚어내는 빛의 하모니는 사람의 말로는 도저히 표현해낼 수 없는 황홀, 그 자체입니다. 노랑나비떼 같기도 하고 간밤의 하늘 위 별무리가 길을 잃고 들판에 내려 앉은 것도 같은 벌노랑이 꽃밭에 앉아 있으려니 유난히 노란색에 매료되었던 화가 빈센트 반 고흐의 해바라기가 생각났습니다. 마치 노란 꽃잎이 타오르는 불꽃처럼 그려진 고흐의 해바라기와 벌노랑이는 같은 노랑이면서도 전혀 다른 노란색이기도 합니다. 고흐의 해바라기의 노랑이 열정과 광기를 품고 있다면 벌노랑이의 노랑은 욕망이 전혀 스미지 않은 원시의 순수를 담고 있는 노랑이라고나 할까요?

벌노랑이는 콩과의 여러해살이풀로 노랑들콩, 별노랑이, 황금화로도 불립니다. 이름 중에 '벌'이란 접두사가 붙은 꽃들이 그러하듯이 벌노랑이도 주로 벌판에서 많이 자라지만 성질이 강건하여 특별히 토양을 가리지 않아 어디서나 잘 자라는 편입니다.

콩과에 속하는 벌노랑이는 양지쪽 풀밭에서 자라는 여러해살이 풀입니다. 그래서 한 번 꽃을 만난 장소를 기억해 두면 다음 해에도 그 다음해에도 개화시기를 맞추어 찾아가기만 하면 그 고운 모습을 다시 만날 수 있습니다. 딱히 여러해살이풀이 아니더라도 대부분의 풀들은 자기 주변에 씨앗을 떨구었다 다시 싹을 틔워 꽃을 피우므로 꽃을 다시 보려면 꽃을 만난 장소를 기억해 두는 건 아주 중요한 일입니다.

굳이 내가 찾지 않아도 저희들끼리 넉넉히 한 세상 이루며 살아갈 테지만 그래도 찾아준 내가 내심 반가웠던지 카메라를 들이대면 녀석들의 몸이 가늘게 떨리곤 했습니다. 바람의 간질임에 웃음을 참지 못해 연신 키득거리는 녀석들이 얌전해지기를 기다려 겨우 몇 장의 사진을 찍는 것으로 기념촬영을 마치고 녀석들 곁에 털푸덕 주저앉아 잠시나마 망중한의 여유로움을 즐겼습니다.

사람들의 세상이 제아무리 시끌법석 난리를 피워도 꽃들은 저마다 몸 속에 아주 정밀한 생체시계를 지니고 있어 꽃 피울 시기를 놓치는 일없이 때맞추어 아름다운 꽃을 피웁니다. 그러고 보면 수시로 때를 놓치고 사는 것은 가장 잘난 척하는 우리 인간들뿐인지도 모르겠습니다.

말하지 않음으로써 보다 많은 것을 말하는 꽃들을 보며 내 안의 나를 돌아봅니다.

꽃들이 전하는 그 침묵의 금언들을 가슴에 담고 돌아온 이 저녁은 따로 불 밝히지 않아도 내 안이 환합니다. 이 아름다운 꽃을 당신에게도 나눠 드리고 싶습니다.

찔레꽃가뭄

찔레덩굴은 조금이라도 의지할 곳만 있으면 기대어 하늘로 뻗어갑니다. 까치발을 들고 조금이라도 더 멀리 바라보면 그토록 애타게 찾던 부모형제를 볼 수 있지 않을까 하는 찔레의 마음이 고스란히 담긴 듯 하지 않습니까?

찔레꽃

그 해 봄 결혼식 날 아침 네가 집을 떠나면서
나보고 찔레나무숲에 가보라 하였다.

나는 거울 앞에 앉아 한 쪽 눈썹을 밀면서
그 눈썹 자리에 초승달이 돋을 때쯤이면
너를 잊을 수 있겠다 장담하였던 것인데,

읍내 예식장이 떠들썩했겠다 신부도 기쁜 눈물 흘렸겠다.
나는 기어이 찔레나무 숲으로 달려가 덤불 아래 엎어 놓은
하얀 사기 사발 속 너의 편지를 읽긴 읽었던 것인데
차마 다 읽지는 못하였다.

세월은 흘렀다.
타관을 떠돌기 어언 이십 수년 삶이 그렇게
징소리 한 번에 화들짝 놀라 엉겁결에 무대에 뛰어 오르는 거
어쩌다 고향 뒷산 그 옛 찔레나무 앞에 섰을 때
덤불 아래 그 흰 빛 사기 희미한데.

예나 지금이나 찔레꽃은 하얬어라. 벙어리처럼 하얬어라.
눈썹도 없는 것이 꼭 눈썹도 없는 것이
찔레나무 덤불아래서 오월의 뱀이 울고 있다.

혹시 '찔레꽃가뭄'이란 말을 들어 보셨는지요. 먼 산의 응달 짝에 남아 있던 잔설의 흰 빛을 지우며 연분홍 진달래가 하나 둘 꽃망울을 터뜨리기 시작하면 살랑대는 봄바람을 타고 연초록의 불길은 들로, 산으로 번져 순식간에 세상을 봄의 한가운데로 밀어 넣습니다. 연둣빛 이파리보다 꽃을 먼저 피워 달았던 이른 봄의 나무들이 초록으로 옷을 갈아입을 무렵이면 우리네 이승살이에도 봄은 깊어 못물 찰랑이는 못자리마다 잘 자란 모들이 본답으로 이사 갈 채비를 하는 본격적인 모내기철이 돌아옵니다.

'찔레꽃가뭄'이란 바로 모내기철에 찾아드는 가뭄을 이르는 말입니다. 공교롭게도 찔레꽃이 피는 시기가 모내기철이어서 붙여진 이름인데 죄 없는 찔레꽃에겐 다소 억울한 일이기도 합니다. 일 년 중에 가장 햇빛이 눈부신 오월에 맑은 향기를 허공에 풀어 놓으며 하얗게 웃고 있는 찔레꽃을 만나면 흰 무명치마 입고 들밥을 내어 가시던 어머니 생각이 나곤 합니다.

유년 시절, 모내기를 하는 날이면 막걸리 주전자를 들고 들밥 광주리를 이고 가시는 어머니 뒤를 쫄레쫄레 따라가곤 했으니까요. 일꾼들 밥을 차려내고 잠시 짬이 나면 어머니는 찔레넝쿨로 가서 새로 올라온 연한 순을 꺾어 어린 내 손에 쥐어 주곤 하셨습니다.

어머니를 따라 온 찔레꽃 맑은 향기는 오랜 세월이 지난 지금에도 소중한 추억으로 남아 있습니다.

'찔레꽃 붉게 피는 남쪽 나라 내 고향~'

누구의 노래였는지도 잊은 지 오래건만 저 노래 가사만은 잊히지 않는 것은 제 고향에선 아무리 눈을 씻고 찾아봐도 붉은 찔레꽃을 본 적이 없기 때문입니다.

몇 사람을 붙잡고 물어도 보았는데 어떤 이는 작사가가 해당화를 찔레꽃으로 착각을 했을 거라고도 하고 어떤 이는 일종의 '시적 허용'으로 보아야 할 것이라고도 합니다만 그 어느 것도 확신할 순 없는 추측일 뿐입니다.

향기롭고 고운 꽃엔 전설이 있게 마련인지라 찔레꽃에도 슬픈 전설이 들어 있습니다. '화냥년'이란 말은 몽고에 끌려갔다가 돌아온 여인을 이르던 '환향녀(還鄕女)'에서 비롯되었다고 합니다. 찔레꽃의 전설은 바로 '찔레'라는 이름을 가진 그 환향녀에 관한 슬픈 이야기입니다.

찔레라는 이름을 가진 예쁘고 마음이 착한 소녀가 있었는데, 다른 처녀들과 함께 몽고로 끌려가서 그곳에서 살게 되었답니다. 찔레는 그나마 착한 사람을 만나 호화로운 생활을 했으나 그리운 고향과 부모와 동생들의 생각은 지울 수가 없었다고 합니다.

십여 년의 세월을 눈물로 보냈고 이를 가엾게 여긴 주인이 사람을 찔레의 고향으로 보내어 찔레의 가족을 찾아오라고 했으나 가족은 찾을 수가 없었고 상심한 찔레는 몸져눕고 말았답니다. 보다 못한 주인이 찔레에게 한 달 간의 말미를 주어 고향의 가족을 찾아가도록 허락을 했는데, 찔레가 고향에 찾아 갔을 땐 이미 고향집은 다 불 타 없어진 상태였고 가족들은 뿔뿔이 흩어진 뒤였습니다. 한 달의 기한이 다 가도록 찾지 못하고 다시 돌아가야 할 때가 되자 찔레는 다시 돌아가느니 차라리 죽는 것이 낫다고 생각하고 고향집 근처에서 목숨을 끊고 말았고, 그 이듬해부터 찔레가 부모와 동생을 찾아 헤매던 곳곳마다 하얀 찔레꽃이 피어났다고 합니다.

그래서인지 찔레덩굴은 조금이라도 의지할 곳만 있으면 기대어 하늘로 뻗어갑니다. 까치발을 들고 조금이라도 더 멀리 바라보면 그토록 애타게 찾던 부모형제를 볼 수 있지 않을까 하는 찔레의 마음이 고스란히 담긴 듯 하지 않습니까?

올 봄에는 맑은 향기로 말을 걸어오는 찔레꽃 그늘에 앉아 그리움의 편지를 쓰고 싶습니다.

꽃을 보고 꽃의 향기를 즐기는 동안 나도 조금은 꽃처럼 향기로운 사람이 되고 싶습니다.

춘미(春尾),
기쁜 일 좀 많아야겠습니다
- 벚꽃

어느 봄날이었던가.

나는 벚꽃 흩날리는 한강 둔치에 앉아

유장하게 흘러가는 강물을 바라보다가

문득 내 생이 강물처럼 흘렀으면 싶었다.

속절없이 져내리는 흰 꽃잎 몇 장 우표 대신 부치고

장문의 편지로 하염없이 흐르다가

누군가의 삶 속으로 비밀스럽게 수신되어지고 싶었다.

내가 강물처럼 흐르는 동안

좌탈한 스님처럼 허공에서 옴짝도 하지 않던 구름이

갑자기 탁발 생각에 자리를 툭툭 털고 따라오기도 하고

오색의 깃털을 지닌 물총새가 못내 궁금하다는 표정으로

뾰족한 부리로 수면을 쿡쿡 찔러보고 지나가기도 하겠지.

달디 단 낮잠에서 깨어난 산이

눈꼽을 떼기 위해 제 그림자 비춰 오면

저녁 안개 피워 올려 모두 안고 흐르고 싶었다.

흘러가 닿을 곳이야 모른들 무슨 상관이랴

이렇게 모두를 품고 강물처럼 흘러가는 동안

나의 생은 출렁거렸음을,

정녕 나는 살아 있었나니

햇살 부신 봄날, 호수공원 벤치에 앉아 흩어지는 흰 벚꽃
을 바라보려니 이 봄도 중심을 지나 끝자락에 가까워진 듯
싶습니다. 허리를 감아오는 애인의 손길 같은 부드러운 바
람에도 화르르 쏟아져 내리는 꽃잎들, 그 사이로 교복을 입
은 여학생들이 한바탕 봄햇살처럼 환한 웃음을 쏟아놓고는
나무 그늘 속으로 사라집니다. 꽃 지는 아침이면 울고 싶다
던 시인은 어떤 꽃을 보았던 것일까요? 모르긴 해도 지는
모습도, 피는 모습만큼이나 곱기만 한 벚꽃을 두고 그런 시
를 짓지는 않았을 것입니다. 제 생의 끝도 저 벚꽃처럼 환
했으면 좋겠습니다.

바람에 날린 꽃잎들이 물결에 실려 가고 그렇게 우리의
생도 조금씩 어디론가 밀려갈 것입니다. 꽃 진 자리에 돋아
나는 연록의 이파리처럼 누군가 내 떠난 빈자리를 소복이
메우며 차오를 것입니다. 가득 찬 것도 없고 텅 빈 것도 없
는 '공불이색(空不異色) 색불이공(色不異空) 불생불멸(不生不滅)'
의 비의(秘意)가 허공을 나는 꽃잎 속에 들어 있습니다. 하여
도 속되고 속된 나의 눈엔 지는 꽃이 서럽습니다. 동자승이
쓸고 간 정갈한 절마당에 선혈처럼 떨어져 있던 붉은 동백
을 보고 서늘해진 가슴을 쓸어내리지 않은 이가 있을까요?

아무에게라도 전화를 걸어 한바탕 수다를 떨고픈 이 환
장할 봄날에 딱히 전화를 걸 곳이 없습니다. 휴대폰 속에
저장된 전화번호를 차례로 훑으며 내 목소리의 수신자를 찾
다가 눈 질끈 감고 버튼을 누릅니다. 신호음이 울리고 뒤이
어 들려오는 수화기 저 편의 목소리가 찬바람 부는 이른 봄
날 화단에 내어 심은 팬지꽃처럼 가늘게 떨렸습니다.

"대문에 걸어놓은 그림이 누구 그림인지 알고 계시죠? "

내가 선뜻 말귀를 알아듣지 못해 머뭇거리는데 그녀의
목소리가 벚꽃처럼 화르르 쏟아져 나왔습니다.

"〈꽃에게 말을 거는 남자〉블로그 대문에 걸린 그림말이에요."

"아하! 겸재 정선의 독서여가 (讀書餘暇) ."

"흐, 아시네요! 아람미술관에서 '오늘로 걸어나온 겸재 기획전'을 하거든요."

"독서여가(讀書餘暇)도 전시되나요?"

"그 그림은 없지만 볼만합니다."

아이러니하게도 전화를 끊은 뒤에 내가 떠올린 것은 겸재의 '독서여가'가 아닌 엘리사벳타 시라니의 '베아트리체 첸치'의 초상이었습니다. 약 500여 년 전, 이탈리아에서 가장 아름다웠던 그녀가 단두대의 이슬로 사라지기 두 시간 전에 그린 귀도 레니의 그림을 보고 제자인 엘리사벳타 시라니가 그렸다는 이 그림을 떠올린 것은 아마도 시절이 천지간에 꽃잎 흩날리는 꽃지는 계절이었기 때문일지도 모르겠습니다. 땟국물에서도 향내가 난다는 스무 살 언저리에 생을 마감할 수밖에 없었던 그녀는 시대의 거센 바람에 떨어진 꽃잎 같은 존재였습니다.

이 그림을 오래 보고 있으면 까닭 모를 슬픔이 가슴 깊은 곳에서 뭉게뭉게 피어올라 온몸의 힘이 빠지고 나도 모르게 주저앉을 것만 같은 현기증이 일어납니다. 사실인지는 몰라도 이 그림을 보고 『적과 흑』의 저자 스탕달은 심한 우울증에 걸려 몹시 앓았다고 합니다. 그 뒤로 스탕달신드롬이란 말이 생겨나기도 했답니다. 곧 닥쳐올 죽음을 예감한 듯, 모든 것을 체념한 듯한 그녀의 슬픈 눈동자를 보고 있으면 그녀보다 먼저 울게 될 것만 같습니다.

어느덧 꽃 지는 봄날의 끝자락입니다. 어느 시인은 이때를 가리켜 춘미(春尾)라고 했던가요. 춘미에는 기쁜 일 좀 많아야겠습니다.

이별 편지

저무는 꽃들을
배웅하며

그립다면 기다릴 것이 아니라 먼저 찾아 나설 일입니다.
찾아가 그 향기에 취해 볼 일입니다.

밤새 비 오고 바람 불더니 거리엔 온통 낙엽의 물결입니다. 홀로 가을 뜨락을 지키며 그윽한 향기를 풀어놓던 국화도 오늘은 꽃잎에 매달린 빗방울이 힘에 겨운지 고개를 떨어뜨린 채 겨우겨우 바람을 견디는 표정이 역력합니다. 바람에 실려 온 소식 중 하나가 높은 산으로 단풍의 붉은 빛을 덮으며 첫눈이 내렸다는 전언이고 보면 이쯤에서 가을의 서정은 접어두고 서둘러 겨울채비를 할 때인 것도 같습니다.

화병에 꽂아 둔 해바라기가 검게 말라 시들어 가고 책상 위에 주워다 놓은 모과가 노랗게 썩어가면서 달큰한 향내를 풀어 놓는 가을이랄 수도, 겨울이라 할 수도 없는 계절의 매듭을 지나며 문득 저무는 꽃들을 배웅하고 밖으로 난 문들을 그만 닫아야겠단 생각이 들었습니다. 봄부터 가을까지, 헤아릴 수도 없이 많은 꽃들이 나의 시선 안에서 피고 지기를 거듭하며 나를 예까지 밀고 왔다고 생각하니 그 꽃들의 이름을 빠짐없이 소리 높여 호명하고 싶어졌습니다. 세속에 찌든 나의 마음을 맑고 그윽한 향기로 씻어내고 채워주며 나를 살아 있게 한 향기로운 꽃들에게 고마운 인사를 건네고 싶어졌습니다.

'돌아보면 누구에게나 눈부신 시절이 있다'고 한 어느 시인의 말이 아니더라도 꽃과 함께 한 시간들을 되짚어 가면 모두가 눈부신 날들로 가득 차있습니다. 노랑제비꽃을 찾아서 높은 산을 두 번이나 오르내린 일도, 변산 바람꽃을 만나러 내변산의 골짜기를 서성이던 일도, 덕유산의 등근잎 꿩의비름을 마음에 두고도 가을 다가도록 길 떠나지 못한 아쉬움조차 돌아보면 내겐 눈부신 날들이었습니다.

꽃을 찾아 수시로 산과 들로 길을 놓을 때마다 나의 발걸음을 무겁게 했던 것은 사람에 대한 내 욕심의 무게였습니다. 보고 싶다 말하면서도 내가 먼저 찾아 나서지 않고 찾아오지 않는 사람을 원망한 적 많았습니다. 그것이 욕심이란 걸 꽃을 보면서 알았습니다. 그립다면 기다릴 것이 아니라 먼저 찾아 나설 일입니다. 찾아가 그 향기에 취해 볼 일입니다.

꽃은 무작정 찾아 나선다 해서 꼭 만난다는 보장도 없습니다. 때를 못 맞추면 헛걸음하기가 십상입니다. 아직 일러 피지 않았거나, 너무 늦어 이미 지고 난 다음일 수도 있습니다. 꽃을 찾아다니는 동안 저 역시도 헛걸음을 많이도 했습니다. 사람을 만나는 일도 별반 다르지 않습니다. 상대의 사정을 잘 헤아리지 않으면 좋은 만남으로 이어지기 쉽지 않으니까요. 그럼에도 상대에게 서운함을 느끼거나 야속한 생각을 하게 되는 것은 내 안에 욕심이 남아 있는 때문이란 걸 꽃을 만나면서 겨우 알게 되었습니다.

제 아무리 화려한 꽃도 지는 것을 아쉬워하지 않습니다. 물러갈 때가 되면 스스로 꽃잎을 떨어뜨리고 다음에 필 꽃에게 자리를 물려줍니다. 자신에게 주어진 시간과 공간을 눈부신 꽃빛과 맑은 향기로 가득 채우다가도 때가 되면 일말의 망설임도 없이 지는 꽃을 보면 그 단호함에 가슴이 서늘해지기도 합니다. 하루가 다르게 야위어 가던 꽃빛이 마침내 온산이 단풍으로 불꽃을 피우고 동안거를 준비하는 겨울 들머리, 이제 꽃들에게 작별의 인사를 건네야 할 때입니다. 저무는 꽃들을 마음속으로 배웅하며 그들이 남긴 고운 이야기를 양식 삼아 맵찬 바람 부는 인간 세상의 겨울을 건너갈 채비를 해야 할 때입니다.

물풀처럼 흔들릴 때마다 자신을 지켜내기 위해 내가 무수히 만들어 가졌던 삶의 이유들이란 것들이 얼마만큼 시간이 흐른 뒤에 돌이켜 보면 합리적이지도, 이성적이지도 못한 것이 대부분이지만 그 순간엔 가장 절실한 외침이었음을 부인할 수는 없습니다.

-달맞이꽃

그 꽃은 마치 나를 향해 소리치는 것만 같았습니다. 내게도 이처럼 뜨거운 가슴이 있노라고, 이렇게 붉은 꽃을 가득 피워 올릴 만큼 나의 생애도 뜨거워져서 여름을 지나왔노라고.

-사루비아

칡넝쿨처럼 치열하게 순간을 살지 못하고 스스로 주저앉아 버린 적은 없었는지, 내가 지금껏 놓지 못하는 생각들은 내 스스로 뻗어간 칡넝쿨 같은 집착은 아니었는지…. 시작도 끝도 없는 생각들이 칡넝쿨처럼 뻗어가는 동안 많이 혼란스러워졌습니다.

-칡꽃

꽃 속 깊이 꿀을 감추고 날벌레를 유혹하는 솜방망이에게나 그 꿀을 맛보려고 부지런히 날갯짓을 해대며 꽃 주위를 맴도는 꽃등애에게나 사는 일은 치열하지 않은 게 없습니다.

-솜방망이꽃

김소월의 〈진달래꽃〉으로 하여 진달래는 더욱 슬픈 꽃이 되었지만 그 슬픈 이미지는 사람이 만든 것일 뿐 세상에 피어나는 꽃치고 슬픈 꽃은 없습니다.

-진달래꽃

꽃에게 이름을 붙이는 일도, 꽃에게 어울리는 전설을 만드는 일도 모두가 사람의 일이니 혹여 그 전설이 억지스럽다 해도 꽃을 탓할 일은 아닙니다.

-인동초

저리 고운 꽃이 그처럼 독한 열매를 맺는다는 것이 얼핏 낯설게도 느껴지지만 아무리 고운 사람도 자신을 지키기 위해 독한 모습을 보이기도 하는 것을 생각하면 그리 이상할 것도 없습니다.

-때죽나무꽃

여자는 아무리 나이를 먹어도 여자일 수밖에 없다는 말처럼 구순의 연세에도 여전히 여자인 때문일까요? 익모초 꽃 앞에서 어머니에 대해, 그냥 어머니가 아니라 어머니란 여자에 대해 다시 한 번 생각해 보는 입추의 아침입니다.

-익모초

목숨 지닌 존재의 피할 수 없는 것이 죽음이고 보면 불로장생을 꿈꾸기 보단 사는 동안 자기답게 사는 것이 더 중요합니다. 꽃은 꽃답게, 열매는 열매답게, 사람은 사람답게 사는 것이 가장 아름답게 세상을 사는 것이 아닐까요?

-구기자

못생긴 나무가 산을 지키는 게 아니라 싸리나무 같은 작은 나무들이 숲을 키우고 지키는 셈입니다. 이 땅을 지켜온 이들이 저 싸리나무처럼 힘없는 민초들이었던 것처럼요..

-싸리나무

우리가 모르고 지나치는 순간에도 어딘가에서 제 나름으로 최선을 다해 피는 꽃이 있다는 것만은 잊지 말아야 합니다. 목숨 지닌 것들이 피워내는 꽃은 모두 눈물겹기에.

-양지꽃

초록의 기세에 조금도 주눅 들지 않고 여름 숲에 당당히 붉은 점 하나 찍고 있는 동자꽃을 보며 나도 세상 속으로 꽃 한 송이 피우고 싶단 생각을 했드랬습니다..

-동자꽃

찬찬히 살펴보면 어여쁘지 않은 꽃이 없습니다. 아무리 하찮게 보이는 사람일지라도 귀하지 않은 사람은 없습니다. 사람 사이에 담을 쌓아 구분 짓고 마음에 금을 그어 경계를 짓게 만드는 선입견이란 진실로 상대를 이해하는 일에 장애가 될 뿐입니다.

-호박꽃

나는 누구에게도 이 꽃의 아름다움을 ,어여쁨을 나와 똑같이 느껴보라고 강요하고픈 마음은 추호도 없습니다. 사람이나 꽃이나 가슴에 담지 않으면 결코 특별한 존재가 될 수 없으니까요.

-노랑제비꽃

사람들의 세상이 제아무리 시끌법석 난리를 피워도 꽃들은 저마다 몸 속에 아주 정밀한 생체시계를 지니고 있어 꽃 피울 시기를 놓치는 일없이 때맞추어 아름다운 꽃을 피웁니다. 그리고 보면 수시로 때를 놓치고 사는 것은 가장 잘난 척하는 우리 인간들 뿐인지도 모르겠습니다.

-벌노랑이

세상의 모든 목숨 가진 것들은 저마다 귀하디귀한 존재입니다. 굳이 남의 눈에 띄어야만 자신의 존재감을 느끼는 삶처럼 어리석은 삶도 없을 것입니다.

-구슬붕이